LE PARADIS DES HÉROS

Mémoires apocryphes
du général Custer

Michael Blake

Le paradis des héros

ROMAN

Données de catalogage avant publication (Canada)

Blake, Michael, 1943-

Le paradis des héros

Traduction de : Marching to Valhalla.

ISBN 2-89111-808-1

1. Custer, George Armstrong, 1839-1876 – Romans, nouvelles, etc. 2. États-Unis – Histoire – 1860-1890 – Romans, nouvelles, etc. I. Champon, Alexis. II. Titre.

PS3552.L3487M3714 1998 813'.54 C98-941266-0

Titre original
MARCHING TO VALHALLA

Traduction
ALEXIS CHAMPON

Maquette de la couverture
FRANCE LAFOND

Éditions Libre Expression
2016, rue Saint-Hubert
Montréal, (Québec) H2L 3Z5

Dépôt légal :
4e trimestre 1998

ISBN 2-89111-808-1

Pour un infatigable étudiant de la vie,
mon père,
James Lennox Webb

Remerciements

Mes remerciements vont aux centaines de spécialistes de Custer, connus ou inconnus, qui ont apporté leur importante contribution à notre connaissance de cet homme et de son époque.

Je remercie tout particulièrement mon épouse, Marianne Blake, qui m'a soutenu pendant l'écriture de ce livre.

18 mai 1876

Chez moi, le besoin d'écrire est aussi impérieux que celui de respirer. Il y a tant dans mon cœur — de la colère, une extrême douleur et de l'amour à profusion. Mais rien de tout cela n'est exprimé, car dès qu'il s'agit des émotions, je suis un homme muet. Toute ma vie, j'ai vécu muselé comme un chien.

Mais je peux écrire. Je sens que je peux écrire toute la nuit, et ne m'arrêter qu'au réveil du camp. Ce soir, quelque chose me dit que j'écris enfin selon mon cœur. Non une lettre de verbiage, ni un document réfléchi, ni un rapport soigneusement formulé. Le besoin constant d'écrire se greffe maintenant sur l'envie de tout dire, de le dire simplement, sans fioritures. De dire la vérité nue.

J'aurai couché ceci par écrit quand nous rencontrerons l'ennemi, si toutefois nous le rencontrons, mais en attendant, les nuits après la retraite seront miennes — un tabouret, un bureau minuscule, une bougie et une plume. Et moi, bien sûr, appliqué, essayant d'extraire au moyen de l'encre ce que je ne peux faire sortir par cette fente qui me sert de bouche. Moi. L'homme de Monroe, le Général Enfant, le Fils de l'Etoile du Matin, Cul d'Acier, le Vieux Bouclé, Cheveux Longs, Cannelle, Autie et Bo. Et d'autres encore. Et de moins beaux. Moi, comme les grands et les petits de ce monde aux convulsions incessantes, terriblement seul.

La solitude est affreuse. Elle laisse toujours l'homme en partie inassouvi. Mais ce soir, seul dans la nuit, encore botté, accompagné par le grattement machinal de la plume, j'ai l'impression d'être un roi. Bizarrement, la solitude m'a toujours rendu courageux. C'est peut-être pour cela que je me conduis si bien au combat. En pleine bataille, je me sens aussi seul que maintenant.

Libbie est partie. Libbie est mon autre vie. J'ai toujours eu deux vies. La vie avec moi-même, et la vie avec Libbie. Je sens encore son souffle sur mon épaule. Il pénètre le petit matin, comme à son habitude, il s'insinue dans ma tunique et ma chemise, jusqu'à la peau. Son souffle m'a toujours brûlé les chairs.

Nous avons longtemps été experts ès séparations. Elle n'a versé aucune larme quand je l'ai aidée à monter dans le chariot du trésorier-payeur. Elle a souri courageusement en me disant qu'elle attendrait toutes les nuits mon pas dans l'escalier ou le cliquetis de mon sabre dans le hall. Elle sait que je lui reviendrai dès que je pourrai. Elle sait que je donnerais n'importe quoi pour être avec elle parce que je l'ai fait tant de fois déjà. Et elle aussi. Nous ne nous sommes jamais contentés d'être unis en esprit car notre mariage a été un mariage d'action. Nous avons toujours affiché notre dévouement mutuel et notre amour n'a jamais connu de repos.

Quand la colonne s'est mise en branle, j'ai éperonné Dandy, j'ai gravi une crête d'où j'espérais voir le chariot. Il était là, loin en contrebas, il tanguait tel un navire sur la mer, en route pour Fort Lincoln, en route pour notre maison. J'ai brandi mon chapeau et je l'ai agité au-dessus de ma tête. Et j'ai vu sa petite main, à travers les battants en toile du chariot, agiter pour moi un morceau de tissu.

Nous nous sommes mariés il y a douze ans, mais j'ai l'impression que c'était hier parce que Libbie est restée la jeune fille qui a pris mon cœur. Elle disait que son seul souhait dans la vie était d'être avec moi et elle n'a jamais changé d'avis. On prétend que le rôle d'une femme est d'apporter les fondations morales à un homme; si c'est vrai, Libbie est une grande architecte, et je suis le plus heureux des maris.

Un travail m'attend, un travail pénible et horrible, mais qui doit être fait. Combien de temps devrons-nous marcher avant d'engager le combat avec l'ennemi, je l'ignore. Je sais seulement que le petit corps de Libbie me manquera sous la tente. Comme me manqueront sa respiration la nuit, la caresse de sa main dans la mienne, le parfum de sa peau. Son intelligence et son empressement me manqueront, comme me manquera la flamme qui brille si vivement dans ses yeux. Mais je ne la pleurerai pas. Elle est avec moi en ce moment même. Elle est avec moi, même si elle dort quelque part sur la piste qui la ramène à Fort Lincoln.

19 mai 1876

Je n'aurais jamais été capable d'imaginer tout ce que la vie m'a réservé. J'ai été roi et mendiant, et tout ce qu'il y a entre les deux, et j'ai souvent trouvé du réconfort dans le fait que peu d'hommes dans l'Histoire ont vécu ce que j'ai vécu.

Peu d'hommes ont mangé de l'antilope, comme moi ce soir. C'est une viande extrêmement maigre... je n'en raffole pas. Je préfère le bison. Je ne me lasserai jamais de la viande de bison. L'antilope est plus faisandée, un peu comme la terre sur laquelle elle vit, j'imagine. Moi aussi, je parcours cette terre, j'ai rendez-vous avec la colonne du colonel Gibbon et le *Far West*, le bateau à vapeur qui croise sur la rivière Yellowstone.

Nous campons ce soir dans le froid et l'humidité, nous n'avons pas beaucoup avancé aujourd'hui. J'ai horreur des chariots qui ralentissent la marche, chargés de rations et de munitions. J'aimerais vivre sans provisions et cracher quand même le feu dans la bataille. J'aimerais vivre sans dormir. J'aimerais que chaque jour se déroule sans obstacles et que ma monture n'ait jamais besoin de repos. Mais avec une armée de cette taille, on n'échappe pas aux obligations de la marche et à ses nombreux détails. Chaque homme doit manger, chaque homme doit boire, chaque homme doit évacuer ses déchets, être vêtu, équipé, et doit passer un tiers de son temps inconscient. La colonne se déplace avec l'indolence d'un serpent monstrueux qui aurait avalé quelque œuf tout aussi monstrueux.

Enfant, je rêvais d'être conscient chaque minute de chaque heure de chaque jour. Je passais mes nuits à essayer de garder les yeux grands ouverts, jusqu'à l'aube, désireux de me relever aussi frais et dispos que si j'avais dormi. J'aurais voulu rester éveillé toute la vie. Ce désir me poursuit encore. J'ai toujours fui le sommeil, je suis encore l'esclave de mon rêve d'enfant. Ah, comme il serait agréable de ne rien manquer de la vie !

Je me suis délecté de la vie, je me suis délecté de la mort, mais je ne suis pas rassasié. C'est ma bénédiction et ma malédiction à la fois. Quand j'en aurai fini ce soir, je fermerai les yeux pendant deux ou trois heures avec une seule idée en tête : me lever et repartir. Au petit matin, je dresserai le plan du jour avec mes lieutenants, puis j'engloutirai mon petit déjeuner le plus vite possible. Ensuite, je monterai sur le dos de Dandy et je partirai en éclaireur avec une escorte réduite, laissant loin derrière la masse éléphantesque des chariots, des bagages et des troupes. Alors commencera pour moi le vrai plaisir de la journée. Nous partirons en avant de la colonne, et il me tarde de savoir ce que demain nous réserve.

J'ai déjà parcouru ce pays, mais je me réjouirai quand même de chaque foulée de Dandy. Chaque jour apporte du nouveau, et on peut être sûr que mes yeux impatients, dont je pense parfois qu'ils possèdent une vie propre, scruteront chaque bois, chaque ruisseau, chaque crête et chaque ravin à la recherche d'un indice quelconque. Nous trouverons peut-être une couche de fossiles émergeant de la strate d'une falaise. Dans un bosquet de trembles dont les feuilles s'agiteront dans la brise, nous apercevrons peut-être l'éclat d'un gibier, et la chasse commencera. Si nous sommes résolus, le gibier courra à sa perte et il y aura de la viande fraîche le soir à la veillée. Peut-être que dans quelque clairière ou ravine, à une distance indéterminée de notre front, l'ennemi se cachera jusqu'au moment voulu. Nous parviendrons alors au but de cette campagne, loin de nos foyers; nous nous engagerons dans un combat féroce, nous éprouverons nos forces et notre courage dans une lutte à mort.

Il y a de quoi rire ! J'adore ces instants de découverte, j'adore le combat, mais en écrivant ces lignes, je sais pertinemment que nous ne découvrirons pas l'ennemi demain, ni les jours suivants. L'ennemi ne s'intéresse pas à nos activités, et nous ne le rencontrerons pas, sauf heureux hasard. Les nomades sont partis vers l'ouest, ils suivent la piste des bisons, c'est leur vie. Certains de mes hommes parlent déjà en se moquant d'un long pique-nique d'été, passé sans voir un seul Indien. C'est possible. Il n'y a pas plus insaisissable que notre ennemi. Des villages entiers peuvent disparaître en l'espace d'une nuit, de vastes rassemblements guerriers s'éparpiller en un clin d'œil. Notre ennemi sait se cacher en terrain découvert et il fuit le combat sauf s'il y est contraint ou s'il a l'avantage du nombre.

Mais je finirai par trouver sa piste, et quand j'aurai senti son odeur, il m'aura sur le dos jusqu'à la fin. Je suis un chien de chasse en uniforme, je suis d'une race qu'il ne connaît pas. Et je ne suis pas du genre à me lasser. Une fois lâché, rien ne m'arrête, sauf un ordre de mes maîtres. Et quand je serai lancé à ses trousses, je serai, bien sûr, hors de portée de voix de mes maîtres. J'ai toujours débusqué l'ennemi, et cet été ne fera pas exception à la règle.

Aujourd'hui comme demain, j'aurai avec moi mon éclaireur Couteau-Sanglant. Il sera à mes côtés chaque jour, même si on l'appelle ailleurs, surtout en cas d'action décisive. Comme tous les aborigènes, il lit le terrain aussi bien qu'un architecte un plan. C'est un plaisir d'avoir un expert capable de déchiffrer le terrain à mesure que la colonne avance. Il m'a appris à lire comme lui, et un tel savoir éclaire et facilite les options de route, la découverte de gués, le choix d'un bon campement.

Couteau-Sanglant est encore plus indispensable dans un sens militaire plus large, car il a, j'en suis sûr, sauvé plus d'une fois des vies humaines grâce à des mises en garde qui ne pouvaient provenir que de ses dons singuliers.

Il était déjà avec moi il y a trois ans lors de l'expédition

Yellowstone, et je n'oublierai jamais un certain après-midi. La colonne avait pour mission de protéger des équipes d'arpenteurs du chemin de fer de la Northern Pacific. Pendant que le gros des forces traversait un gué particulièrement délicat, piaffant d'impatience, je partis en reconnaissance avec une compagnie. Vers une ou deux heures de l'après-midi, par une chaleur étouffante, j'ordonnai une halte dans un agréable sous-bois, près d'un cours d'eau aux rives escarpées. Je somnolais en caleçon quand j'entendis murmurer mon nom; me réveillant en sursaut, je trouvai Couteau-Sanglant et notre interprète accroupis à côté de moi. Son visage était aussi pâle que sa peau rouge le permettait, et je compris rapidement que des poneys appartenant à cinquante ou soixante guerriers sioux avaient traversé la rivière en amont de notre campement.

Ne pensant qu'à la poursuite, je me levai d'un bond et m'habillai vivement tout en demandant quelle direction l'ennemi avait prise.

— Ils n'ont pris aucune direction, répondit solennellement Couteau Sanglant. Ils sont là.

Il m'expliqua que les traces étaient toutes fraîches.

Nous pensâmes d'abord aux chevaux qui paissaient à une centaine de mètres. Mon frère Tom était avec moi, comme maintenant; avec lui et une demi-douzaine d'hommes de sa troupe, nous nous précipitâmes à l'endroit où les chevaux étaient rassemblés, rampâmes jusqu'à la rive escarpée et coulâmes un œil par-dessus la crête. En contrebas, une ligne de guerriers avançaient à croupetons. Je me souviens encore du soleil qui scintillait sur leurs cheveux huilés.

Ils ignoraient tout de notre présence et, en pensant à la terreur que nous allions leur infliger, je réprimai avec peine un gloussement de joie.

Tom tira le premier coup de feu. Nos adversaires bondirent comme un seul homme et détalèrent au triple galop. C'était comme si on avait lâché un renard affamé dans un poulailler. Dans leur fuite éperdue, les Sioux perdirent deux hommes et eurent au moins un blessé. Toute la compagnie leur donna la chasse mais, n'arrivant pas à les rattraper, abandonna la poursuite après plusieurs kilomètres.

L'Indien aime se vanter de ses exploits guerriers — je suis pareil, je le confesse — mais je doute que cet épisode figure dans son recueil de contes. Pour nous, ce ne fut rien de plus qu'une anecdote amusante, mais c'eût été bien différent si les Indiens avaient tué les sentinelles et capturé les chevaux.

Le soir, je demandai à Couteau-Sanglant ce qu'il avait repéré dans ces traces de poneys qui lui avait fait penser que les Peaux-Rouges étaient après nous. Il m'expliqua que les empreintes étaient profondes et que des grains de sable roulaient encore le long des crevasses.

Depuis, j'ai souvent cherché des traces aussi fraîches, mais je n'ai encore jamais vu de sable rouler sur la paroi des empreintes.

Couteau-Sanglant possède d'autres qualités que celles qu'il partage avec ses semblables. Il est ferme et impassible avec les autres éclaireurs de sa tribu, les Rees. Il a une voix profonde et autoritaire qui impose le respect. Ils suivent ses instructions à la lettre, et ses rapports ne manquent jamais de détails utiles. En d'autres temps, nous pourrions discuter, comme de bons camarades, de choses qui nous intéressent tous les deux. Il a de la gaieté dans le regard, qui, je crois, va de pair avec un certain sens de l'humour. Mais cela n'arrivera pas. Je fais partie d'une mécanique qui entraîne les roues du progrès, un progrès qui finira par détruire son mode de vie. Pour l'heure, je crois qu'il connaît mieux mon cœur que nombre de mes proches. Et je sais que, s'il avait le choix, il n'hésiterait pas à tuer un Sioux plutôt que de retourner son couteau contre moi. Nous chassons le même gibier, lui et moi. Je me sens en sécurité avec Couteau-Sanglant.

Je serais encore plus rassuré si j'avais plusieurs Couteau-Sanglant pour ma campagne. Dans ce cas, je remplacerais certains officiers supérieurs par des Couteau-Sanglant. Le capitaine Benteen, qui commandera une de mes ailes, serait le premier à partir. Benteen est un type que je ne comprendrai jamais. Il y a en lui une amertume dirigée contre tout et tous, principalement contre moi. Le capitaine Benteen pourrait être parmi la plus charmante compagnie, à la table de pique-nique la plus agréable, par un jour de juin particulièrement ensoleillé, qu'il resterait noyé dans l'ombre. Ses yeux exorbités paraissent fixes, comme en état d'obsession permanente, et bien que son apparente malveillance soit constante, je crois qu'il me réserve une acidité particulière. Il a plus d'une fois essayé de m'entraîner dans des bagarres pour régler nos différends. Nos disputes ont toujours été légitimes et profondes, mais à la réflexion, j'en suis venu à croire que le principal but du capitaine Benteen est de se mettre en position de me tuer légalement. Jusqu'à présent, il s'est toujours arrêté avant le meurtre, mais j'ai souvent pensé que, si les conditions étaient propices, il sauterait sur la moindre occasion pour me loger une balle entre les omoplates et jurer ensuite que son cheval a trébuché. Pas mal d'officiers m'ont haï dans ma vie, non pour ce que j'ai fait, mais pour ce que je suis. Ceux qui haïssent sans savoir précisément pourquoi sont des hommes redoutables, et de tous, c'est encore Benteen que je redoute le plus.

Le second à partir serait le chef d'escadron Reno. Si le capitaine Benteen devait habiter sur une face de la Lune, je suis sûr que le chef d'escadron Reno habiterait sur l'autre. Il est réservé — sauf quand il a bu, et dans ce cas il est bruyant et grossier — et garde son opinion pour lui-même. Quant à savoir de quoi retourne cette dernière, c'est là une chose qui me donne la chair de poule, car le chef d'escadron Reno a en lui quelque chose de pervers. Il est naturellement lourd et maladroit, et cependant il affecte un maintien militaire. Il me fait penser à un garçon qui, sous la menace d'une sanction sévère, assiste à l'office du dimanche, lavé de frais, les cheveux gominés, le corps engoncé dans un habit mal taillé. Il y a aussi en lui une certaine douceur, et il a dans le regard la limpidité de ceux qui se brisent facilement. Il est extrêmement mal à l'aise avec les femmes et personne ne recherche sa compagnie. Il semble toujours penser à autre chose. Je n'ai jamais réussi à découvrir s'il était lent d'esprit ou s'il était hanté par des idées bizarres ou des pensées secrètes.

Benteen et Reno sont de bons militaires de carrière. Excellents pendant la Grande Guerre[1], ils s'y sont distingués en maintes occasions. Ils n'ont jamais désobéi à mes ordres et je n'ai jamais eu à les réprimander depuis leur affectation dans le 7e de cavalerie il y a près de dix ans. Ce sont des soldats d'expérience, mais des hommes insupportables... ironie typique de la vie militaire. Ils illustrent parfaitement la nature démocratique de la vie militaire et, au bout du compte, ils sont ce que le sort m'a réservé, ni plus ni moins. Mon seul et unique espoir est que la chance soit avec eux quand nous affronterons l'ennemi.

Il y a des officiers dans cette campagne, surtout des capitaines, en qui je place la plus grande confiance. J'ai aussi des proches avec moi, et je sais que je peux compter sur eux. J'aime sincèrement ces hommes mais, avec le recul, je sais qu'il me serait impossible d'aimer quiconque davantage que ceux de la brigade du Michigan... mes Wolverines[2]. Ils m'avaient rejeté au début, et je ne leur donne pas tort. Ils n'avaient aucune raison de m'apprécier, pas plus que je n'en avais de les aimer. Nous étions tous très jeunes à l'époque et les violentes convulsions de la guerre obligent un soldat à changer d'allégeance en cours de route, souvent dans l'enfer du combat lui-même. Mais une force invisible m'avait attiré vers les Michiganders longtemps avant que je ne les rencontre. C'était peut-être la force du Créateur. Je ne sais pas. Je sais seulement que les voies mystérieuses du destin, qui semblent avoir réglé ma vie, nous ont réunis. Nous étions destinés à remporter victoire sur victoire, mais comment cela a été possible, voilà qui dépasse l'imagination.

Si j'étais destiné à quoi que ce fût, c'était bien au commandement, et depuis le début de la guerre tous mes pas m'ont guidé vers ce but. Je ne recherchais pas le commandement comme un peintre rêve de composer un tableau parfait ou un chanteur de pousser des arias éblouis-

1. Il s'agit bien sûr de la guerre de Sécession. *(N.d.T.)*

2. Gloutons. C'est aussi le surnom des habitants du Michigan. *(N.d.T.)*

santes. Je brûlais de commander avec un instinct brut que j'étais incapable de comprendre ni de planifier. Ce n'est pas que je *voulais* commander, c'est qu'il le *fallait*. Je n'ai jamais analysé cette obligation, qui ne se manifestait ni en mots ni en rêves, mais seulement dans l'action. L'action attirait mon instinct aussi sûrement qu'un brin d'herbe est attiré par le soleil. En outre, j'ai mûri.

On a attribué mon ascension militaire aux hasards de la fortune — le terme employé est, je crois, « la veine de Custer » — mais si j'ai souvent été dans des situations avantageuses au bon moment, il me semble évident qu'un simple facteur a déterminé ma carrière militaire, un facteur qui l'emporte sur tout. Chaque fois que je me suis retrouvé dans des contextes favorables, cela était dû à ma propre initiative. Si on remonte aux circonstances qui m'amenèrent à commander la brigade du Michigan, on découvrira sans conteste que ce sont mes actes qui enclenchèrent le mécanisme qui me propulsa jusqu'aux sommets.

Le cosmos a peut-être joué un rôle dans mon affectation à West Point en juin 1857, mais c'était moi qui, bien avant cette date, avais pris la plume pour écrire à notre député, bien que je vinsse d'une famille sans influence qui proclamait haut et fort depuis des années son opposition aux idéaux politiques du parti de ce même député. Plus que tout autre facteur, je crois que c'est cette lettre, la demande honnête et hardie d'un garçon sincère, qui rendit finalement l'affectation possible.

L'école ne m'a jamais intéressé. En ce sens, je n'étais certainement pas qualifié pour être admis dans une académie aussi prestigieuse. Pendant mes études précédentes, j'avais fait le strict minimum pour suivre, et l'énergie qu'il m'avait fallu déployer pour passer l'examen d'entrée à l'Académie militaire excédait probablement celle que j'avais dépensée dans toute ma scolarité.

A cette époque, les études n'offraient pour moi aucun intérêt, et les longs hivers penché sur des livres de philosophie ou de mathématiques étaient des tortures atroces qui ne pouvaient être soulagées que par des chahuts débridés, lesquels chahuts se soldaient par de vertes réprimandes. Quand ces avertissements me conduisirent au bord de l'exclusion, je m'amendai et devins un cadet modèle, jusqu'au moment où les bonnes notes égalèrent en nombre les mauvaises. A ce stade, le cycle des études, des chahuts et des punitions recommença.

Mon absence d'intérêt pour les études, quelles qu'elles fussent, se répéta aussi. Pour mon diplôme, j'arrivai dernier d'une classe de quarante. Mais je l'obtins. Bien d'autres échouèrent avant. Je vis ceux qui n'étaient pas suffisamment rapides d'esprit ou de caractère se glisser hors de la chambrée, un sac à la main, pour entamer leur long retour chez eux, retour dont chaque kilomètre devait être obscurci par la défaite.

Il est de notoriété publique que je fus traduit en cour martiale la veille de la remise des diplômes, à cause d'une ultime et dérisoire infraction. On m'avait désigné officier de la garde un jour où deux étudiants de première année qui se détestaient violemment, ne pouvant se réfréner davantage, se battirent en combat singulier. En tant qu'officier de la garde, j'étais chargé de maintenir la paix et de faire respecter l'ordre, mais quand je vis qui étaient les deux combattants, je mis de côté ma responsabilité en la matière. Les deux adversaires en viendraient inévitablement aux mains, j'en étais certain. Ce jour-là, le sang avait déjà coulé entre eux, mais aucun des deux n'était sorti vainqueur de l'affrontement. Si nécessaire, ils reprendraient le combat par une nuit sombre dans un endroit désert. J'aurais pu ordonner qu'on les mît aux arrêts, personne ne s'y serait opposé, mais quelque chose me dit que les risques seraient moindres si les deux adversaires en décousaient en public. La fin de quatre années de labeur implacable me soulageait peut-être au point que je désirais évacuer ma propre frustration à travers eux. Je ne sais.

Je priai les spectateurs de reculer. Je m'écartai moi aussi, et déclarai aux deux adversaires : « Battez-vous loyalement. »

Forts de mon autorisation, les deux garçons reprirent le combat avec une fureur renouvelée. Ils attirèrent une foule de plus en plus nombreuse, parmi laquelle un de mes supérieurs.

J'expliquai, je plaidai, je suppliai, mais en vain. Pendant que mes camarades diplômés se rendaient en train à la capitale, j'attendais ma sanction à l'Académie.

Le conseil de guerre me donna une simple réprimande et on a souvent mis en avant cette décision pour illustrer « la veine de Custer ». On prétend que la Grande Guerre est intervenue en ma faveur, mais, dans mon esprit, le plus grand conflit humain de notre histoire est intervenu dans la vie de chacun, et je n'étais qu'un des millions dont le destin fut altéré par une calamité nationale dévastatrice. Tout ce que je sais, c'est que j'avais hâte d'y participer.

Je m'arrêtai à New York car j'étais désormais un soldat, un soldat de dernière minute qui ne possédait ni épée, ni revolver, ni même éperons. J'achetai ces articles chez un fournisseur de l'armée, et bien que n'étant encore soldat que de nom j'avais au moins l'équipement requis pour me présenter comme tel. La fierté qui accompagna mon départ de l'Académie en uniforme et en armes, et ce à la veille d'un grand conflit, était insupportable. Je devais la partager avec quelqu'un ; je me fis donc prendre en photo dans un atelier de la 57e Rue. Je postai aussitôt le cliché à ma sœur, qui l'a toujours.

Je ne peux m'empêcher de rire quand je vois la photo. C'est celle d'un garçon exalté, d'un enfant prêt à jouer à la guerre. J'ai souvent supplié Lydia de jeter cette photo ridicule, mais je n'insiste plus. En revoyant mon passé, riche d'événements grands et petits, j'ai du mal à séparer la somme de ses composants. Après tant d'années, il devient difficile de percevoir le mûrissement qui était à l'œuvre. Mais l'image restée figée dans ce vieux daguerréotype est une vision qui me procure toujours du plaisir, car ce qui est figé là est une vision rare. Le garçon sur la photo est dans les derniers moments de l'adolescence, sur le point de perdre sa naïveté, son irresponsabilité et ses rêves puérils. On m'a souvent pris en photo depuis, mais je n'ai jamais revu le jeune homme de cette époque. Il a dû disparaître au moment où l'obturateur s'est refermé.

J'ignorais tout de cela en arrivant à Washington. J'étais davantage contrarié d'avoir été laissé à la traîne, car il n'y avait plus d'activité militaire dans la ville, la plupart des hommes et du matériel étant partis et se rassemblant déjà pour la première grande bataille.

Je me présentai au quartier général; remarquant mon uniforme de West Point, un officier d'état-major me fit entrer dans une vaste pièce où on me présenta au commandant suprême, le général Scott. J'étais trop abasourdi pour ressentir une émotion aussi triviale que l'embarras. La seule vue d'un grand général, si grand qu'il paraissait envahir toute la pièce alors qu'il n'était qu'assis, me paralysait. Son visage était aussi impassible qu'une pierre, mais il n'avait rien de brutal. Son regard était si calme et si ouvert que je fus aussitôt à l'aise. Je n'étais pas sûr de pouvoir remuer les lèvres, mais les mots sortirent librement de ma bouche.

Le général me souhaita la bienvenue et me demanda si j'avais besoin d'une affectation. Je répondis par l'affirmative; il me demanda alors quelle avait été ma spécialité à l'école.

Comme il semblait sincèrement s'intéresser à moi, avec l'enthousiasme d'un père, je fus amené à lui répondre sincèrement :

— L'immatriculation, mon général.

Il s'esclaffa sans me quitter des yeux, et je ris avec lui.

— Oui, dit-il, j'imagine que c'est la spécialité de tous les cadets. Voyons les choses autrement. Où aimeriez-vous exprimer vos talents?

— A cheval, mon général.

— Dans la cavalerie?

— Oui, mon général. Je me sens plus à l'aise à cheval qu'à terre.

— Eh bien, j'aimerais que vous vous sentiez à l'aise. Je vais donc vous affecter dans une unité de cavalerie. Et votre premier service commandé sera de transmettre des dépêches pour moi.

— Bien, mon général. Merci, mon général.

— Il n'y a pas de quoi, lieutenant. Vous partirez ce soir à huit heures. En attendant, vous devrez vous trouver une monture.

Après cet entretien, je planai longtemps dans les nuages, mais plus je cherchais un cheval, plus le désespoir me gagnait. Il ne restait plus un seul cheval à vendre dans tout Washington, et mon enthousiasme à servir mon pays à travers son commandant suprême s'estompait dans des recherches fiévreuses mais vaines. J'avais quasiment abandonné tout espoir, et je traînais en ville, désespéré, certain de laisser échapper une chance unique, quand je vis un soldat que j'avais connu à West Point descendre l'avenue à cheval. Il se souvenait de moi lui aussi. Quand je lui demandai ce qui l'avait amené en ville, et qu'il m'apprit qu'il était venu chercher un cheval de batterie de rechange qu'on avait oublié, je compris que la Providence me faisait signe.

Je fus surpris de constater que le cheval de rechange était l'un de ceux que j'avais souvent montés à West Point. Ce soir-là, quand nous quittâmes Washington, mon ami et moi, j'avais une monture mais j'étais quelque peu délesté, car mon pistolet et mes éperons étaient devenus la propriété de mon camarade. Alors que bien des hommes valides payaient pour fuir la guerre, j'avais payé pour la faire. Appelez cela « la veine de Custer »!

J'eus du mal à trouver le QG du général McDowell car l'armée était si vaste que c'était comme chercher une rue dans une ville inconnue. Jamais je n'avais vu une telle concentration d'hommes et de chevaux; la multitude s'étendait devant moi dans les lumières vacillantes. Il était trois heures du matin. Des hommes qui avaient déjà déjeuné se formaient en colonne pour la marche matinale, mais à cause des nombreux retards, des milliers étaient couchés par terre, certains fumaient, d'autres dormaient encore. Je dus guider mon cheval avec précaution pour éviter de les piétiner.

Je finis par atteindre mon but et tendis ma dépêche à un chef d'escadron aux cheveux blancs. Je n'avais pas dormi depuis deux jours, je défaillais de faim, mais comme je voulais mon affectation, j'attendis le retour du chef d'escadron. Il me demanda des nouvelles de la capitale ; je lui répondis que tout le monde semblait attendre des nouvelles de son quartier général. Il rit et me dit qu'on en aurait bientôt. L'armée entière allait attaquer l'ennemi le matin même, et chacun pensait que la bataille serait décisive. Il y avait eu de légères escarmouches les deux jours précédents, mais le combat à venir mettrait probablement fin à la guerre. Tout le monde croyait qu'une seule bataille suffirait.

Je m'étais lié d'amitié avec de nombreux sudistes et mon cœur penchait de ce côté. Mais en entrant à West Point, j'avais juré devant Dieu de soutenir l'Union. Je ne pouvais pas rompre mon serment et, comme le reste du pays, je croyais que le pouvoir de l'Union était absolu. La défaite n'occupait tout simplement pas mon esprit à la veille de Bull Run[1].

Le combat avait à peine commencé quand la panique s'empara de notre armée. Soudain, aussi loin que mes yeux pouvaient voir, tout le monde se mit à courir. Je commandais une compagnie et n'avais pas encore eu la chance d'apercevoir l'ennemi que nous étions déjà dépassés par nos propres soldats, dix-huit mille hommes, les yeux fous de terreur, qui jetaient leurs armes dans leur fuite éperdue. Il me fallut de la vigilance, de la fermeté et des mots apaisants pour empêcher mes soixante hommes de faire de même. Je dus en menacer certains de la pointe de l'épée pour les maintenir dans les rangs. Ce fut une longue retraite, mais je pus regagner l'endroit où l'armée se regroupait avec mes troupes intactes. L'Union avait connu la déroute, et ce premier combat devait donner naissance à mille autres. A la fin de la guerre, j'avais l'impression de les avoir tous livrés.

Beaucoup considèrent comme un miracle que j'aie survécu à la guerre. Pour moi, ce n'est pas un miracle, mais une

1. Près de Manassas Junction. Les confédérés emmenés par le général Lee y remportèrent deux victoires. La première le 21 juillet 1861 ; la seconde les 29 et 30 août 1862. *(N.d.T.)*

conséquence naturelle dès lors qu'on se dévoue corps et âme à une cause : la victoire sur l'ennemi. Pour l'emporter, je ne connaissais qu'un moyen : tout donner. J'acceptai toutes les affectations. Je me portai volontaire chaque fois que c'était possible. Je me lançai joyeusement dans la voie du danger et je bâtis ma réputation sur mon ignorance de la peur, ce que mes supérieurs apprécièrent. J'eus l'honneur de servir sous les ordres d'hommes comme Kearny, McClellan et Pleasanton. Le général Kearny m'apprit la valeur de la discipline, et McClellan les vertus du commandement. Ce fut Pleasanton qui m'apprit la cavalerie et qui me confia ensuite un commandement.

Je me suis bien comporté sous leurs ordres, j'ai obtenu maintes citations pour actes de bravoure, et j'ai rapidement été promu au grade de capitaine. J'avais combattu l'ennemi, j'en avais tué plus d'un, mais j'étais encore un officier d'état-major sans véritable commandement.

Si grand était mon désir de commander qu'au printemps 1863 j'allai trouver la brigade du Michigan et demandai aux officiers de signer une pétition me réclamant à leur tête. J'avais fait prisonnier l'ennemi, détruit ses voies ferrées, confisqué son argent, affronté la gueule de ses canons, j'avais maintes fois déjoué ses ruses, j'avais envoyé nombre de ses hommes errer dans les vestibules du Walhalla[1]. Ces faits étaient connus dans l'armée et c'est sans doute ce qui explique que les officiers de la brigade du Michigan ne m'aient pas ri au nez. Ils déclinèrent poliment mon offre ; je me sentis si stupide que mon seul soulagement fut la certitude de ne jamais revoir cette maudite brigade.

Je me trompais. La semaine du 26 juin au 3 juillet 1863, pendant ces quelques longues journées d'été où la gloire le disputa à la mort, mon rêve se réalisa.

1. Dans la mythologie scandinave, séjour des héros morts au combat. Ces héros s'y livrent tous les jours à de sanglants combats, mais leurs blessures guérissent miraculeusement et ils se réunissent ensuite autour d'Odin pour boire l'hydromel versé par les Walkyries. *(N.d.T.)*

J'ai dormi — combien de temps, je l'ignore. La pluie tombe toujours et il y a fort à parier que demain nous aurons droit à la boue. Les chariots seront embourbés jusqu'aux essieux et tout le monde va se plaindre. Mais nous continuerons d'avancer. J'y veillerai.

20-22 mai 1876

Ce soir, mon corps est incapable de mouvements vifs, et cependant mes yeux et mon esprit sont grands ouverts. C'est comme si j'étais deux individus, un être de chair et d'os, promis au désordre qui menace chacun d'entre nous, et un être de pur esprit, insensible aux épreuves qui tourmentent l'enveloppe humaine.

Il est curieux d'être deux personnes à la fois, mais la chose est confortable, car j'ai vécu dans cet état pendant des semaines d'affilée au cours de ma vie. Qu'est-ce qui me vaut cette singularité? Je ne me suis jamais posé de questions aussi subtiles, mais si on me poussait j'émettrais l'hypothèse selon laquelle cette qualité n'est qu'une partie de l'ambition que je possède depuis aussi loin que je m'en souvienne. J'ai de tout temps aspiré à la grandeur. Me cantonner aux tièdes réalisations du commun des mortels est une chose qui m'a toujours effrayé. Cette frayeur est si grande qu'elle a placé le monde terrestre hors de ma portée, telle une contrée lointaine que je ne visiterai jamais. La grandeur est mon but, et même si les récompenses personnelles sont assez attirantes pour que chacun aspire à en obtenir toujours davantage, je crois qu'être simplement capable de se maintenir dans la gloire de la grandeur surpasse tous les honneurs du monde. Voir la grandeur, la sentir, la goûter, voilà la plus merveilleuse réussite qu'un être humain puisse espérer. Même si on ne l'atteint qu'un fugitif instant, on ne peut s'empêcher de chérir cet instant jusqu'à la fin des temps. La grandeur surpasse tout le reste.

J'étais au pied de la grandeur en juin 1863, mais je n'avais pas encore trouvé l'instrument qui me permettrait d'accéder à ces régions solitaires, mais extatiques. Il m'attendait à une petite table du mess des officiers, une nuit où je rentrais après avoir veillé à la sécurité de notre vaste campement, lors d'une trêve passagère.

Je ne puis résister, et dois ouvrir une parenthèse. Un souvenir de Libbie, au Kansas, voilà des années. Moi, couché à l'ombre d'un arbre monstrueux, la regardant gambader avec un de nos chiens par un jour d'hiver étonnamment doux et ensoleillé. Je revois sa légère robe de coton, les rayons du soleil qui transpercent le tissu et transforment son petit corps fluet en silhouette de ballet. Je me souviens particulièrement de ses jambes robustes et si pleines de vie. Ah, si elles pouvaient danser devant moi à la lueur de la bougie!

Une grande enveloppe reposait sur la table. Avant que je puisse voir à qui elle était adressée, mes camarades officiers m'assaillirent de félicitations qui commencèrent comme des taquineries bienveillantes mais finirent par me lasser : « Salut, mon général! », « Bonsoir, mon général! », Bienvenue, mon général! »...

Comme beaucoup de mes camarades officiers, j'avais envie de commander, ce n'était un secret pour personne. A de rares exceptions, nous poursuivions tous le même but. Je n'étais que capitaine, mais je commençais depuis quelque temps à peser dans certains choix de commandement. Je m'étais distingué au combat presque quotidiennement. Ajouté à mon intention affichée de commander, cela déclenchait davantage de railleries que je n'étais prêt à en supporter. Surtout ce soir-là.

J'avais connu une journée difficile. Un cheval que j'admirais beaucoup, et dont j'espérais qu'il me durerait pendant de nombreux affrontements, avait été touché au flanc par un shrapnel et j'avais été forcé de l'abandonner pour une monture relativement inférieure. Poster des sentinelles est capital mais prend du temps, et pour rentrer au campement j'avais enduré une longue chevauchée sans apprécier une seule des foulées de mon nouveau coursier.

Fatigué d'entendre ces mots de bienvenue moqueurs, je fixai de mon air le plus dur un des officiers et l'apostrophai sèchement :

— Suffit ! J'en ai assez entendu. Riez tant que vous voudrez, un jour je serai général.

L'officier qui était l'objet de mon courroux se contenta de sourire, ce qui accrut mon irritation. Rouge de colère, j'étais sur le point de quitter la tente quand un des persifleurs me désigna l'enveloppe qui traînait encore sur la table. Tant de mystère me laissait perplexe, mais je m'avançai néanmoins vers la table afin d'examiner ladite enveloppe. Faisait-elle partie de la plaisanterie ? Jetant un coup d'œil vers les officiers, je fus convaincu de la sincérité de leurs félicitations. La lettre était adressée au général de brigade George A. Custer, Corps des Volontaires US, et elle renfermait des documents officiels du secrétariat de la Guerre qui confirmaient ma nomination.

Je fonçai à la recherche du général Pleasanton ; il buvait du café près d'un feu, devant sa tente. C'était un homme dur, cette dureté n'ayant fait que s'intensifier sous le poids du commandement, et je ne l'avais jamais vu sourire avant ce soir-là.

— Ah, je vois que vous avez reçu du courrier, dit-il en pointant l'enveloppe du menton. De bonnes nouvelles, j'espère ?

Sa lèvre supérieure se retroussa, dévoilant une rangée de chicots noircis, détail qui jouait sans doute un grand rôle dans son aversion pour les sourires.

Il me dit qu'il avait proposé mon avancement quelques semaines auparavant, mais qu'il avait préféré ne pas m'en parler de crainte que la proposition ne soit refusée.

— En gros, poursuivit-il, je voulais voir la joie éclairer

votre visage au moment où vous apprendriez la nouvelle. Je ne doutais pas que vous auriez votre étoile.

— Pourquoi en étiez-vous si sûr? demandai-je.

— Parce qu'on ne pouvait pas refuser ma proposition. Parce que j'ai besoin de vous et d'autres officiers de votre trempe pour commander des unités qui n'existent pas encore... une cavalerie de combat. Je promeus des combattants. J'ai besoin d'hommes prêts à mener des charges de cavalerie. Et tout le monde sait que le général Custer... le général Custer aime la bataille comme peu d'autres.

Je lui dis que je désirais exercer mon commandement sans tarder et lui demandai quel régiment il pensait me confier. Il me répondit négligemment que je commanderais la 2e brigade de la 3e division de cavalerie, un groupe qui comprenait les 1er, 5e, 6e et 7e régiments de cavalerie du Michigan. Entendre cela, après avoir sollicité les politiciens, imploré les officiels, après que mes offres auprès des mêmes unités avaient été rejetées... mon rêve se réalisait!

— Bonne chance, général, me dit le général Pleasanton en prenant congé.

Je restai assis devant le feu, grisé.

Mon ordonnance fonça à la ville voisine et, après bien des recherches, réussit enfin à trouver deux étoiles en tissu. Il les cousit en hâte sur le col de ma chemise bleu marine. A l'aube, je pris la route du nord avec mon ordonnance et mon cuisinier nègre, suivant le tonnerre des canons, en quête de ces hommes qui devaient devenir mes glorieux Wolverines.

En chemin, je ne cessai de m'émerveiller de mon accoutrement. Tous les généraux que j'avais connus étaient dans la peau de leur rôle, et je croyais qu'une tenue distinctive et un maintien martial donneraient à mes hommes une idée claire de celui qu'ils devraient suivre. Je voulais laisser une impression indélébile à quiconque me verrait. Et mon statut nouvellement acquis me donnait carte blanche dans le choix d'un costume, d'autant que je devais commander des unités de volontaires. Il est juste de dire que j'avais poussé un peu loin les limites de ce qu'on considérait comme une tenue acceptable. Mais j'avais vingt-trois ans, j'étais le plus jeune général de l'armée, et je ne pouvais m'empêcher de faire mon âge.

Les passants commencèrent à se retourner sur nous. Personne n'osa se moquer, car mes étoiles de général étaient cousues en évidence sur mes pointes de col. Les soldats me saluaient, puis s'arrêtaient, les yeux rivés sur mon dos. De petits groupes d'hommes m'accueillirent par des hourras. Dans un hameau que nous traversâmes, plusieurs femmes me coururent après avec des paniers de beignets aux myrtilles.

Mon accoutrement était une rareté — et le resterait jusqu'à la fin de la guerre —, mais je crois qu'il était remarquable en cela qu'il égayait l'humeur de ceux qui le voyaient. Et je me sentais merveilleusement bien, mieux qu'aucun jeune homme de vingt-trois ans sur cette terre.

J'avais survécu à des vagues et des vagues de dangers dans les batailles, et le risque m'avait contaminé. Tout au long de la route, je me répétais : « La vie est un risque, la vie est un risque. Risquer tout, c'est vivre pleinement. » Une balle de sécessionniste m'atteindrait peut-être au cerveau, un sabre percerait peut-être mon cœur et mes poumons, un éclat d'obus tourbillonnant me faucherait peut-être aux jambes, mais il n'y aurait qu'ainsi que je connaîtrais l'échec. Et ce ne serait pas un échec. Je mourrais, et plus rien ne compterait ensuite. Tous les risques que je m'apprêtais à affronter me rendaient euphorique et, à ma vue, l'humeur des passants se mettait apparemment au diapason.

J'étais sur un nuage en arrivant au QG du général Kilpatrick. Je portais une veste en velours noir, agrémentée sur le devant de deux rangées de boutons dorés. Sur chaque bras étaient cousus cinq galons dorés. Une rayure verticale dorée courait le long des jambes de mon pantalon noir, enfoncées dans des bottes noires de cavalerie dont les talons étaient équipés d'éperons dorés. En guise de cravate, j'avais noué autour de mon cou une écharpe du rouge le plus cramoisi que j'avais pu trouver. Ma tête était coiffée d'un feutre à larges bords que j'avais pris à un confédéré dans une bataille, et sur lequel j'avais fait coudre une unique étoile argentée, signe de mon rang.

Après avoir parlé de choses militaires, le général Kilpatrick me demanda plutôt sèchement si le bleu de mes yeux et les boucles blondes qui retombaient par-dessus mon col faisaient aussi partie de mon uniforme.

— Ce sont sans doute les parties les plus importantes, répondis-je.

Je ne sus jamais s'il approuvait ou non, mais nous nous entendîmes bien tous les deux après cet entretien. Kilpatrick était un bagarreur redoutable et un commandant habile. Bien qu'ayant longtemps servi sous ses ordres, je ne pus jamais établir comment il jugeait ma tenue, mais c'était finalement de peu d'importance. J'aurais continué à porter mon « uniforme » de toute façon.

Les sous-officiers des Wolverines m'accueillirent froidement. J'ai souvent subi, depuis, les factions, les jalousies et l'envie d'officiers subalternes, mais je n'ai jamais vu une telle déception sur les visages de sous-officiers que le jour où je pris le commandement de la 2e brigade. Je présume que « déception » est un mot impropre pour qualifier leur réaction. Aucun mot ne pourrait la décrire. En serrant la main à chacun d'eux, je ne pus éviter de couler des regards vers ceux qui attendaient leur tour. Ils me toisaient tous avec une incrédulité affichée, comme si j'étais un objet grotesque ou incongru.

Je compris qu'ils ne voulaient pas de moi et, l'espace d'un instant, mon cœur juvénile flancha; n'avais-je pas accepté des responsabilités que la nature humaine m'interdirait d'assumer? Pendant quelques secondes, après que je leur eus serré la main à tous, il y eut un silence pesant tandis que nous nous observions mutuellement. Le seul bruit audible était le fracas du canon qui résonnait au front, et tandis que les secousses des explosions ébranlaient le sol sous nos pieds, je me souvins qu'on m'avait confié la responsabilité du commandement. Mon devoir était de diriger, pas d'être aimé. La guerre qui faisait rage autour de nous ne faisait pas de sentiment : elle décimait les bons comme les méchants, les doux comme les brutes, les jeunes comme les vieux, sans distinction. J'étais un enfant de la guerre. Je ne ferais pas de sentiment, moi non plus.

Je rompis le silence avec des mots de mon choix, je leur expliquai ce que j'attendais de chaque régiment et de ses diverses compagnies. Je leur dis que je voulais que chacun se tînt prêt dès qu'une action contre l'ennemi était imminente. Je leur dis que les hommes pouvaient boire autant qu'ils le voulaient tant qu'ils ne se saoulaient pas. Dans le cas contraire, tout soldat ivre serait placé en état d'arrestation et traduit en cour martiale; la punition serait la mort, sauf si j'en décidais autrement. Je leur expliquai simplement que des soldats ivres se battaient moins bien que des soldats sobres.

Je leur parlai des changements à venir dans la conduite de la guerre. Il y avait, de la part de l'Union, une volonté récente d'exterminer l'ennemi. Il ne s'agissait plus de lui donner une simple leçon. On se dirigeait vers une guerre à outrance et la cavalerie aurait un rôle différent à jouer. Nous cesserions d'être une cavalerie de reconnaissance et d'escorte. Nous allions devenir une cavalerie d'attaque et nous conduirions des charges contre l'ennemi à chaque fois que l'occasion s'en présenterait. Nous serions de fait une cavalerie de destruction. Notre but premier, à part gagner des batailles, serait de forcer l'ennemi à nous craindre comme la foudre.

Je leur dis enfin que je ne commanderais pas à partir d'une tente ni d'une colline. Je chevaucherais parmi eux.

Quelques officiers hochaient la tête pendant mon discours, mais la majorité détournait les yeux. Certains s'examinaient les mains; d'autres regardaient ailleurs avec défi; un ou deux parlaient ouvertement avec leurs subordonnés.

Pour être honnête, je dois dire qu'ils avaient de bonnes raisons d'être amers. J'avais été promu de préférence à certains d'entre eux, qui s'estimaient lésés. Deux chefs d'escadron avaient largement dépassé la trentaine et un colonel avait plus de quarante ans. Certains étaient restés dévoués à des commandants précédents. Et voilà que je me tenais devant eux, moi, un gamin avec une étoile, un gamin avec une cravate rouge et des éperons dorés, un gamin à qui ils allaient confier leurs vies et celles de milliers d'hommes.

Mais l'honnêteté ne comptait pas dans la situation présente. J'étais leur commandant, et le meilleur moyen de le leur faire clairement sentir était de jouer mon rôle. Pendant le reste de la journée, je conduisis une inspection minutieuse du camp. Nombreux étaient ceux qui n'étaient pas en règle, et je les débusquai tous. Je ne doutai pas qu'à la veillée chaque soldat eût blasphémé mon nom. Cela ne me blessa pas le moins du monde. Au contraire, cela me rassura, car je voulais que chacun sût qui commandait. Le soir venu, ils le savaient.

Nos armées de la Grande Guerre étaient lourdes et massives. Elles se déplaçaient sur les champs de bataille avec une lenteur méticuleuse et, les documents l'attestent, les vastes engagements ressemblaient aux combats de deux Léviathan. Amener les armées dans une position propice à l'attaque exigeait des efforts titanesques. Quelle ironie, dans ces conditions, qu'une fois les armées en position la plus petite étincelle déclenchât un incendie dévastateur digne des enfers!

Personne ne savait d'où l'étincelle jaillirait, mais, la veille d'une bataille, l'air était tellement chargé d'électricité qu'aucun soldat ne pouvait manquer d'en être affecté.

C'est une atmosphère semblable qui prévalait le deuxième jour de ma promotion à la tête de la brigade du Michigan. La veille, nous avions eu quelques escarmouches avec les flancs inférieurs de l'ennemi, sans résultat satisfaisant pour aucun camp. Mais l'heure était venue pour les deux armées de s'amasser autour de Gettysburg, prêtes à s'étriper.

A midi, ma division reçut l'ordre de s'approcher du cœur des combats et, après une attente interminable, de protéger de nouveau le flanc inférieur de l'armée. On supposait que la cavalerie ennemie essaierait de contourner ce flanc afin d'attaquer notre armée par-derrière. Les ombres commençaient à se dessiner quand nous reçûmes enfin l'ordre de prendre notre nouvelle position. Un civil déguenillé venait de surgir et, à ma grande fureur, il s'était écrié, terrifié, que les « Invincibles » de J.E.B. Stuart[1] avaient été repérés non loin du flanc que nous étions chargés de protéger. Ces « Invincibles » avaient remporté des succès spectaculaires pour les sudistes. Aucune unité ne semait davantage la terreur parmi nos troupes. Qu'un civil hystérique criât sa frayeur des redoutables Invincibles était de nature à compliquer la tâche de mes commandants d'unité.

Pour ma part, je ne voyais là que des avantages. J'avais souvent rêvé d'en découdre avec les Invincibles, et mon cœur fit un bond quand le général Kilpatrick m'ordonna de partir à leur recherche.

Nous n'avions pas beaucoup avancé quand un feu nourri nous força à nous arrêter et à nous déployer. Les tirs provenaient d'une crête voisine; quelques coups d'œil m'apprirent qu'il y avait peut-être deux cents fusils dirigés contre nous. J'ordonnai à trois régiments de descendre de cheval et de prendre des positions défensives. Je demandai à plusieurs escadrons du régiment restant de se rassembler pour la charge. Ils obéirent en ordre impeccable.

Passant en revue le rang qui se formait rapidement, je ne manquai pas de remarquer l'étonnement qui se lisait sur les visages des soldats qui voyaient leur chef pour la première fois.

Leur expression n'eut aucun effet sur moi, j'étais entièrement concentré sur le combat à mener. Il m'est difficile de décrire les sentiments qui m'envahissent à l'approche d'une bataille car ils ne sont pas ordinaires. C'est comme si tout mon être se transformait en filtre; mes yeux ne voient que le nécessaire et je me découvre des instincts que je ne possède pas d'habitude. C'est comme si mes yeux faisaient soudain corps avec chacun de mes gestes. En temps ordinaire, je trébucherais par exemple sur un caillou, mais quand je suis dans cet état particulier une telle chose me semble impossible. Quand j'affronte la mort, je suis, en quelque sorte, d'une coordination parfaite.

1. James Ewell Brown « Jeb » Stuart (1833-1864), général de la cavalerie confédérée. *(N.d.T.)*

Je vis un capitaine brandir son épée et son clairon s'apprêter à sonner la charge. Je fus auprès d'eux dans l'instant, et j'ordonnai au clairon d'attendre. Cette fois, je chevauchais Roanoke, et mon cheval était aussi prêt que moi au combat. Il piaffa nerveusement quand je rajustai mon chapeau en surveillant mes troupes.

— Cette fois, m'écriai-je, c'est moi qui vous conduirai, les gars! Allons-y!

Je lâchai les rênes de Roanoke; il dressa ses antérieurs et se tourna vers l'ennemi qui nous tirait toujours dessus depuis la crête. Il enfonça ses postérieurs dans le sol et bondit au galop. Derrière moi, les cris des hommes s'élevèrent. En me retournant, je vis une image inoubliable qui est encore inscrite dans ma mémoire, treize ans après. Un rang massif de cavaliers qui chargeaient en hurlant, sabre au clair, l'acier scintillant, dans le roulement de tonnerre des sabots. La puissance d'une cavalerie ne peut que décupler le courage de celui qui mène la charge.

Cette fois, pourtant, mes espoirs se dissipèrent quand Roanoke bondit par-dessus la crête. Un nombre de tireurs bien plus élevé que je ne l'avais cru était embusqué dans un bois de noyers cendrés. Des centaines et des centaines d'hommes se redressèrent d'un coup. Ils tirèrent tous comme un seul homme, et la fumée de leurs fusils les enveloppa un instant. Les antérieurs de Roanoke se dérobèrent et je partis en vol plané. Avant de toucher le sol, j'eus le temps de voir ma monture rouler à terre, cul par-dessus tête.

Me relevant d'un bond, je voulus m'emparer de mon pistolet, mais il n'était plus dans son étui. A l'exception de mon sabre, qui était resté dans ma main je ne sais comment, j'étais désarmé. Ma chute avait incité les rebelles à lancer une contre-offensive. D'un regard vers la droite, je vis l'ennemi s'enfoncer dans les rangs de mes cavaliers après en avoir décimé un grand nombre. Je jetai un coup d'œil sur ma gauche : à moins de deux mètres, le canon d'un fusil confédéré était pointé sur ma tête. L'instant fut bref, mais j'eus le temps d'imaginer les dégâts que causerait la balle en traversant mon crâne. Je vis alors le confédéré partir à la renverse en portant une main à ses yeux.

Je me retournai vivement pour voir la cause de ma délivrance. C'était un jeune soldat de l'Union, encerclé par l'ennemi. Le cheval du deuxième classe martelait le sol tandis que son cavalier s'efforçait de s'arracher à ses assaillants. Il frappait sauvagement de son sabre, mais ce ne fut qu'après avoir enfoncé sa botte dans le visage d'un rebelle qu'il réussit à se dégager.

Il fonça sur moi, un bras tendu. Je le saisis et sautai en croupe derrière lui. Le soldat éperonna vivement sa monture. Je sentis qu'on me tirait par la manche : un confédéré m'avait agrippé et tentait de me désarçonner. Bien que tenant mon sabre dans ma main gauche, je l'abattis de toutes mes forces et soulageai le confédéré de son bras. L'espace d'un instant, le bras resta accroché à ma manche, puis il disparut tandis que nous rattrapions nos troupes qui se retiraient en désordre.

J'enfourchai un cheval abandonné et pus bientôt apporter un peu d'ordre à la retraite. Les hommes firent front et combattirent quand je leur en donnai l'ordre, et nous empêchâmes les forces confédérées supérieures en nombre de nous submerger. Lorsque nous atteignîmes le périmètre de défense que j'avais organisé plus tôt, la retraite se faisait au pas et nous avions infligé autant de pertes à l'ennemi qu'il nous en avait fait subir.

Humant le sang, les confédérés avaient lancé d'autres divisions dans la bataille, mais le général Kilpatrick était arrivé et l'ennemi fut incapable de pénétrer nos arrières. A la nuit tombée, le feu avait cessé et nous avions renforcé nos positions.

On félicita la brigade pour son action, mais je n'en retirai aucun plaisir. J'avais sous-estimé l'ennemi et mené mes hommes dans un piège. En voyant tomber le chef de ses assaillants, l'ennemi avait lancé sa propre charge et repoussé l'assaut.

Humilié, je restai prostré sous ma tente. Ce que mes hommes pensaient de moi après ce qui s'était passé, je l'ignorais. Ils devaient sûrement parler de l'attaque manquée. Pour un soldat, la victoire est un élixir magique. Elle décuple son courage et lui permet de combattre encore et toujours. Je n'avais pas conduit mes hommes dans une défaite sévère, mais je n'avais pas remporté la victoire que tout commandant cherche à accorder à ses troupes. Ce soir-là, la fanfare joua des airs sentimentaux, mais j'aurais préféré qu'elle ne jouât pas du tout. Je n'avais rien à célébrer.

Je pensais beaucoup à Roanoke. Je l'avais capturé au cours d'une percée derrière les lignes ennemies, au printemps précédent, et il était si magnifique que je l'avais tenu en réserve quelque temps, ne voulant pas risquer ce cheval de rêve. Il avait un poil noir d'une profondeur sans pareille et sa condition était exceptionnelle. Sa robe miroitait comme le soleil sur un lac. Pour un étalon, il n'était pas grand, mais parfaitement proportionné. Ses muscles étaient denses comme l'acier, et il dégageait une puissance qui semblait invincible. Quand je le chevauchais, j'avais l'impression d'avoir une bombe entre les jambes; contrairement aux autres de sa race, qui cèdent parfois à la panique dès que commence la bataille, Roanoke savait d'instinct comment se comporter. J'avais déjà poussé quelques charges avec lui et il gardait toujours un contrôle parfait, en dépit des plombs qui sifflaient au-dessus de sa tête. Dorénavant, il gisait immobile, quelque part dans l'obscurité, amas de chair morte qui boursouflerait sous le soleil du lendemain.

Mais c'est l'âme même de la guerre que de ravir le meilleur. La guerre est le dernier recours, auquel les adversaires ne manquent jamais de livrer les meilleurs d'entre eux, hommes et bêtes réunis. Ce n'est qu'en risquant le meilleur que la victoire peut être obtenue; les meilleurs doivent donc périr... telles sont la beauté et la laideur de la guerre.

Je repoussai ces pensées en rédigeant des lettres pour ma famille jusque tard dans la nuit. Dans ces missives, je m'efforçai de mettre l'accent sur le positif. Un général n'a pas le droit d'exposer son cœur, c'est-à-dire ses peurs, ses doutes, peut-être même ses sentiments de honte, quand un combat mortel est sur le point d'être livré. Exposer son cœur à un tel moment ne sert qu'à diminuer son pouvoir, principalement à ses propres yeux.

Je parlai de ma promotion, du commandement que je venais de recevoir, et de la bataille décisive sur le point de commencer. Je ne doute pas que ces lettres resplendissaient de fierté. Je n'étais pas en disgrâce, simplement découragé, et tandis que la nuit rampait vers l'aube, mes sentiments de bien-être reparurent. J'avais tiré une leçon profitable de mon premier jour de combat en tant que commandant de la brigade du Michigan. Le fait que je fusse sain et sauf était bien plus important. J'avais survécu pour combattre de nouveau, et j'avais déjà hâte d'y être.

J'étais assis quand mon ordonnance vint me secouer avant le réveil. Selon lui, je dormais profondément, une tasse de café à la main.

Ce matin, pendant que nous rejoignions le général Kilpatrick, les hommes étaient silencieux. Leur silence ne me réconforta pas particulièrement car je savais qu'ils ne s'étaient pas encore fait une opinion sur moi. Ils avaient vu que je pouvais me battre, mais comme ils ne savaient pas encore comment j'allais réagir à la débâcle de la veille, ils réservaient leur jugement. Je pense qu'ils étaient curieux de connaître ma prochaine décision. Ils avaient remis leur vie entre les mains d'un inconnu, et le doute les tenaillait. Le doute me tenaillait aussi. Tout au long de la route, je fus la proie d'un sentiment évanescent et indécis qui approchait et reculait, sans jamais m'attaquer de front, préférant m'agacer par sa présence volatile.

Mon esprit immature décida de chercher refuge auprès de son meilleur atout : le désir de combattre. Peu importe la situation, je combattrais avec une énergie plus grande que jamais, je combattrais avec une férocité jusque-là inconnue, une férocité dont l'existence même n'éclaterait que pendant la bataille. Je n'irais pas au-devant de l'ennemi, je ne me camperais pas en face de lui, je lui rentrerais dedans. C'était le seul moyen d'atteindre le contrôle absolu de mes hommes.

Comme nous approchions de notre rendez-vous avec le général Kilpatrick, mes doutes se dissipèrent. Je parlai peu et restai sombre pendant que nous attendions, de longues heures durant, des ordres précis. A chaque minute de l'attente épuisante, je me répétais une simple litanie. Je voulais que l'ennemi approche. Je voulais qu'il approche avec les plus braves, les plus forts, les plus farouches de ses guerriers. Alors, je foncerais sur eux, je sabrerais, je piétinerais, j'embrocherais les plus vaillants, j'écraserais leur chair et leur fierté, je les renverrais dans l'oubli.

Cependant, bien avant les premières lignes du général Kilpatrick, un courrier qui fonçait sur un cheval écumant nous intercepta. Le général Gregg, commandant la 2e division, n'avait plus que deux régiments à bout de forces pour défendre une section fragile du flanc de l'armée, et il exigeait la présence immédiate de la brigade du Michigan dans un endroit appelé la Ferme des Runnel, situé à près d'une lieue. Je fis faire demi-tour à mes hommes et deux mille soldats dévalèrent la route au galop. Les gars des deux régiments épuisés poussèrent des cris de joie en nous voyant; leur accueil réchauffa mon cœur déjà raffermi. Avec mes régiments, nous pouvions désormais opposer à l'ennemi une force de trois à quatre mille hommes.

J'envoyai plusieurs éclaireurs avec l'ordre de localiser les unités ennemies tapies dans les parages et de prêter une attention particulière à leurs effectifs précis. Pendant que les éclaireurs s'égaillaient dans la campagne, la brigade se déploya sous le couvert d'une longue rangée d'arbres, prête au combat.

La Ferme des Runnel se profilait devant nous, vaste étendue de mille mètres carrés de prés ondulants, son périmètre gardé par d'épais taillis au feuillage touffu. D'où je me tenais, face à la ferme, un pré s'étendait à plat sur presque toute sa longueur, puis s'élevait doucement avant de disparaître provisoirement et de remonter plutôt sèchement pendant une trentaine de mètres jusqu'à une étroite saillie boisée. La ferme se dressait sur la saillie, légèrement à droite.

Derrière s'élevait une autre rangée d'arbres qui clôturait le périmètre.

Cette disposition était commune dans la région : un échiquier de prés et d'arbres, propice à la cavalerie, les arbres offrant une couverture pour les manœuvres clandestines, les prés une arène idéale pour le combat à cheval.

A force de jeter de temps en temps un regard aux champs de verdure, je finis par être convaincu que la bataille s'y déroulerait. J'avais servi sous les ordres des cerveaux militaires les plus capables de l'époque. J'avais appris d'eux la nécessité de la reconnaissance, de la stratégie, de la défense... mais chaque fois que je portais les yeux sur les champs, mes pensées revenaient inévitablement à la même conclusion. L'affrontement serait une affaire de volonté. En sortiraient victorieux ceux qui possédaient une volonté de fer et je me répétais sans cesse ces paroles en espérant que je ferais tout ce qui était en mon pouvoir pour soutenir le moral de mes hommes. Armés d'une volonté supérieure, nous réussirions à bouter l'ennemi hors du paysage.

Vers midi, le dernier groupe de mes éclaireurs revint, ventre à terre. Un lieutenant à la peau mate, d'à peu près mon âge, sauta de cheval, désigna les arbres derrière la ferme et déclara :

— Ils arrivent !

— Combien sont-ils ? demandai-je.

— Je ne pourrais le dire, mon général.

— Je vous avais expressément demandé d'être précis !

— Oui, mon général, mais je n'ai pas eu le temps de les compter. Ils sont des milliers, mon général.

Deux brigades confédérées et au moins une batterie de canons venaient droit sur nous. Je courus avertir le général Gregg et le trouvai avec deux courriers, l'un du général Kilpatrick, l'autre du général Pleasanton : on ordonnait à la brigade du Michigan d'être présente en deux lieux différents, mais après avoir entendu mon rapport, le général Gregg eut le courage de contredire les ordres de ses supérieurs et il me demanda de préparer les Michiganders au combat. Pour ma plus grande joie, il décida que la brigade du Michigan affronterait l'ennemi à découvert, et me laissa libre de choisir le moment opportun.

Peu après, alors que je dressais les plans avec plusieurs officiers de ligne, les bois se mirent à frémir dans le lointain et la fièvre s'empara de nos troupes quand les confédérés sortirent leurs canons des taillis et ouvrirent le feu. Les hommes se précipitèrent à couvert et, tandis que l'artillerie ennemie sifflait au-dessus de nos têtes, je sautai sur un cheval que je venais d'acquérir quelques heures auparavant.

C'était une grande jument pur-sang gris pommelé, en excellente condition physique. Elle avait de petits sabots, mais bien arrondis, une caractéristique qui, je le soupçonnais, lui donnerait un meilleur équilibre et une grande agilité. Un cheval aux appuis rapides permet souvent d'emporter la décision sur un champ de bataille, et mon athlétique jument devait me servir au-delà de mes espérances ce troisième jour de juillet 1863.

Mon seul souci était de savoir si elle n'allait pas s'affoler au milieu des explosions d'obus, des tirs de carabines et des hurlements des tueurs et de leurs victimes. Mais tandis que nous trottions de part et d'autre pour donner des ordres aux officiers de ligne, que des chapelets d'hommes couraient en tous sens et que des boulets de canon passaient comme des éclairs au-dessus de nos têtes, la jument garda un calme à toute épreuve.

La chance voulut que nous eussions très peu de chevaux gris à notre disposition ce jour-là et, en dehors de l'étonnante agilité et de la vaillance de May, sa robe présentait pour moi un avantage inestimable. Sa couleur grise se remarquait dans la bataille, et cela, ajouté à mon uniforme, permettait à tous de nous voir. Il était de la plus haute importance que les hommes vissent leur commandant à tout moment, surtout dans la mêlée du combat.

Bien sûr, l'ennemi aussi me verrait, et on me le fit souvent remarquer avec quelque inquiétude. Curieusement, toutefois, je ne m'imagine jamais comme une cible. Tout compte fait, je ne crois pas que celui qui ignore la mort ait plus de chances de se faire tuer que celui qui se cache. Comme tous les vrais mystères, le jeu de la mort reste incompréhensible. Je ne suis pas capable de méditer longtemps sur l'inconnu, et ce jour-là, comme à chaque bataille, j'étais tout simplement trop occupé pour songer à la mort.

May était sans doute dans le même état d'esprit. Je l'ai chevauchée presque tous les jours les mois suivants, et je ne me souviens pas d'une seule fois, quelle que fût la situation, où elle ait perdu la tête. Même les horribles cris d'agonie de ceux de sa propre race la laissaient de marbre. May était foncièrement sans peur, d'une beauté incomparable, et ma seule consolation, quand elle fut tuée sous moi à Culpepper, fut qu'elle mourut sur le coup.

Notre commandant de batterie, l'excellent Alexander Pennington, qui servit sous mes ordres jusqu'à la fin de la guerre, répondait déjà à l'ennemi avec ses six canons ; je le dépassai au galop sans daigner m'arrêter. Je le saluai simplement en touchant mon chapeau quand je partis aider nos défenses à se déployer et préparer les combattants à endiguer l'assaut qui n'allait pas tarder.

Les hommes prirent position en quelques minutes. Les canons étaient bien défendus, nos flancs aussi. Le 1er régiment du Michigan, que j'avais choisi à cause de son expérience, se déploya à cheval derrière un mur protecteur de tirailleurs. Nous attendîmes, tandis que Pennington arrosait les batteries des confédérés de ses tirs précis, les forçant enfin à reculer à l'abri des arbres.

La retraite des canons ennemis fut suivie par une dizaine de minutes d'un étrange silence, que je ne saurais comparer qu'à l'immobilité de l'air qui précède l'orage. Puis les bois grouillèrent de vie, et plus d'un millier de fantassins surgirent à découvert et se dirigèrent vers nos positions. Comme son régiment, le 5e régiment du Michigan, était équipé de nouvelles carabines Spencer à sept coups, j'ordonnai au colonel Alger de se porter au-devant des fantassins ennemis avec ses hommes.

Le colonel Alger emmena prestement son régiment et réussit à installer ses hommes derrière une clôture. Ils retinrent leur feu jusqu'à ce que les rangs des confédérés, qui avançaient à présent au pas de charge, aient pénétré profondément dans la zone de tir. Alors, cinq cents carabines parlèrent en même temps et les rangs des confédérés vacillèrent.

Croyant que nos soldats à l'abri de la clôture auraient besoin de recharger leurs fusils, les rebelles continuèrent d'avancer, et les salves suivantes les fauchèrent impitoyablement. Mais lorsque le 5e régiment fut à court de munitions, les confédérés, sentant l'occasion de lui infliger une débâcle, reprirent la charge. Je les vis sauter par-dessus la clôture pendant que le colonel Alger et ses hommes reculaient.

L'artillerie ennemie avait rouvert le feu, et Pennington, toujours aussi précis, lui répondait à merveille. Des obus bien placés envoyèrent canons et hommes voler tels des fétus de paille soufflés par un cyclone, et deux des pièces ennemies se turent définitivement.

Le général Gregg avait ordonné à la 7e brigade d'entrer en action pour épauler le colonel Alger, et tandis que je les regardais se former pour la charge, je ne pus me retenir plus longtemps. Ce qui venait de se passer ressemblait à un accord d'instruments. Désormais, l'orchestre était prêt à jouer et il me revenait de droit de le conduire. J'éperonnai May qui bondit en avant.

Un courant d'électricité me traversa quand je partis au petit galop sur une trentaine de mètres à l'intérieur du champ de bataille sous les regards ébahis des jeunes recrues du 5e régiment. Battant en retraite, les premiers hommes du colonel Alger me croisèrent en titubant; je me dressai sur mes étriers et mis mes mains en visière pour observer la scène. Les fantassins continuaient de tirer en avançant, leurs balles sifflaient à mes oreilles. May dansait sous moi et en baissant les yeux je pouvais voir le feu de l'ennemi faucher l'herbe près de ses sabots.

En relevant les yeux, je vis plusieurs choses à la fois. Au loin, près de la ligne d'arbres, de nombreux rebelles se regroupaient. Ceux qui étaient déjà dans le champ de bataille étaient si près que je distinguais leurs visages. Certains souriaient en épaulant leur fusil pour me viser. Je retournai au galop auprès du régiment qui attendait. Des hommes m'accueillirent avec des hourras, sans doute émerveillés que je fusse encore en vie. Tandis que May caracolait devant eux, je leur criai :

— Les hommes, là-bas, sur la colline, sont en train de prendre position! Et les fantassins qui arrivent sont cuits. Nous allons les achever.

Dans son excitation, May se cabra et recula sur ses postérieurs. Pendant qu'elle était dressée en l'air, je hurlai à pleins poumons :

— En avant, les Wolverines!

J'ignore pourquoi « Wolverines » sortit de ma bouche, mais je venais d'inventer une identité que la brigade conserverait avec fierté jusqu'à la fin de la guerre.

Au moment où les antérieurs de May touchèrent à nouveau le sol, un formidable cri de guerre retentit et six cents cavaliers me suivirent au galop. Nous fauchâmes la ligne des fantassins confédérés aussi sûrement qu'un vent de destruction fauche tout sur son passage. Ceux que nous ne piétinâmes pas, nous les embrochâmes, et les survivants furent faits prisonniers. Les autres s'enfuirent par où ils étaient venus, délestés de leurs armes et de leurs havresacs.

Comme je voulais profiter de notre avantage après avoir brisé leur ligne, nous fîmes une courte halte pour nous reformer puis nous poursuivîmes notre charge vers la colline où j'avais vu l'ennemi se regrouper.

Comme nous approchions de la montée, je vis nos ennemis dévaler la colline, puis disparaître comme avalés, et je me demandai où ils étaient passés.

Les confédérés ouvrirent le feu depuis la ferme, sur ma droite, et l'air se remplit de nouveau du sifflement particulier des balles; May franchit un petit fossé, au pied de la colline, et fonça vers le sommet. Elle allait si vite qu'elle parut voler par-dessus la minuscule crête qui précédait la colline que l'ennemi avait dévalée l'instant précédent.

Soudain, avant d'avoir le temps de m'arrêter, je compris cette énigme. Un mur de rochers, long d'une centaine de mètres, s'étendait, camouflé dans une pente, au pied de la colline. Les rebelles avaient installé une rampe en bois qui courait tout le long du mur, un obstacle pratiquement infranchissable pour un cheval.

Des tirailleurs se dressèrent devant nous au moment où nous nous écrasâmes contre le mur, et leur feu nourri faucha la moitié des chevaux et des cavaliers du premier rang.

Nous nous serions arrêtés si nous l'avions pu, mais la puissance de la charge jeta contre le mur ceux qui avaient survécu à la fusillade, et les suivants s'empilèrent derrière nous.

Emportée par son élan, May piaffa des antérieurs pardessus le mur, et je me revois encore en train de vider mon revolver sur les visages des hommes à ma droite tandis que je sabrais tous ceux qui passaient à ma portée, sur ma gauche. Combien de secondes nous restâmes ainsi plaqués contre le mur, je l'ignore, mais le temps parut certainement plus long qu'il ne le fut. Le corps à corps rendait les mouvements difficiles et le combat indécis. Plusieurs soldats ennemis essayèrent de saisir la bride de May, mais je réussis à les repousser à coups de sabre et la jument put bientôt se libérer.

Nous battîmes en retraite de quelques pas, et tout en rechargeant mon pistolet j'observai l'intense bataille qui se déroulait le long du mur : quinze cents hommes entremêlés en train de s'entre-tuer, le fracas des armes, les cris des chevaux et des hommes, qui mourant, qui luttant pour sa survie, tout cela dans un rugissement de cataracte.

Le combat qui faisait rage le long du mur fut une illustration supplémentaire de la vague de violence sauvage qui déferla sur les champs paisibles de la Pennsylvanie. Aucune explication ne justifie un tel spectacle.

Je chevauchai le long de nos lignes arrière, le temps d'apercevoir que des rangs de confédérés s'éclaircissaient à un endroit précis du mur. Il fallait absolument détruire la rampe qui surmontait le mur de rochers, car elle avait compromis notre charge montée, et nous allions sûrement être repoussés, à moins de tailler une brèche dans l'obstacle qui nous retenait.

Rassemblant tous ceux qui pouvaient m'entendre, je fonçai sur le point fragile. Je fis descendre de cheval plusieurs de mes hommes, leur ordonnai d'arracher la rampe, et demandai aux autres cavaliers de couvrir leur besogne. Les confédérés comprirent mon plan trop tard. Dans un effort désespéré, mes hommes à pied déboulonnèrent la rampe.

Je fis signe à cinquante ou soixante cavaliers de battre en retraite avec moi. A vingt mètres du mur, j'éperonnai May et la lançai vers les rochers. Au moment où elle prenait son élan pour franchir le mur, je vis des soldats ennemis se précipiter pour colmater la brèche. Je m'envolai au-dessus du mur et les quatre cents kilos de May atterrirent sur les rebelles qui n'avaient pas eu le temps de s'écarter. En tombant avec la jument je plantai mon sabre dans le sol, et réussis ainsi à rester en selle le temps qu'elle recouvre son équilibre. Je vis par-dessus mon épaule nos chevaux franchir le mur et nos hommes se répandre parmi les rebelles comme du lait teinté de sang.

Mais l'ennemi était déterminé. Pendant que nous taillions dans ses rangs de l'autre côté du mur, il attaqua férocement nos flancs, une tactique qui réussit à stopper l'avancée de notre cavalerie.

Au total, l'affrontement, surtout du corps à corps, dura entre trente et quarante minutes ; il rappelait bizarrement les bagarres de bandes rivales dans les cours de récréation, mais avec des écoliers munis d'engins de mort. Nous mutilâmes atrocement l'ennemi, mais comme nous étions trop peu nombreux, je finis par rameuter mes troupes en deçà de la barricade de pierres. Alors que nous nous regroupions, je m'aperçus que la plus grande partie de la rampe qui surmontait le mur s'était effondrée pendant la bataille.

J'ordonnai immédiatement une nouvelle charge et nous reprîmes le mur, avec un effectif doublé cette fois. Nous combattîmes encore trente minutes et nous avions amené l'ennemi au point de rupture quand j'appris qu'on avait transporté un régiment d'infanterie de cinq ou six cents confédérés derrière la ferme et que les fantassins avançaient vers nous au pas de charge.

Le nombre de décisions qu'un général doit prendre sur un

champ de bataille et leur nécessaire rapidité feraient tourner la tête à plus d'un, mais mon cerveau semble immunisé contre la confusion dans de tels moments. En voyant des troupes fraîches débouler de la colline, je compris qu'il nous fallait battre en retraite. Nous nous retirâmes donc. Les rebelles, ragaillardis par l'arrivée des renforts, nous donnèrent la chasse. Je fus parmi les derniers à rompre le combat. May se dégagea du mur, un cadavre ennemi pris dans la lanière d'un étrier.

Nous eûmes bien de la chance d'avoir Alexander Pennington, ce jour-là. Il est d'une vivacité peu commune et, pendant notre fuite, on commença à entendre les boulets de ses canons siffler au-dessus de nos têtes, retardant ainsi les confédérés. Les pertes auraient été plus lourdes sans le colonel Alger, qui chargea avec sa cavalerie, fondit sur l'ennemi accroché à nos basques et le retint assez longtemps pour nous permettre de regagner un abri.

Au cours de l'heure suivante, je me chargeai de réorganiser les restes du 5e régiment. C'étaient des bleus, mais ils s'étaient battus avec ardeur. Nous avions perdu une centaine d'hommes, mais les confédérés déploraient davantage de morts et de blessés. Nous avions stoppé l'avance ennemie, sans l'écraser pour autant, et tout le monde savait que la paix qui s'installait sur le champ de bataille ne durerait pas. Chaque camp reprenait son souffle pour l'assaut suivant, qui fut le dernier de la bataille.

Vingt minutes après avoir été établie, la paix fut rompue par un vacarme provenant du front. Je sautai sur May et je n'avais pas parcouru une grande distance quand je tombai sur une vision qui me fait encore frissonner aujourd'hui. Des milliers de confédérés à cheval, huit régiments de la meilleure cavalerie sudiste, avaient surgi des bois et se formaient pour la charge. Des milliers de sabres brillaient au soleil de l'après-midi. Des milliers de sabots se levaient à l'unisson, ligne après ligne. Nombre de magnifiques officiers montés trottaient calmement au-devant des lignes, préparant leurs hommes. Je n'avais jamais vu une telle exhibition de puissance et d'assurance.

L'espace d'un instant, ils restèrent immobiles, telles des machines. Puis, comme si rien ne pouvait les arrêter, ils se mirent en branle et se dirigèrent droit sur le centre de notre armée.

Les Invincibles étaient arrivés, et ils avançaient au trot, sûrs de leur puissance.

Voyant le 1er régiment du Michigan former hâtivement les rangs, je compris que le général Gregg avait ordonné à notre régiment le plus expérimenté de se battre contre les meilleurs sudistes. Je savais que son commandant, le colonel Town, était au plus mal. Il était tellement affaibli par une infection des poumons qu'il ne pouvait se tenir à cheval.

Je rejoignis le colonel au galop, lui présentai mes respects et l'informai que je prenais le commandement.

Il observa un instant les Invincibles, puis me regarda d'un œil torve que démentait son visage d'une vaillante fermeté.

— C'est du suicide, déclara-t-il.

— Non, colonel. Notre heure est arrivée, et nous devons en profiter de notre mieux. Ordonnez aux hommes de dégainer leur sabre.

Le colonel obéit. Je regagnai le front.

J'ordonnai la charge.

Les Michiganders répondirent avec des hourras, et nous nous ruâmes comme un seul homme sur les lignes ennemies qui approchaient.

Pennington était avec nous pour cette charge décisive. En me retournant, je vis les nuages de fumée sortir de nos canons et j'entendis les obus siffler au-dessus de ma tête. Puis je les vis exploser le long des premiers rangs des Invincibles. Dès qu'un espace s'ouvrait, la magnifique discipline de la cavalerie ennemie le refermait, et les chevaux avançaient de plus en plus vite. Le célèbre cri des rebelles parut tournoyer en l'air, et, défiant nos canons impitoyables, les Invincibles se mirent au galop. Lorsque nous ne fûmes qu'à une centaine de mètres les uns des autres, j'entendis les railleries de l'ennemi. Je distinguais chaque cheval, je voyais les sabres balayer l'air au-dessus des oreilles des montures. Bientôt, le canon cesserait le feu; selon mon habitude, je choisis un cavalier dans les rangs ennemis pour me jeter sur lui.

L'ultime et désespéré tir de barrage de Pennington atteignit leur ligne. Un rideau d'obus tomba sur leurs rangs. La violence des explosions m'obligea à retenir May. Tout le régiment ralentit derrière moi, tandis qu'un atroce carnage s'étalait devant nos yeux. D'un bout à l'autre de la ligne, les hommes et les chevaux tombaient comme des quilles. Les rangs des confédérés vacillèrent et s'arrêtèrent. Le sabre brandi, je me dressai sur mes étriers et criai par-dessus mon épaule :

— En avant, les gars !

Nous nous ruâmes sur les sudistes, fonçant d'instinct sur chaque brèche qui béait dans leurs rangs. En tailladant ces blessures à vif, nous pénétrâmes dans un univers de démence humaine et animale, au sein d'une épaisse fumée d'où émergeaient des images infernales ; un cheval fou tournait en rond sur ce qui restait de sa jambe avant déchiquetée ; un autre, la mâchoire arrachée, fonçait aveuglément sur tout ce qui l'entourait, une tête humaine décapitée, qui aurait pu appartenir à un ami comme à un ennemi, fila devant mes yeux et rebondit sur le sol, semblable à un boulet de canon déséquilibré. Le sang explosait partout avec une telle constance qu'on aurait cru qu'un brouillard rouge recouvrait tout et trempait chaque combattant. Les cris des mourants résonnaient en tous lieux, au-delà de l'imaginable ; des cris d'hommes robustes, vaillants, qui appelaient leur mère ou leur amante, et suppliaient qu'on mette fin à leur misère.

Curieusement, cette vision d'un carnage, aussi inoubliable fût-elle, ne m'émut pas le moins du monde, surtout dans les cinq ou dix premières minutes. Je ne pensais qu'aux ennemis valides. Le massacre alentour n'était que péripétie. A mesure que l'ennemi était exterminé, j'appelais de plus en plus d'hommes à mes côtés, et nos forces s'accrurent. Le carnage lui-même semblait nous renforcer. Nous formâmes bientôt une puissance unie, et je m'aperçus que nous avions ouvert une plaie béante dans le ventre des Invincibles.

Voyant notre succès, d'autres régiments se jetèrent sur les flancs des confédérés. Leurs lignes titubèrent, se brisèrent, et l'ennemi se mit soudain à s'enfuir par milliers, laissant des centaines de morts dans son sillage. Nous pourchassâmes les sudistes pendant une bonne lieue avant qu'ils ne réussissent à se rassembler.

Au crépuscule, nos troupes revinrent de la tuerie, conscientes d'avoir repoussé une charge féroce, d'avoir empêché l'ennemi d'attaquer l'arrière de notre armée. D'autre chose, aussi : les Invincibles avaient cessé de l'être. De ce jour, nous nous battîmes à armes égales.

J'ignore combien d'hommes j'ai tués cet après-midi-là. Tout ce que je sais, c'est que j'en ai tué ma part; une part qui, ajoutée à celle des autres, a suffi à mettre l'ennemi en déroute. J'étais tellement épuisé que je pus à peine manger une bouchée. Je m'étendis ensuite sous la pluie et sombrai dans un sommeil profond. Le sol était boueux, la terre trempée, mais une couche princière ne m'aurait pas mieux convenu. La brigade du Michigan était sortie victorieuse du combat, et c'était moi qui l'avais commandée. La gloire de la victoire s'étendit sur mon sommeil et l'adoucit.

Le matin, je jetai la veste aux galons dorés, maculée du sang de la bataille de la veille — j'userais encore beaucoup d'autres vestes en velours avant la fin de la guerre. Je ne pouvais pleurer la perte de mes vestes chéries ni des douzaines de chevaux qui furent tués sous moi. Je ne pouvais pas davantage pleurer les braves qui m'avaient suivi, s'étaient battus et étaient tombés au champ d'honneur. Les petits et les grands, encore souriants au café du matin, raides l'après-midi, allongés la bouche ouverte, fixant silencieusement le Tout-Puissant, qui ne rêveraient ni ne danseraient ni n'aimeraient plus jamais, désormais simple engrais sur un champ de bataille. La nature de la guerre est ainsi. Le grand moulin des conflits réduit son blé humain en poudre, et la mort et la destruction sont le prix de la victoire.

Quand l'humanité décidera de ne plus faire la guerre, je déposerai mon sabre et dépenserai mon énergie dans des activités moins violentes. Mais tant que je serai un soldat et qu'on me demandera de faire mon devoir, je m'exécuterai sans regrets. Les regrets sont un luxe inutile dans les affaires de la guerre, qui consistent, pour parler simplement, à conquérir par les armes.

Au petit matin, en faisant mon inspection, je remarquai que plusieurs soldats s'étaient déniché des cravates rouges. Je m'autorisai un sourire. Ce même sourire éclaira souvent mon visage les mois suivants, car, après chaque combat, de plus en plus de soldats arboraient un foulard cramoisi au cou.

Quand vint le moment de nous séparer, la brigade du Michigan était devenue célèbre dans toute l'Amérique. Aucune autre unité combattante n'avait atteint la gloire de mes Wolverines. Ils vainquirent l'ennemi à chaque rencontre. Jamais ils ne connurent la défaite. On leur attribua de nombreux surnoms qui reflétaient la fierté et le respect qu'ils inspiraient aux civils comme aux militaires. Le plus utilisé et celui auquel je repense encore souvent est celui de « Cravates-Rouges », même si, dans le secret de mon cœur, ils resteront à jamais mes Wolverines.

23-26 mai 1876

Aujourd'hui, la marche a été courte. Le général Terry craint de surmener les mules et, après seulement trois lieues, nous sommes tombés sur un endroit d'une grande beauté, au point qu'il nous obligea pratiquement à faire une halte.

Il y a de l'herbe et du bois en abondance, et une petite rivière d'eau fraîche. L'endroit est abrité par des peupliers chatoyants, et les basses branches de l'un d'eux grattent doucement le toit de ma tente au moindre souffle de vent. Des fleurs de prairie poussent dans tous les coins et, partout où le regard se pose, de fragiles pétales multicolores se dressent fièrement sur leur tige. La lumière qui perce le feuillage des arbres traverse le tissu de la tente et dessine des taches mouchetées qui dansent sur cette page, sur la pointe de mes bottes et sur le sol.

Les hommes ont découvert un bassin à quelques mètres en amont, et les airs plaintifs de la fanfare du régiment couvrent les doux bruits de leurs ébats aquatiques. Vautrés par terre comme des carcasses, les chiens jouent une sérénade de ronflements. Tout compte fait, c'était une journée sans pareille, une de celles que même les aveugles et les sourds n'auraient pas manqué d'apprécier. Même mon ardeur impatiente a été matée.

Au début, j'ai ronchonné quand le général Terry a voulu s'arrêter, mais je suis moi aussi tombé sous le charme de cette superbe journée de mai dont la perfection a atteint son zénith avec l'arrivée, il y a une heure, d'un courrier qui apportait, entre autres, la denrée la plus précieuse pour le soldat... un sac de lettres.

Il y en avait deux de Libbie. Elles reposent sur ma couverture, encore cachetées parce que je ne supporte pas l'idée de les ouvrir, de lire ce qu'elles contiennent, et d'épuiser ainsi leur trésor. Je les lirai quand je ne pourrai plus résister.

Je peux prédire avec une quasi-certitude ce que disent ces lettres. Il n'y aura pas de ragots — Libbie a toujours détesté les ragots. Il n'y aura pas de plaintes, elle a toujours cherché à m'épargner les soucis. Les allées et venues à la poste seront notées, comme les visiteurs qui sont passés et les propos échangés. Elle ne manquera pas de parler de la santé et de l'humeur des animaux que j'ai laissés derrière moi, sans oublier de raconter leurs cabrioles et leurs bêtises. Les deux lettres seront pleines de lumière et d'espérance.

Je les chéris précisément parce que je connais si bien leur contenu. Qu'elles viennent de Libbie, de ses pensées, de sa main, me donne encore le frisson après toutes ces années de vie commune. Si tant est que la perfection existe en amour, on la trouve dans notre union.

J'ai su que je l'aimais dès notre première rencontre fugitive quand je passai par hasard devant chez son père au moment où elle ouvrait le portail; elle me demanda en plissant légèrement ses yeux noirs impénétrables: « N'êtes-vous pas le fils Custer? » Puis elle s'enfuit dans l'allée et entra dans la maison. Nous ne nous adressâmes plus la parole avant plusieurs années, mais ce moment où elle était pendue au portail et me regardait avec ses yeux de sirène resta gravé dans ma mémoire.

J'ai toujours été à l'aise avec les femmes, et elles avec moi. Je n'ai jamais pu résister à leurs charmes. J'ai plusieurs fois songé à en épouser une autre, mais cela ne devait pas arriver. C'est la fille du juge que le destin avait choisie pour partager ma couche notre vie durant. J'en serai éternellement reconnaissant au destin.

La chance nous avait attirés l'un vers l'autre, mais il y avait encore de nombreux obstacles qui semblaient insurmontables à l'époque. Il en va sans doute ainsi chaque fois qu'une passion embrase un homme et une femme. Les premières flammes sont souvent étouffées, mais dès que le feu atteint une certaine intensité, plus rien ne peut l'arrêter. Le feu consume tout. Il en fut ainsi entre moi et Elizabeth Bacon... ma Libbie.

L'alcool faillit tuer notre amour dans l'œuf. Je m'étais mis à boire à West Point, où les seules échappatoires à la discipline et aux corvées étaient les virées nocturnes, que je conduisais souvent moi-même, dans une taverne du voisinage. Quelle époque c'était! Rassemblés autour d'un foyer ardent jusqu'aux premières heures de l'aube, nous vidions du rhum à longs traits en racontant des histoires de ribaudes, riant à nous en faire mal au ventre tandis que nos esprits juvéniles se noyaient dans le rhum de Benny Haven.

Les joyeuses bacchanales dans la taverne de Benny nous aidèrent à supporter la sévérité de nos vies, et l'intimité que nous partageâmes forgea des amitiés qui devaient durer toute la vie. Le seul inconvénient était l'accoutumance à l'alcool. Je savais que c'était mal, mais j'étais jeune et je n'avais pas conscience que mon énergie était trop précieuse pour être freinée par le boulet d'une bouteille.

Je n'avais pas encore compris cela quand, en permission à Monroe, au Michigan, en octobre 1861, je contractai une grippe qui me laissa sans forces. J'ai toujours eu une santé robuste, mais il y a je ne sais quoi dans un banal cas de grippe que mon corps ne supporte pas. C'est comme si la congestion, les éternuements et la fièvre s'infiltraient dans tout mon être. Quand je suis souffrant, mon moral tombe invariablement au plus bas, et alors que d'autres se rétablissent en une ou deux semaines, il semble que chez moi la guérison prenne deux fois plus de temps. Cependant, mes poumons sont encore en parfait état. C'est un mystère.

A Monroe, mon rétablissement fut assez rapide, et comme tout ceux qui sortent de convalescence, dès que je me sentis bien, je ne pus contenir mon exubérance. Je me sens toujours en sursis quand je sors de maladie, et cette fois-là, je me souviens qu'une joie particulière s'était emparée de moi. J'étais dans ma famille, avec des amis, loin du grondement du canon et de la boue infâme des quartiers d'hiver.

Après plusieurs jours de forte neige, le soleil venait de percer au moment où je pouvais de nouveau sortir. Je rencontrai un vieil ami qui me proposa de me ressourcer dans l'arrière-salle d'un commerçant qui vendait du rhum. Nous nous installâmes sur des sacs de grain et ma joie d'être rétabli m'entraîna au-delà du seuil de la prudence. Lorsque je me levai, j'eus du mal à tenir debout. Mon ami n'était pas dans de meilleures dispositions. Nous sortîmes en titubant et nous remontâmes la rue en nous soutenant mutuellement. En passant devant chez Libbie, je perdis l'équilibre et tombai sur un tas de neige empilé sur le trottoir. Il me fallut des efforts désespérés pour me relever, mais je retombai aussitôt. Le rhum qui m'avait rendu agréablement impotent se retournait contre moi.

Affalé, j'essayai de recouvrer mes esprits. Je transpirais à grosses gouttes, ma tête se mit à tourner et l'alcool vira à l'aigre dans mon ventre. La nausée me prit et je vomis violemment dans la neige.

Quand les vomissements cessèrent, je me redressai, essuyai mon menton trempé de bave et regardai de l'autre côté de la rue. Ce que je vis avec horreur et clarté est gravé à jamais dans ma mémoire. Libbie était à sa fenêtre du premier étage. Soudain, la silhouette sévère de son père, le juge Daniel Bacon, apparut derrière elle. Il regarda droit dans ma direction, moi qui étais encore à quatre pattes et maculais la neige de ma bave. Impuissant, je le vis tirer Libbie en arrière et le rideau qui tomba me cacha la suite.

Si je m'étais baladé tout nu dans la rue, Libbie et surtout son père n'en auraient pas été plus mortifiés. Je venais de briser mon rêve le plus cher. Je me sentais souillé à vie, mon âme était marquée d'une tare irrémédiable.

Je réussis, je ne sais comment, à me remettre sur pied, et je découvris, bien sûr, que mon camarade avait disparu. Je ne me souviens pas si je rampai ou si je marchai, mais je finis par atteindre la maison de ma sœur. Là, je subis l'indignation de Lydia. Elle ne se montra ni fâchée ni glaciale, mais sa pitié me tortura. Elle ne se gêna pas pour me faire comprendre que je l'avais déçue, que j'avais déçu toute ma famille, et que, comble du tragique, j'avais failli à mes propres yeux.

Ce furent des paroles trop dures à entendre. Abattu, je restai couché le reste de l'après-midi, complètement démoralisé. Quand mes idées s'éclaircirent, je cessai de souhaiter défaire ce qui avait été fait, et je me mis à chercher les moyens d'empêcher une telle situation de se reproduire. Il n'y avait qu'une chose à faire.

Je m'en expliquai auprès de Libbie quelques années plus tard, mais je n'abordai jamais le sujet avec son père. Lydia et moi n'en reparlâmes plus. Dans quelques mois, quinze ans auront passé depuis ce jour où je vomis dans la neige devant tout le monde, et pendant ces quinze ans je n'ai pas bu une goutte d'alcool. La honte de ma conduite en public n'a pas été effacée, mais elle ne s'est plus jamais reproduite. Même mes ennemis les plus acharnés en témoigneront.

A part l'épisode alcoolique, Libbie et moi dûmes franchir d'autres obstacles. Ma famille appartenait à une catégorie sociale, celle de Libbie à une autre. Mon père était forgeron, le sien juge. Le juge était un homme pieux et, même s'il avait bon cœur, il n'était pas plus disposé que ceux de sa classe aux mésalliances, qu'elles fussent économiques ou sociales.

Néanmoins, ces obstacles ne suffirent pas à nous arrêter. Nous avions, je crois, des personnalités très affirmées, et ensemble nous n'avons jamais connu la défaite. Je me rends compte aujourd'hui que cette invincibilité devant les difficultés, grandes ou petites, n'est pas sans rapport avec la longévité de notre union.

Notre première rencontre officielle eut lieu le soir de Thanksgiving, en 1862. J'ai épousé Libbie au début de 1864, mais j'ai toujours considéré que notre union datait véritablement de ce soir de novembre. Elle s'inclina devant moi, je m'inclinai devant elle, et tandis que nos yeux restaient rivés au plancher, nous fûmes pris d'un désir incontrôlable de nous regarder. Et un seul regard attisa le désir de millions d'autres.

Toute la soirée, malgré la foule considérable, ses yeux croisèrent les miens chaque fois que je la regardais, et réciproquement. Mesurés en temps, ses regards n'auraient pas compté, car ce n'étaient que des coups d'œil furtifs, mais ils signifiaient beaucoup dans ce que j'y lisais ; une étincelle de curiosité, de désir, qui me paraissait avoir une vitalité propre à durer toute une vie. Ce qui se profilait derrière ses coups d'œil me donna l'impression que j'étais nu et vulnérable, que je ne pouvais rien lui cacher, qu'il serait inutile de prétendre être autre chose que ce que j'étais exactement. J'en fus à la fois effrayé et fasciné, et le soir dans mon lit je ne pus empêcher son visage de hanter mes pensées.

Les jours suivants, je ravalai mes craintes et fis en sorte de me trouver sur son chemin. Mes efforts furent récompensés, et je pus l'accompagner çà et là dans des courses diverses. A plusieurs reprises, nous reproduisîmes involontairement notre première rencontre, caractérisée par des regards silencieux, mais pénétrants. J'étais, par exemple, engagé dans une conversation, ou je resserrais une sangle, et je sentais qu'on m'observait. Je me retournais ; elle me regardait depuis le trottoir opposé, ou du haut de la rue. Plusieurs fois, ressentant la même impression, elle se retournait et me surprenait en train de l'observer de loin.

Le rythme de nos rencontres s'accéléra. Libbie ne pouvait pas mettre un pied dehors sans me trouver sur sa route. Mais, avec les semaines, la transparence de ce petit jeu et les ragots qu'il entraînait attirèrent l'attention de son père. On ne m'invita jamais chez elle, et Libbie refusa bientôt mes offres de l'accompagner dans ses courses. Apparemment, le juge se souvenait de certain spectacle affligeant dans la neige, et il ne voulait pas que sa fille s'éprenne d'un jeune capitaine de basse extraction... un capitaine qui retournerait bientôt à la guerre où il avait de grandes chances de se faire exploser la cervelle. On ne pouvait pas reprocher au juge ses réticences. A la fin de 1863, des milliers de jeunes nordistes étaient rentrés chez eux dans des boîtes, et il était rare de rencontrer une famille qui ne pleurât pas l'un des siens.

J'aurais été ravi d'éclairer le juge sur mon invincibilité, mais on ne m'en laissa pas l'occasion. Libbie me fit clairement savoir, sans le dire, qu'elle ne pouvait plus me voir et que je n'avais pas la permission de lui écrire.

Nous décidâmes qu'il valait mieux, pour l'instant, faire notre possible pour éteindre les ragots en espérant que les efforts du juge pour étouffer notre idylle finiraient par s'épuiser.

Libbie laissa une longue file de soupirants de Monroe lui faire la cour pendant que je m'intéressais de plus près aux nombreuses jeunes filles à marier que comportait la ville. Mes charmes, si tant est que j'en aie, ont toujours eu un effet positif sur le sexe opposé, et je mentirais si je disais que je ne me plaisais pas en compagnie des autres jeunes filles. Il arrivait que le plaisir éprouvé chassât les pensées de Libbie. Mais je continuais à me languir d'elle. Je me languissais d'elle toutes les nuits.

Notre manège, qui se poursuivit pendant plusieurs semaines, détourna les ragots ainsi que nous l'avions espéré. Mais notre séparation était comme une blessure qui refuse de cicatriser. Elle était surtout douloureuse quand nous nous croisions en ville sans un mot, en détournant la tête, nous privant ainsi de notre plus grand plaisir... la joie de plonger furtivement nos yeux dans ceux de l'autre.

Par un après-midi enneigé, peu avant Noël, nous nous croisâmes, marchant chacun sur le trottoir opposé, au bras de quelqu'un. J'estimai alors que la plaisanterie avait assez duré.

J'envoyai un gamin porter à Libbie un message qu'il devait lui délivrer de vive voix. Le message ne comportait que quatre mots : « Moulin Grover, demain midi. »

Lorsque le garnement revint en m'affirmant qu'il s'était acquitté de sa tâche, je me ravisai et souhaitai désespérément reprendre mon message.

La neige tomba dru ce soir-là et le lendemain matin aussi; je me procurai un traîneau et un attelage, et en me rendant au moulin le désespoir étreignait mon cœur. J'avais choisi l'endroit parce qu'il était désolé, et c'était précisément de la désolation que j'éprouvais tandis que j'attendais, assis contre la meule, frissonnant et battant la semelle, atterré par la stupidité d'un plan aussi ridicule.

Je ne sais plus combien de temps je fixai la pointe de mes bottes en m'apitoyant sur mon sort, mais je fus très vite pris d'une envie de rire. Quel imbécile! Ces deux mots résonnaient dans ma tête comme des coups de marteau, et le seul moyen de les faire taire était d'en rire. Une fille comme Elizabeth Bacon n'était pas du genre à braver les congères toute seule, ni à risquer sa réputation pour un rendez-vous avec un homme qu'elle aimait sans le savoir.

Je hochai la tête, éclatai de rire et redressai mon corps raidi par le froid. En me relevant, j'entrevis quelque chose du coin de l'œil; de l'intérieur du moulin en ruine, je scrutai la route et aperçus la silhouette d'un cavalier dans le lointain.

Comme le cavalier approchait, mon cœur incertain me commanda de me cacher, et je cherchai, affolé, un endroit propice dans le moulin désaffecté. Bien sûr, il n'y en avait pas; je recouvrai suffisamment mes esprits pour attendre sur le seuil, et je la vis approcher avec un grand soulagement. Alors, mon cœur se mit à battre dans ma poitrine avec une violence telle que je dus encore m'effacer; j'arpentai le sol à l'autre bout du moulin pour essayer vainement de me calmer.

J'entendis les pas du cheval s'arrêter, et j'étais en train de respirer profondément quand Libbie parut sur le seuil. Avec une assurance sans faille, elle releva sa capuche et épousseta son manteau. Elle portait une longue robe noire et ses cheveux bruns ondulés étaient tressés en deux nattes enfantines.

Nous nous regardâmes en silence pendant un instant. Puis, bien que je ne voulusse pas le dire, je bredouillai :

— Je... je ne pensais pas que vous viendriez.

Un sourire ironique se dessina sur ses lèvres et elle répliqua :

— Je ne pensais pas non plus que je viendrais.

Il y eut un nouveau silence, puis nous nous sourîmes de concert, amusés de notre folle intrépidité. Et nous nous plongeâmes dans une longue discussion.

Nous parlâmes de nos mères, de nos pères, d'art, de théâtre, de la guerre, de nos mets préférés, de nos espoirs secrets, des chevaux, de la neige. Et de pleins d'autres sujets encore, mais celui qui revenait le plus souvent était celui qui nous concernait directement. Nous ne fîmes aucune déclaration d'amour, mais cela importait peu. Le moindre sous-entendu galant avait des effets aussi grands. Notre rendez-vous était tellement dominé par la promesse d'un amour à venir que les déclarations eussent été plus que nous ne pouvions supporter.

Nous dûmes parler pendant plus de deux heures avant que je me rende compte qu'il était bientôt temps pour elle de rentrer. Je redoutais tant de la quitter que je lui proposai une promenade en traîneau. Dans mon état second, j'espérais, j'imagine, qu'un miracle divin l'empêcherait à jamais de repartir. L'équipage et le traîneau, une fois lancés, ne s'arrêteraient peut-être plus.

Il n'y avait eu aucune intimité de nature physique pendant notre longue discussion, mais sitôt à bord du traîneau, sitôt les chevaux au trot, je sentis la pression de son épaule contre la mienne, une sensation qui me procura autant de calme que d'excitation. La familiarité que je ressentis auprès d'elle ressemblait à celle qu'on éprouve en présence d'amis fidèles ou de parents, et l'excitation était si forte qu'elle me convainquit que le puits de passion auquel je m'abreuvais devait fatalement être sans fond.

La tempête de neige de la veille s'était calmée, laissant place à un ciel immaculé. En défilant au-dessus de nos têtes, les branches dénudées des arbres dessinaient des ombres sur le paysage, mais le soleil qui brillait semblait concentrer toute sa gloire sur le visage de Libbie. C'était comme si l'astre roi lui-même servait sa beauté et auréolait sa silhouette encapuchonnée de rayons que je ne pouvais contempler directement, sauf à tomber en morceaux sur-le-champ. Je m'efforçai de me concentrer sur la conduite du traîneau, sans plus de succès.

Nous gardâmes le silence tandis que je menais l'équipage à travers les champs enneigés. Je ne me plaignis pas du silence car le son de sa voix et ses brillantes inflexions avaient un pouvoir de séduction qui me coupait tous mes moyens. Je ne me souviens pas des rênes dans mes mains, ni de la puissance des chevaux, ni de leur fatigue. Bien que fixés sur le chemin, mes yeux étaient brouillés par les visions de la jeune fille assise à côté de moi ; la régularité de ses dents, le dessin carré de son menton, la douceur de sa peau, et la lueur claire de ses yeux. Sa présence était comme un narcotique. Mon âme ne m'appartenait plus.

Incapable de penser à autre chose, je ne cessais de me répéter son nom en silence. Sans la légère pression de son épaule, j'aurais aisément pu croire que je faisais un beau rêve. Mais son bras contre le mien me rappelait constamment à la réalité, et prouvait bien que la fille à mes côtés était en chair et en os. Le savoir ne faisait que décupler ma joie, et le souvenir de ce jour de décembre restera un trésor que je chérirai toute ma vie.

Nous ne tardâmes pas à tomber sur une piste pittoresque, maintes fois empruntée, mais déserte à cette heure. La route s'élevait en pente douce en zigzaguant à travers les bois, et, parce que les chevaux, les virages et la vitesse ont toujours été pour moi une tentation trop forte, je proposai de tester la valeur de mon équipage.

« D'accord », me répondit-elle avec un sourire paisible, et elle se cala sur son siège, blottie contre mon épaule.

Fouettant les rênes sur leur dos, j'encourageai de la voix les chevaux, qui partirent au triple galop. Ils étaient aussi bons que je l'avais soupçonné en les choisissant, grands, puissants et ardents. Je les retins pour les premiers virages mais leur lâchai bientôt la bride. Nous hurlions, grisés par la vitesse, et le traîneau fonça dans des courbes de plus en plus serrées. La puissance de l'équipage était telle que je devais me lever légèrement de mon siège à l'amorce des virages.

J'étais à demi dressé quand plusieurs cerfs surgirent du couvert et traversèrent la piste devant nous. Plutôt que de ralentir, les chevaux virèrent sur la gauche et escaladèrent le remblai. Le traîneau bascula et se renversa, nous éjectant dans les airs pour un vol plané qui dura plusieurs secondes. Nous atterrîmes côte à côte.

A quatre pattes, je demandai à Libbie si elle allait bien.

Elle se releva, regarda autour d'elle.

— Ma foi, l'atterrissage s'est bien passé, dit-elle avec fierté.

J'aurais voulu l'embrasser tout de suite, mais les chevaux se débattaient, coincés dans les fourrés. Le traîneau était toujours couché et trop endommagé pour nous ramener. Il n'y avait rien d'autre à faire que de détacher les chevaux, et je fus surpris de voir que Libbie connaissait la manœuvre. Elle enroulait les guides d'un des chevaux pour en faire des rênes quand soudain l'animal rua, s'emballa et la projeta à terre.

En deux bonds, je fus près d'elle, et dès qu'elle se releva nous réussîmes à maîtriser le cheval effrayé.

— Tenez-le bien! m'écriai-je.

— Oh, je n'ai pas l'intention de rentrer à pied! rétorqua-t-elle, encore haletante d'avoir été traînée dans la neige. (Elle me regarda d'un air solennel et ajouta, farouche :) Quand je tiens quelque chose, rien ne me ferait lâcher.

Nous nous regardâmes dans les yeux.

— Il faut que je vous embrasse, dis-je en approchant ma bouche de ses lèvres.

Son haleine tiède me caressa un instant avant que nos lèvres ne s'unissent. Les siennes étaient les plus excitantes qu'il m'eût été donné d'embrasser, douces, fermes, parfaites. Notre premier baiser parut durer éternellement, et nos corps suivirent bientôt l'exemple de nos lèvres, solidement collés l'un à l'autre.

Je ne me souviens plus combien de temps nous restâmes ainsi, cloués sur place, mais je me rappelle encore son souffle humide contre ma joue, la minceur de sa taille dans mes bras, la fermeté de sa cuisse contre la mienne... et la suite de l'après-midi est aussi floue qu'une photo recouverte d'un voile de gaze.

Je la juchai à cru sur un des chevaux et nous chevauchâmes jusqu'au moulin sans un mot. Lorsque nous descendîmes de nos montures, elle se tourna vivement vers moi et me dit :

— Je ne veux plus que vous me touchiez... j'ai envie, mais... il ne faut pas.

— Euh, fis-je, il faut pourtant que je vous aide à monter sur votre cheval.

Je dus dire ces mots sans une once de déception car elle me sourit, comme soulagée, et déclara :

— Bon, d'accord.

Son coude menu épousa le creux de ma main, et elle grimpa sur sa selle sans effort. Tandis que je lâchais son bras, une bouffée de panique me saisit. Je n'avais pas vécu bien longtemps, mais mon expérience de la guerre m'avait appris que la vie est une flamme vacillante qui peut être soufflée en une seconde. Je lui dis au revoir, sachant que je risquais de ne plus jamais toucher son coude. Puis je la regardai s'éloigner comme elle était venue. Je la regardais, ahuri, vidé de toute émotion. Mon cœur ne m'appartenait plus, il chevauchait avec Libbie.

Il vient juste de se passer un incident dans le campement. Une de nos sentinelles a tiré sur ce qu'elle avait pris pour un Indien, mais qui n'était en fait qu'un massif de sauge dont les formes bizarres oscillaient dans le vent nocturne. Un cheval s'est libéré et a renversé quelques tentes dans lesquelles des hommes dormaient. Il n'y a pas eu de dommages, sauf pour les oreilles de ceux qui ne supportent pas les hurlements en plein milieu de la nuit. C'est une fin appropriée pour une journée pleine de mésaventures ridicules.

Ce matin, un des chariots a pris feu avant le départ; apparemment, une étincelle provenant de la pipe du conducteur est à l'origine de l'incendie. Devant la désobéissance d'une mule, l'homme avait jeté sa pipe de rage.

Dans un geste défiant les lois de la physique, un des hommes a réussi à se tirer une balle dans le talon en enfourchant son cheval.

En traversant le premier gué de la journée, le chariot de tête a cassé un essieu et retenu la colonne pendant une heure. Le même chariot a perdu une roue au moment où il se remettait en marche, ce qui nous valut un nouveau retard.

Et maintenant un cheval dans les tentes.

Malgré les anicroches, nous sommes parvenus à parcourir trente-trois kilomètres et je trouve cela encourageant. Au début d'une campagne, on n'échappe pas aux petits incidents et j'ai bon espoir que lorsque nous aurons repéré l'ennemi ces petites mésaventures grotesques, dont la plupart ne sont dues qu'à nous-mêmes, cesseront et que nous pourrons traquer nos proies l'esprit libre. J'imagine qu'il nous faudra au moins deux semaines avant de rattraper les nomades, et à ce moment-là il faudra séparer le bon grain de l'ivraie. Ce sera impératif.

Ces mésaventures en terrain accidenté ne sont rien à côté des soucis que me cause le plan général de la campagne.

Les caprices des politiciens et des militaires de salon sont étouffants comme la fumée, et m'irritent constamment les yeux. Ils veulent que j'avance, que je me batte et que je remporte des victoires, mais ils veulent aussi superviser tout ce que je fais et leurs ordres sans intérêt restreignent ma liberté. Quand l'heure viendra, bien sûr, j'aurai toute la liberté d'un commandant au combat. Les politiciens et les généraux de Washington savent que le commandant qu'ils veulent contrôler est aussi leur meilleure chance de réussite. L'heure venue, c'est moi qui engagerai le fer contre l'ennemi. Ils le savent aussi bien que moi.

Mais je n'ai pas le droit de laisser ces soucis m'accaparer.

Du moins, pas pour l'instant. C'est une tentation à laquelle j'ai trop souvent succombé et chaque minute passée dans la contemplation des mystères de la politique a toujours été une minute perdue.

Je n'ai aucune prise sur les forces qui tourbillonnent autour de cette campagne, mais je ressens néanmoins leur présence. Le choc que j'ai reçu en rentrant de Washington en est un bon exemple. Je ne sais toujours pas ce qui m'attend, mais je sais que ceux qui me dépeignent comme une marionnette ne pourraient pas être plus précis. Je ne suis pas le Armstrong Custer que l'on croit. Mes mains, mes pieds, et même ma tête, sont attachés à des fils, et ces fils sont manipulés par des forces dont je ne sais assurément rien.

C'est une leçon qu'il m'a fallu toute une vie pour apprendre. Quelle ironie que la leçon, une fois apprise, ne puisse être appliquée. L'enseignement suppose rien de moins que la découverte de la vérité. J'ai découvert davantage de vérités que je ne l'aurais voulu, notamment en ce qui concerne mon avenir de soldat, et je dois avouer que c'est un fardeau bien lourd. Mais le fardeau le plus lourd ne m'empêchera pas de conduire le 7e de cavalerie dans cette campagne.

Libbie dit que les magazines me réclament sans cesse d'autres articles. J'aimerais leur faire plaisir. Je m'inventerai peut-être une vie d'écrivain. Rien ne me plairait davantage. Le sabre ou la plume, peu importe, du moment que c'est dans l'action, et plus c'est près du cœur de l'action mieux c'est.

Elle m'écrit aussi, à sa manière désabusée, qu'il y a peu de nouvelles familiales, « puisque le gros de notre famille vous accompagne ». Comme toujours, elle me dit que son Autie lui manque et qu'elle rêve sans cesse du jour où des éclaireurs arriveront au fort pour annoncer notre retour. Elle rêve qu'elle entend l'air enjoué de notre fanfare flotter dans la prairie tandis que notre colonne bleue apparaît peu à peu à l'horizon.

Nous avons été séparés si souvent que rêver l'un de l'autre est devenu une habitude étrangement bénéfique. Cela diminue la douleur et garde presque tout le temps l'un vivant dans l'esprit de l'autre. C'est une douce habitude que nous avons cultivée durant de nombreuses années de mariage.

Ce n'était pas aussi agréable quand je quittai Monroe au printemps 1863 pour retourner à la guerre. Ce fut un supplice infernal. Les mois d'hiver qui avaient précédé furent les plus pénibles de ma vie et je ne me souviens pas d'avoir jamais eu autant les nerfs à vif. Aimer quelqu'un si complètement conduit à penser constamment à lui. Je ne pouvais pas boutonner ma chemise sans penser à ma bien-aimée.

Les amants ont besoin de se rassurer et, comme nous ne pouvions ni nous écrire ni nous voir, je me laissais aller à des pensées lugubres autant que passionnées. Allait-elle changer d'avis sur mon compte ? L'opinion qu'elle se faisait de moi était-elle aussi bonne que je le croyais ? Serions-nous un jour réunis ? Ces questions lancinantes me hantaient avec la même violence que les rêves de notre paradis promis.

Je subissais une frustration impitoyable, qui commença avant mon départ. Le pire était de l'apercevoir dans la rue. Il y avait désormais un secret derrière nos regards ; or, les fois bénies où je la voyais, je devais la croiser en silence. Cela me donnait l'impression que le monde entier n'était que tricherie. Je songeai à l'enlever, mais même si cela aurait convenu à nos tempéraments, aucun de nous n'aurait supporté d'infliger une telle douleur à nos familles.

Notre amour restait mort-né, et il n'y avait rien à faire, semblait-il. Je me disais sans cesse qu'elle m'échappait. Je me rendais compte que mes rêves étaient contrariés par un édifice imposant qui s'interposait entre nous : le juge Bacon, un homme profondément inébranlable. C'était l'arbre qu'il fallait abattre et, jusqu'à une semaine du départ, je me creusai en vain la tête pour échafauder un plan. Même le recours à la prière, une arme presque inconnue de moi, fut inefficace.

Un après-midi, j'eus l'occasion de voir le juge Bacon pousser la porte du Club du Gouverneur; je compris aussitôt qu'une chance s'offrait peut-être à moi. Je revins le lendemain et constatai avec plaisir qu'il s'agissait d'une habitude. Le juge pénétra dans le club à cinq heures précises. J'entrevis une lueur d'espoir et un plan se forma dans ma tête, qui, s'il réussissait, me ferait paraître aux yeux du juge sous un jour irrésistiblement favorable.

J'achetai une feuille de papier, un morceau de cire à cacheter et une enveloppe. Je pliai la feuille, la glissai dans l'enveloppe que je scellai. Puis je me rendis dans le cabinet, distant d'un pâté de maisons, d'un avocat en vue que je connaissais. Il avait du travail, mais pas assez pour refuser de me voir. Bien que n'étant encore que capitaine, ma réputation au combat avait gagné ma ville natale et j'y bénéficiais d'une notoriété qui m'ouvrait toutes les portes sur simple présentation de ma carte.

Je demandai à mon ami avocat s'il accepterait de garder mon testament, requête à laquelle il accéda de bon cœur, sans savoir que je ne possédais qu'un cheval et un uniforme. Comme d'habitude dans ce genre d'affaires, l'avocat me fit asseoir et nous échangeâmes des nouvelles du front. Nous discutâmes peut-être pendant cinq minutes avant que je puisse dévier la conversation en faisant remarquer que la vie d'un jeune officier n'est pas très proche de celle d'un membre du Club du Gouverneur.

Il s'esclaffa et, la brèche étant ouverte, je m'y engouffrai en posant une série de questions insignifiantes sur le club. Je crus qu'il n'en viendrait jamais là où je voulais l'amener, mais il finit par y venir.

— Pourquoi? demanda-t-il. Vous n'y êtes jamais allé?

— Non, jamais.

— Oh, il faut y aller! dit-il, péremptoire. Je vous y conduirai moi-même et je ferai les présentations. Quand êtes-vous libre?

— J'ai du temps demain après-midi.

Après avoir consulté son agenda, il me dit :
— Est-ce que seize heures vous conviendrait?
— Je préférerais seize heures trente.
Nous nous rencontrâmes à l'heure dite le lendemain, et mon ami l'avocat m'accompagna au Club du Gouverneur. L'endroit était agréable et confortable, avec l'élégance typique des clubs qui peuplent le Midwest. D'habitude, je trouve ces endroits trop calmes et trop exigus, mais, étant en mission, j'étais trop content d'être introduit dans l'atmosphère renfermée de l'établissement.
On me présenta à une douzaine de citoyens influents et, un rafraîchissement en main, je m'adossai à la cheminée, prêt au combat. Dès le début, je sentis qu'en dépit de ma réputation, mon rang inférieur me valait davantage de curiosité que de respect. Mais dès que je commençai à répondre aux questions sur mes exploits, je constatai un changement dans les expressions inertes des hommes d'affaires et des notables qui m'entouraient. Je me sentais aussi complètement détendu qu'avant une bataille — plus la tension est aiguë, plus je me détends — et mon charme naturel, si tant est que j'en aie, parut agir comme jamais.
Je me souviens encore de la première question. Un vieux monsieur, tassé dans une bergère, me demanda si ma réputation de témérité était réellement fondée. Je me rappelle le silence qui régnait dans la salle, silence que je laissai durer quelques secondes avant de répondre :
— Quand dans une guerre de cette importante, les deux parties sont aussi inébranlables, c'est par l'audace que l'on parvient parfois à vaincre. Si je devine une faille dans les lignes ennemies, je fonce sans hésitation. Si je suis encerclé, je me dégage sans hésitation. S'il faut choisir entre tuer ou être tué, je tue sans hésitation. C'est la seule manière de faire la guerre que je connaisse et c'est à elle que je dois d'être parmi vous aujourd'hui. On a utilisé bien des adjectifs pour qualifier ma manière de combattre. Si l'un de ceux-ci est « téméraire », cela ne me dérange pas. La témé-

rité est le plus souvent associée au désastre, mais, comme vous pouvez le voir, je suis aussi vivant que vous.

Dans sa bergère, le vieil homme n'avait certes rien d'un gai luron, mais, à mesure que je parlais, je vis ses yeux reprendre vie et même une étincelle les illuminer. Ses applaudissements furent suivis par ceux, enthousiastes, de ses collègues.

Je pérorai à la manière d'un conteur pendant une autre demi-heure, prenant garde de parler par phrases assez courtes pour me permettre de jeter de temps à autre un coup d'œil à la pendule qui se dressait dans le coin opposé de la salle.

Les membres du club s'étaient peu à peu rapprochés et je décrivais mon service aux côtés du général McClellan pendant la bataille d'Antietam quand, levant la tête, je vis le long visage cireux du juge Bacon m'observer, au dernier rang de mon auditoire.

Je n'avais pas plutôt terminé ma description qu'il me demanda d'une voix sombre :

— Etes-vous un fidèle de McClellan?

— Je serai toujours un fidèle de McClellan, assurai-je.

Ma réponse plongea la salle dans un nouveau silence. La nation était divisée sur les capacités du général McClellan. On avait cru qu'il allait gagner la guerre, or nous en étions loin.

— Servir sous ses ordres, poursuivis-je en m'adressant à la ronde, fut un honneur dont des milliers de soldats peuvent témoigner. Si les morts ressuscitaient, ils se dresseraient comme un seul homme pour soutenir le général. Jamais un commandant n'a veillé sur ses hommes avec autant de sollicitude, aucun ne pourrait être plus intelligent que lui ni plus déterminé. Quand on a relevé le général de son commandement, je peux vous assurer de l'incrédulité de notre armée. On ôtait la direction des opérations à notre père. Si grande était la déception que, pendant un ou deux jours, notre armée a douté. J'ai ressenti comme beaucoup la douleur de sa destitution, mais mon sens du devoir a vite chassé ma détresse. La question du juge Bacon : « Etes-vous un fidèle de McClellan? », bien que compréhensible, n'est pas pertinente. J'ai servi sous les ordres de plusieurs commandants valeureux et je continuerai à servir ceux qui me font confiance... car je suis un fidèle de l'Union, et au bout du compte, c'est la seule chose qui importe.

Les applaudissements fusèrent de nouveau et, bien qu'il s'efforçât de modérer son enthousiasme, le juge mêla sa claque à celle des autres.

Il devenait naturel que je me présente au juge Bacon, ce que je fis avant de prendre congé. Il prit ma main fine dans sa grosse main potelée et la secoua doucement en plongeant ses yeux humides dans les miens. Les mots « C'est le père de la mariée » surgirent dans ma tête, et, bizarrement, j'eus soudain envie de rire. J'imagine que c'était parce que je savais une chose que le père de la mariée ignorait : seule la mort m'empêcherait d'épouser sa fille.

Après m'avoir félicité pour mon exposé impromptu, le juge me demanda :

— Quand retournez-vous dans l'Est?

— Dans moins d'une semaine.

— Eh bien, je vous souhaite bonne chance, mon garçon. Vous pouvez être sûr que nous suivrons tous vos exploits.

L'entretien se termina là-dessus. Sauf pour quelques négativistes, je me suis toujours bien entendu avec les gens, quels que fussent leur rang social et leurs opinions politiques, et le juge Bacon ne fit pas exception. Dans les années qui lui restaient à vivre, nous devions développer une relation plus cordiale que je n'eusse osé l'imaginer.

Notre rencontre au Club du Gouverneur ne dura que quelques secondes et nous ne parlâmes pas de Libbie. C'était néanmoins un événement glorieux. Le juge avait fait tout son possible pour m'empêcher de voir sa fille et s'était de même efforcé de ne point me rencontrer. J'avais pourtant triomphé et j'étais prêt à quitter le Michigan avec une confiance renouvelée. J'avais appâté et piégé le juge Bacon, et la victoire m'était d'autant plus douce que je l'avais fait à son insu.

Quand les heures en selle se font longues, que le paysage

est monotone et que le temps s'étire, je tombe dans une sorte d'état second. Je perds conscience de l'environnement, un phénomène qui me permet de cheminer sur les voies agréables de la contemplation. Bercé par le rythme naturel du cheval, je peux ainsi méditer sur ce qui est probablement mon sujet favori : la mécanique du destin et ses mystères. Le cours de ma vie — mon union avec Libbie — aurait pu être altéré si le juge avait dévié de ses habitudes ce fameux après-midi. Il aurait pu être altéré par un membre de l'auditoire du Club du Gouverneur. Prononcés différemment, mes propres mots auraient pu tout changer. Le mystère est insoluble, mais chacun peut sentir le poids du destin sans le connaître, et dans ma vie, dont le cours a été, j'en suis sûr, défini dès ma naissance, le destin n'a jamais été aussi prépondérant que dans tout ce qui touche à Elizabeth Bacon. En cette espèce, le destin sembla agir comme un allié silencieux.

Cette conviction fut affermie quelques jours plus tard quand je montai dans le train qui me ramenait à la guerre. Les wagons grouillaient de civils et de militaires et, une fois installé, je surveillais les allées et venues dans le couloir tout en me demandant si nous partirions à temps. C'est alors que je vis la tête de Libbie apparaître dans la foule qui se pressait à la porte opposée du wagon. M'apercevant, elle se fraya un chemin vers moi tandis que je me levais pour aller à sa rencontre. Une expression étrange se lisait sur son visage, mais je me souviens aussi à quel point il était vivant.

— Je voulais juste vous voir, me dit-elle vivement. Et je voulais aussi vous remettre ceci.

Elle serrait un médaillon dans sa main; elle recula soudain comme si sa timidité l'emportait. Nous nous regardâmes, et je fus pris d'une envie irrésistible de l'embrasser.

— Je serais très déçue si vous ne le portiez pas, dit-elle plutôt sévèrement.

Puis elle tourna les talons et s'éloigna rapidement dans le couloir.

J'ouvris le médaillon. Il renfermait une photographie. C'était un cliché récent, qui rendait parfaitement son expression, celle d'une jeune fille sérieuse, volontaire, dont le demi-sourire laissait entrevoir une nature profondément enjouée. C'était la photographie de celle avec qui j'allais passer le reste de ma vie.

Je gardai son image pendant toute la guerre. Je dormis et je combattis avec. Je l'ai sur moi depuis douze ans. Le médaillon est avec moi en ce moment même, ouvert sur mon petit bureau pendant que le camp dort, souvenir éternel de l'amour que je porte à la jeune fille que j'ai épousée.

27 mai-1er juin 1876

La région du Missouri, surtout les terres incultivables que nous traversons en ce moment, est toujours imprévisible, mais on dirait vraiment que cette année l'été est précoce dans les plaines du Nord. Aujourd'hui, il fait une chaleur suffocante et comme le pays est terriblement accidenté, nous sommes obligés de construire sans cesse des ponts pour le passage des chariots.

Inévitablement, faire franchir des coulées, des ravines et des cours d'eau aux chariots est une tâche harassante et énervante, mais je suis malgré tout satisfait. Ce que nous perdons en kilomètres, nous le gagnons dans l'amélioration de la coordination de notre colonne. Je sens une ardeur croissante parmi les sept cents âmes qui me suivent. J'ai de moins en moins besoin d'expliquer mes ordres, qui sont exécutés avec la célérité qu'on peut attendre d'un régiment d'anciens comme le nôtre.

Les hommes ne parlent presque plus des Indiens, et les espoirs de les rencontrer bientôt se sont quasiment éteints, car bien qu'ayant désormais pénétré profondément en territoire ennemi, nous n'avons pas vu un seul Peau-Rouge. Et nous n'en verrons pas avant longtemps. Il y a, certes, des traces, mais les empreintes de travois ou les restes des foyers circulaires que j'ai repérés datent de plusieurs années.

Comme l'entrée de ma tente est orientée à l'ouest, je peux voir que le soleil est tombé en dessous de l'horizon, laissant une large bande orange qui embrase la dernière lueur du jour. C'est là qu'ils sont maintenant, sans doute un millier de guerriers ennemis, qui, j'en suis sûr, ont pris bonne note, comme moi-même, du jour qui passe. Ces ciels spectaculaires sont irrésistibles. La liberté aussi est irrésistible, et je sais que nombre d'entre eux combattront férocement quand nous les acculerons.

Il y a assez de bois, l'eau est potable et les hommes semblent avoir le moral. Nous avons encore dressé le campement de bonne heure, et je dois dire qu'une courte marche de quinze à vingt kilomètres ne manque jamais d'alléger le cœur d'un soldat. Les lieux de plaisir de Bismarck sont à des mondes d'ici, de même que la taverne du trafiquant de whisky, et je sens que le régiment se concentre uniquement sur la campagne.

S'il n'y avait Libbie, et mon amour du théâtre et des arts, je pourrais passer ma vie sous la tente. On ne retrouve cette liberté nulle part. La vie au grand air inspire l'âme grâce à mille détails que l'espèce humaine, malgré les avantages de la civilisation, aspire toujours à retrouver.

J'ai parfois essayé de m'extraire de l'emprise de cette liberté unique. J'ai sincèrement tenté de m'attirer les bonnes grâces des capitaines d'industrie, mais si mes efforts ont produit des bourgeons, ils n'ont jamais porté leurs fruits. Je me suis souvent demandé pourquoi, mais je ne trouve pas d'explication, sinon que j'étais destiné à la vie militaire... J'ai été créé dans le seul but de combattre.

Pour des raisons que je cherche encore à comprendre, et à accepter, je doute de m'élever plus haut dans l'armée. Mais je refuse d'y penser pour ne pas gâcher ma joie d'être de nouveau avec le 7e. J'acquerrai peut-être une réputation en tant qu'écrivain, mais sinon je resterai tel que j'ai toujours voulu être : un cavalier en route pour la bataille.

Dehors, ils chantent *Motherless Child*. Les superbes paroles et la mélodie mélancolique pénètrent sous ma tente, comme portées par la brise. Dans le crépuscule, la douceur de leurs voix dément leur férocité au combat. Nous avons un certain nombre de recrues, des garçons qui n'ont jamais tiré que sur des cibles peinturlurées et qui parcourent plusieurs dizaines de kilomètres à cheval pour la première fois de leur vie. Au moindre trot, sans parler du galop, ils tressautent sur leur selle comme des sacs de maïs et sont la risée des anciens. Quand nous affronterons l'ennemi, quelques-uns céderont à la panique, éclateront en sanglots. La plupart paniqueront mais se battront quand même. Certains mourront et leurs corps pourriront dans la plaine.

J'éprouve pour eux des sentiments mitigés. Pour la majorité, ce sont des hommes que le manque d'éducation, d'initiative, d'argent ou de famille a conduits dans l'armée en dernier recours. Leur existence est souvent fade, faite surtout de la monotonie de la caserne où ils mènent une vie de tâcherons plus que de soldats. La plupart du temps, ils se contentent de faire semblant de travailler, rouspètent et se plaignent sans arrêt, prêts à dépenser un mois d'une solde dérisoire en une nuit de débauche. Il m'arrive de les considérer comme le rebut de la race humaine. Je ne peux contester l'idée couramment répandue selon laquelle on s'engage dans l'armée parce qu'on est inapte à la vie civile.

Mais quel que soit le mépris que j'éprouve pour le gros de la troupe, il est chassé par l'étrange respect que je réserve à ceux qui répondent à l'appel du clairon. Car bien que je trouve des milliers de défauts à ces hommes, je dois aussi vanter leurs mérites. Les voir couverts de la crasse des combats, les voir après une charge, agenouillés, incapables de bouger, les voir s'enlacer et pleurer la mort d'un camarade, les voir marcher, résolus et farouches, vers un ennemi qui ne cherche que leur destruction, voir leurs visages s'éclairer à la moindre faveur, les voir combattre comme des possédés — voir tout cela, c'est voir ce que les gens ne verront jamais, car une des raisons pour lesquelles ils ne sont pas aptes à la société est qu'ils font ce que la société n'a pas le courage de faire. Ils tuent pour elle. Aux yeux de la société, ils passent pour des héros ou pour des imbéciles selon leur aptitude à tuer.

Je n'en connais aucun assez pour les aimer en tant qu'individus, mais je les aime sincèrement en tant que corps. Parfois, l'un d'eux devient pour moi un membre de ma famille. John Burkman, mon ordonnance, s'occupe de mes besoins, de ceux de Libbie, de mes chiens et de mes chevaux depuis neuf ans. C'est notre oncle à tous.

Les autres, je les traite comme des soldats et je ne doute d'être fréquemment l'objet de leur courroux car j'exige d'eux plus qu'ils ne sont prêts à donner. Ils me blâment quotidiennement pour les quatre-vingts kilomètres de souffrances à dos de cheval, pour le bacon rance et les biscuits moisis. Ils me blâment d'avoir banni l'alcool, qui leur manque cruellement.

Mais je ne leur ai jamais rien demandé que je ne supporte pas moi-même. Je chevauche aussi longtemps qu'eux. Je mange les mêmes rations pourries, je bois la même eau imbuvable et, quand l'ennemi nous affronte, je n'ai jamais manqué de m'élancer le premier vers ses lignes. Les hommes savent surtout que je ne les ferai jamais risquer la mort sans la risquer moi-même. Et ils savent que je n'ai jamais été vaincu sur un champ de bataille. Ils me suivront partout, et pour cela je les aime tous.

Les hommes qui sont avec moi dans cette campagne sont contents de servir et pressés de combattre, et je suis particulièrement fier parce que cela n'a pas toujours été ainsi. Ce régiment a été formé sur les cendres de la Grande Guerre, et, au début, les cendres laissèrent un goût amer dans la bouche de tous, la mienne avant tout.

Le général Sheridan m'avait envoyé en Louisiane peu après la fin de la guerre civile et, même après douze ans de soutien mutuel et d'affection, j'ai encore du mal à le lui pardonner. Sans doute ne savait-il pas ce qui m'attendait à Alexandria, mais il est bien plus intelligent que moi et je ne peux croire qu'il n'ait pu envisager ce qui allait se passer. S'il l'avait deviné, il ne m'en a rien dit.

La Louisiane est un endroit dont je parle rarement sauf pour évoquer les plaisirs exotiques de La Nouvelle-Orléans. Je n'aborde jamais la vie militaire que j'y ai connue parce que la noirceur de l'époque est telle que j'en effacerais volontiers tout souvenir si j'en avais le pouvoir.

Ma mission consistait à former une division de cavalerie

pour pacifier le Texas, un Etat dont la population acceptait difficilement le dénouement de la guerre. J'étais néanmoins excité à l'idée de me rendre à Alexandria, surtout en train spécial, dont un wagon entier avait été réservé pour moi, ma famille et mon personnel.

A l'époque, je débordais de confiance. Je n'étais encore qu'un gamin, mais un gamin qui avait apporté à son pays une suite ininterrompue de victoires. Nous baignions tous dans l'euphorie de l'après-guerre, dont le couronnement avait été la monumentale revue de troupes dans les rues de Washington.

C'était comme si tout le pays s'était rassemblé pour honorer son armée. La foule m'assaillit quand la parade se forma et, comme je montais à cheval, un vieux soldat s'empara de ma main et la baisa, un geste qui m'embarrassa et me bouleversa.

Les vétérans de la brigade du Michigan, dont certains en haillons, des bandelettes de cuir en guise de chaussures, rayonnaient d'une fierté évidente tandis que nous avancions dans Pennsylvania Avenue. Les couleurs de la brigade claquaient au vent et des milliers et des milliers de spectateurs s'entassaient sur les trottoirs.

La renommée de mes Wolverines était grande et les acclamations que nous reçûmes furent tumultueuses. Les chevaux étaient effrayés par les cris d'une telle multitude, et le vacarme paniqua complètement celui que j'avais choisi pour la revue. Je dus déployer toute mon énergie pour le maîtriser.

Non loin de l'estrade présidentielle, un groupe d'étudiantes chargées de fleurs se rua vers moi et m'encercla en pleine rue en me lançant des bouquets et en éparpillant des pétales aux pieds de mon ardent Don Juan. Une des jeunes filles essaya de passer une couronne de fleurs au cou de mon coursier. Comme Don Juan courbait la tête sur le côté, l'étudiante improvisa en lançant la couronne au jugé. L'objet le frappa au cou et je me retrouvai aussitôt propulsé dans les airs; Don Juan se dressa sur ses antérieurs, vacilla sur quelques pas, puis fonça droit devant tandis que je m'accrochais désespérément.

Don Juan dévala l'avenue, le mors entre les dents, et j'eus beau tirer tant et plus, je ne parvins pas à le ralentir. Nous dépassâmes le président et les autres officiels au triple galop et je me souviens encore des étincelles qui jaillissaient des sabots martelant le pavé. Croyant que je faisais une démonstration, la foule rugit de plaisir et, pris de court mais désireux de sauver les apparences, j'ôtai mon chapeau et saluai le président au passage.

Après une centaine de mètres, je réussis enfin à arrêter Don Juan. Il n'y avait rien à faire que revenir sur nos pas, ce qui, bien sûr, nous ramena devant l'estrade présidentielle. Là encore, faute de mieux, je soulevai mon chapeau d'un air piteux.

Lorsque je rejoignis enfin la brigade du Michigan, je fus accueilli par des sourires en coin et des rires étouffés. Incapable de se retenir, un homme lança : « Alors, mon général, on est pressé? », sortie qui déclencha une volée d'éclats de rire.

Elle fut aussitôt suivie d'un « Qui chargiez-vous, mon général? », et d'un « Qu'on prévienne cet officier que la guerre est finie! ».

Là-dessus, le fou rire secoua la brigade tout entière. Je dus rougir comme une pivoine mais la gaieté était tellement contagieuse que je fus obligé de rire à mon tour. Le souvenir de ce spectacle, le souvenir de ma propre participation, me provoque encore des bouffées d'excitation.

Vivre en paix après une longue et vilaine guerre procure un sentiment de joie incommensurable. Pour moi, il n'y a pas de condition plus heureuse sur terre. C'est dans cet esprit de liesse que nous prîmes le train spécial pour la Louisiane peu après la triomphale et inoubliable revue de troupes dans les rues de la capitale.

Dans notre wagon-lit privé régnait une joyeuse pagaille. Mon jeune frère Tom nous accompagnait; lorsque nous nous retrouvons ensemble dans nos moments libres, le sérieux est rarement de mise.

Quand Tom manigance quelque chose, il affiche un sourire nerveux et éprouve quelque difficulté à me regarder dans les yeux. Tel était son comportement quand nous passâmes à table le premier soir. Je soupçonnai aussitôt qu'une farce se préparait. Tout en mangeant, je surveillais soigneusement la table mais ne remarquai rien de suspect hormis l'absence de Libbie. Je demandai à Tom où elle pouvait bien être.

Il esquissa une moue, écarquilla les yeux et haussa les épaules, autant de mimiques qui renforcèrent mes soupçons. J'ignorais que son plan infernal avait déjà été mis en application, jusqu'au moment où ma fourchette rencontra un obstacle dans la purée de pommes de terre. Ecartant la purée, je découvris un cafard qui se tortillait sous sa tombe prématurée.

Pris d'une crise de fou rire, Tom tomba de sa chaise et se mit à ramper hors de ma portée quand je lui donnai la chasse. Je ne m'étais pas plus tôt élancé que je m'écroulai à mon tour, les lacets de mes bottes ayant été noués ensemble. Tandis que je m'escrimais à les défaire, je vis Libbie émerger de sous la table et s'enfuir derrière Tom. Nos amis éclatèrent de rire et battirent des mains devant mon infortune. Quelqu'un fit remarquer que c'était la première fois qu'il voyait un « général désarçonné ».

Une fois mes pieds libres, je songeai un instant à courir après les deux coupables, mais décidai de rester où j'étais afin de ruminer ma revanche.

Je n'avais pas eu le temps d'échafauder un plan que Libbie reparaissait à l'extrémité du wagon. Elle attendit prudemment de voir si j'étais d'humeur vengeresse.

Comme je restais tranquillement à table, j'imagine que mon calme lui donna le courage de me rejoindre. Cela fait, elle se lança dans un chapelet d'explications.

Mes camarades de table l'écoutèrent en pouffant tandis qu'elle mettait l'affaire du cafard et des lacets sur le compte exclusif de mon frère. Elle ignorait l'intrusion de l'insecte dans ma purée et avait accepté de servir de complice uniquement parce que Tom l'avait menacée de sombres représailles si elle refusait de l'aider.

Je lui pardonnai à condition qu'elle me promît de ne pas divulguer les projets que je nourrissais pour Tom. Elle jura de n'en rien faire.

Tom ne reparut pas de la soirée, et je soupçonnai, avec justesse, qu'il s'était réfugié dans le wagon fumoir, un lieu public où il savait que je n'oserais pas le défier.

Toutefois, son absence me donna libre accès à son compartiment, et là, je cachai entre les draps, au pied de sa couchette, la carcasse du poulet que nous avions mangé au dîner. Je savais qu'à son retour Tom serait sur ses gardes et que ma vengeance perdrait de son efficacité par manque d'effet de surprise. Tom verrait forcément la bosse sous les couvertures et découvrirait la carcasse.

Connaissant la façon dont il s'endormait sur le ventre, les mains enfouies sous l'oreiller, je me procurai auprès de notre cuisinière les viscères du poulet et les cachai sous l'oreiller de Tom, en prenant soin de les placer vers le milieu afin qu'il ne les découvre qu'au moment de plonger dans le sommeil.

Nous dégustâmes le dessert et terminâmes la soirée par quelques parties de cartes. Quand vint l'heure du coucher, Tom n'avait toujours pas donné signe de vie. Cela convenait parfaitement à mon plan; je me couchai avec Libbie, et chaque fois que je pensais à mon frère en train de se mettre au lit, un fou rire m'emportait.

Longtemps après, nous entendîmes les portes opposées du wagon s'ouvrir et se refermer. Incapable de me retenir, je commençai à pouffer, une main sur la bouche. Libbie pouffa aussi et, le ventre secoué de spasmes, nous attendîmes quelques secondes.

De la pénombre nous parvint la voix haut perchée de mon frère.

— Ah, très drôle, Autie, dit-il d'un ton égal pour me dénier toute satisfaction.

Libbie et moi pouffâmes de plus belle, laissant Tom poursuivre. Le son de sa voix était étouffé par les bruits du lit qu'il retapait.

— Tu sais quoi? Ça ne me dérange pas du tout, Autie... pas du tout.

Il ne dit rien d'autre, mais comme des enfants cachés dans un placard, attendant ce qui va suivre, nous ne pouvions nous arrêter de rire. Curieusement, rien ne se passa et je commençais à croire que j'avais trop subtilement disposé les entrailles de poulet quand la voix de Tom se fit de nouveau entendre... un long gémissement perça le noir.

— Oh, mon Dieu!

Peu après, il se dressa devant les rideaux tirés de notre compartiment et exigea que je sorte, sinon il entrerait me chercher.

Libbie lui dit fort justement et fermement qu'il ne pouvait entrer. J'imaginais Tom tremblant de rage dans le couloir et éclatai d'un rire incontrôlé.

— Je te revaudrai ça, Autie... lança mon frère. Je te le revaudrai, tu peux me croire.

Là-dessus, il réintégra son compartiment.

J'enlaçai Libbie et, les larmes aux yeux, nous laissâmes les éclats de rire nous entraîner dans le sommeil.

Le voyage se déroula dans cette atmosphère de farces, qui atteignit son apogée lorsque je fourrai un opossum furieux dans la couchette où somnolait Tom.

Dans le train, nous coulions des heures joyeuses, mais il en allait tout autrement à l'extérieur. Nous pénétrions profondément dans l'ancien territoire ennemi, lequel était fort différent de ce que nous imaginions. Hors du train, on aurait cherché en vain un cœur léger.

A l'est, nos arrêts étaient excitants. La nouvelle de notre arrivée nous précédait toujours dans telle ou telle ville, de sorte que notre wagon était inévitablement entouré dès son entrée en gare par une foule de citoyens en liesse qui me réclamaient. J'avoue que je cédais à chaque fois à leurs exhortations

Etre l'objet de l'adulation unanime des masses procure un frisson singulier. Dans ce cas, j'ai toujours essayé de me conduire avec une douce sévérité. Je précise « essayé », car je n'avais que vingt-cinq ans à l'époque et être la cible de manifestations positives, surtout dans les villages reculés, me gonflait la poitrine de fierté et me tournait la tête.

Etant traité en héros, je me devais de jouer ma partie, qui, même si elle me plaisait et me poussait à rêver jusqu'où une telle adulation pouvait m'entraîner, me donnait l'impression que je ne la jouais que pour satisfaire le plus grand nombre. Je ne dirai pas que je souffrais, mais j'étais mal à l'aise, comprenant qu'en acceptant les ovations je modifiais le cours de ma vie.

Depuis que j'avais gagné mon étoile, j'avais remarqué un changement dans la perception que les autres avaient de moi. Avec chaque triomphe, cette perception altérait mon existence, mais je n'étais pas encore entièrement conscient de la profondeur de ces altérations avant mon départ pour la Louisiane.

J'avais peut-être failli à noter la subtilité du changement de comportement à mon égard, j'avais peut-être refusé de l'admettre, toujours est-il qu'après la guerre ce changement était réel. Même mes amis et ma famille semblaient marcher sur la pointe des pieds en ma présence. On s'en remettait à mon opinion plus rapidement et plus facilement qu'avant. On acceptait mes conseils plus volontiers que ceux des autres. Heureusement, Libbie gardait les pieds sur terre, mais il lui arrivait aussi de me considérer davantage comme un objet de mystère que comme un époux ou un amant.

Mon père, avec qui j'avais toujours entretenu des relations d'une grande simplicité, prit l'habitude de m'appeler « général ». Au début, j'en riais, et je lui rappelais notre relation père-fils, mais comme il persistait avec une évidente satisfaction, je finis par abandonner et répondais simplement : « Oui, père. »

Qu'on n'aille pas imaginer que je cherche à me faire plaindre. J'apprécie le respect que procure un statut privilégié et j'avoue que j'ai toujours voulu m'élever au-dessus du commun des mortels. Mais personne ne peut anticiper les effets qui découlent d'une position aussi élevée. C'est une expérience propre à surprendre n'importe qui.

Je me souviens qu'à chaque fois que nous quittions une gare je m'attardais sur la plate-forme et invariablement une voix dans la foule s'écriait : « Un ban pour le général Custer ! » Je regardais les silhouettes rapetisser et les enfants courir après le train en criant mon nom. Les ovations m'incitaient à saluer en brandissant mon chapeau comme un drapeau. Ah, comme on m'acclamait à l'époque !

Et pourtant, que pouvais-je faire ? En réalité, je n'étais qu'un acteur qui avait appris à séduire son public. J'étais entré dans une nouvelle dimension solitaire que je ne pouvais partager avec personne et qui, j'allais bientôt le découvrir, était constamment sujette au changement.

Ma première découverte importante quant à la modification de l'attitude du public eut lieu quand nous nous arrêtâmes dans une ville moyenne du Tennessee après avoir roulé toute la nuit.

Nous descendîmes du train et, afin de nous dégourdir les jambes et de prendre un petit déjeuner qui ne soit pas gâté par les odeurs du train, nous nous dirigeâmes vers le premier café venu. Nous en trouvâmes bientôt un où nous entrâmes en bande. Le moral au beau fixe et le cœur léger, nous rapprochâmes plusieurs tables et regroupâmes presque toutes les chaises. Comme nous nous installions, une femme parut avec des assiettes et des couverts. Elle était en train de les disposer quand elle s'arrêta soudain. Je compris aussitôt ce qui avait motivé sa réaction.

C'était Eliza, assise à l'autre bout de la tablée.

Eliza avait échappé à son maître au début de la Grande Guerre et le destin l'avait conduite à la porte d'un jeune capitaine de cavalerie, en l'occurrence moi-même. Elle s'était présentée un beau soir et s'était intronisée cuisinière.

Au début, l'idée m'avait fait rire ; une minuscule Négresse d'âge indéterminé apparaissant au beau milieu de la nuit et m'ordonnant de la prendre à mon service. Je n'avais aucune expérience des gens de couleur, et les histoires de race ne m'avaient jamais intéressé. Même la question de l'esclavage, un concept que je n'approuvais pas, était un sujet que j'abordais rarement. Mon engagement dans la guerre civile était uniquement motivé par ma promesse de défendre notre Union.

Néanmoins, avant l'arrivée d'Eliza, pendant des mois mes habitudes alimentaires avaient consisté à ingurgiter goulûment ce qu'il y avait à manger... quand il y avait quelque chose. J'étais sûr que l'aide d'une cuisinière rendrait ma vie de soldat plus agréable.

Accepter les services d'Eliza se révéla l'une des plus judicieuses décisions d'Armstrong Custer. Elle me suivit sur chaque route pendant la durée du conflit. Elle fit son nid partout où je campais. Elle vécut dans la boue, sous la pluie, dans la chaleur et le froid. Elle faisait mes bagages en moins de deux, marchait avec moi des jours et des semaines d'affilée, cuisinait de délicieux repas et me faisait rire quand j'en avais grand besoin.

Bien que respectant nos rôles et positions respectifs, Eliza ne manquait jamais d'exprimer ses opinions, et ne se privait pas non plus de m'éconduire quand j'envahissais son territoire. Elle épousa parfaitement les changements de mon avancement éclair, comprit intuitivement le besoin croissant de discrétion et de dignité, sans perdre un iota de sa forte personnalité.

Pendant la guerre, Eliza fut capturée à deux reprises par l'ennemi, mais s'enfuit à chaque fois et réussit à nous retrouver, traversant, pour y parvenir, bien des zones dangereuses.

Quand Libbie me rejoignit enfin, elles s'entendirent aussitôt comme deux sœurs et nous formâmes un trio inséparable du jour au lendemain.

Soudain, les couverts à moitié distribués, la femme battit en retraite et je l'observai avec curiosité disparaître à l'arrière du restaurant. Elle reparut peu après avec un homme qui semblait être le propriétaire. Ils échangèrent quelques mots, la femme opinant et désignant notre table du menton. Le propriétaire l'écoutait, les bras croisés, l'air buté.

Voulant savoir ce qui avait interrompu la préparation de notre petit déjeuner, je me levai et m'approchai d'eux.

— Bonjour, dis-je en tendant la main au propriétaire, qui garda les bras croisés.

— Je veux bien vous servir, dit-il d'une voix aigre, mais je refuse de servir cette Négresse.

Je coulai un regard vers Eliza. Immobile comme une pierre, elle gardait les yeux rivés sur ses genoux.

— Faites sortir cette Négresse immédiatement, ordonna l'homme.

Le sang me monta à la tête et, comme j'ai tendance à bégayer quand je m'énerve, j'attendis de m'être calmé avant de répondre, afin d'être sûr de me faire bien comprendre :

— Elle ne partira pas... et vous allez la servir. Sinon, je vous garantis que je démolis votre établissement.

Après avoir dégusté notre petit déjeuner, nous retournâmes à la gare où la foule habituelle nous attendait. Mais cette fois nous fûmes accueillis par des regards sombres, sans les acclamations et les hourras auxquels nous nous étions accoutumés. Personne ne dit un mot quand nous fendîmes la foule pour monter dans notre wagon, on nous regarda au contraire de cet œil froid qu'on réserve d'ordinaire aux spécimens biologiques. Je lançai quelques « bonjour », mais ne reçus pour toute réponse qu'un silence glacial.

Avec Libbie, nous fûmes les derniers à regagner le wagon; croyant encore que la foule était venue pour m'acclamer, je m'arrêtai sur la plate-forme et lui fis face.

Jeté du fond de la foule, un œuf vint s'écraser contre mon épaule. J'entendis Libbie étouffer un cri. Au même moment, quelqu'un hurla : « Boucher nordiste ! » D'autres voix s'élevèrent, des jurons fusèrent. Abasourdi, ne trouvant pas de réponse, je tournai le dos aux insultes et rentrai dans le wagon rejoindre ma famille et mes amis. Etre haï ou adulé par des étrangers comporte bien des similitudes, mais l'impact émotionnel est aussi différent que l'eau et le feu.

Nous ne fîmes plus d'apparition avant la fin du voyage et nous fûmes soulagés d'atteindre la gare d'Alexandria bien après la tombée de la nuit. Nous gagnâmes prestement la caserne, accompagnés par une escorte conséquente et bien armée.

J'ai laissé Alf la souris sortir pour sa promenade nocturne autour de la tente, mais ce soir elle préfère rester perchée sur mon épaule. Je sens de temps en temps ses griffes minuscules quand elle passe d'une épaule à l'autre. D'habitude, elle fait un tour par terre, explore les coins sombres de mon abri avant de s'aventurer dehors pour son dîner de minuit. Ensuite, elle revient et je la sens de nouveau grimper le long de mon bras.

Comme toutes les souris que j'ai connues — et j'en ai connu! — Alf est d'une propreté méticuleuse; elle ne manque jamais de s'arrêter sur mon épaule pour se frotter le museau et les pattes. Satisfaite de sa toilette, elle descend furtivement le long de mon bras et retourne vers l'encrier vide que je lui ai installé sur mon petit bureau et qui lui sert de foyer. Je l'ai tapissé de longs brins d'herbe tendre. Apparemment, ma litière lui convient car il est évident qu'Alf adore sa maison.

La routine qui précède son coucher m'amuse toujours. L'encrier s'élève peut-être à cinq centimètres de la surface du bureau, et quand Alf s'en approche, elle se dresse sur ses pattes de derrière. Elle empoigne ensuite le rebord avec ses petites griffes afin d'y hisser son corps. Cela demande un gros effort car Alf possède un fessier plutôt dodu, mais rien au monde ne l'empêcherait de regagner son lit.

Elle est pointilleuse quant à l'organisation de sa litière et passe du temps à renifler son pourtour et à repousser du bout du museau certains brins d'herbe dans une position plus conforme à ses goûts. Peu à peu, ses différentes tâches s'épuisent et, enfin calmée, elle s'écroule sur le ventre. Peu après, lorsque je jette un coup d'œil vers l'encrier, je m'aperçois que les yeux ronds et humides d'Alf se ferment à demi.

John Burkman s'occupe d'elle le matin, et il a trouvé pour son encrier un endroit dans un chariot pour qu'elle voyage en sécurité avec nous. Après la popote, John la ramène sous ma tente où elle passe la nuit. Nous nous connaissons depuis peu, mais notre relation a le parfum particulier des vieilles amitiés.

John l'a trouvée cachée au bord de la piste, sans doute

pétrifiée d'avoir été effleurée par un cheval ou un chariot. Il me l'a alors apportée comme il fait avec tous les orphelins qu'il rencontre au cours de notre marche.

— John! m'exclamai-je. Qu'est-ce que tu veux que je fasse d'une souris?

— Euh, je ne voulais pas qu'elle se fasse écraser, mon général, et vous avez un tel don avec les animaux qu'un ou deux jours en votre compagnie lui permettra de récupérer. Si vous voulez, je peux mettre fin à son calvaire...

Nous avons si souvent le même genre de discussion, presque mot pour mot, que j'ai parfois l'impression de deux acteurs en train de jouer un sketch comique.

J'explique à John qu'il n'aura pas besoin de mettre un terme à la vie de l'enfant trouvé, puis nous commençons l'examen de notre nouveau partenaire et nous définissons les rôles de chacun le concernant. C'est exactement ce qui se passa avec Alf.

Qu'elle préfère rester au chaud sur mon épaule et sauter son repas du soir prouve que mes prédictions météorologiques étaient, comme d'habitude, erronées. L'été attendra encore quelques jours car une pluie fine détrempe notre camp, dans les terres inondées de la rivière Missouri.

Cela signifie, bien sûr, que nous devrons voyager dans la boue. Je me console en me disant que nous traversons les vastes plaines de l'Ouest, une région de hauts plateaux balayée par les vents, et que c'est mille fois préférable à la chaleur suffocante des marécages du Sud profond.

Si mes difficultés en Louisiane s'étaient résumées au seul climat, j'aurais apprécié le temps que j'y passai, mais une série de complications et des conditions sociales déplorables empoisonnèrent ma mission, qui peut se comparer à se retrouver au fond d'un puits sans issue aux parois glissantes. Chaque jour avait son lot de défis déprimants. Et chaque défi nécessitait des décisions semblables à celle du condamné à qui on donne le choix entre la corde et le billot.

La populace fut aussitôt effrayée et sur la défensive, un mélange qui nous força, mes hommes et moi, à opérer dans une atmosphère malveillante et imprévisible. Les ennuis arrivaient toujours quand les soldats se mêlaient à la population, et je fus bientôt obligé d'interdire l'accès de la ville à mes troupes.

Trop tard ; l'animosité était devenue telle que la haine réprimée entre les habitants et les soldats débouchait constamment sur des actes délictueux. Des hommes en uniforme se glissaient sans cesse en ville pour dérober des victuailles ou tout objet de valeur que la fortune plaçait sur leur chemin. Ces intrusions et ces pillages provoquaient le ressentiment des citadins.

Parce que je représentais l'Union dans toutes ses fonctions, particulièrement celle de justice, je punissais sévèrement ceux de mes hommes surpris hors de la caserne. La punition était impitoyable et expéditive, mais sans elle je ne peux imaginer ce qui se serait passé. Nous avions suffisamment d'horreurs à déplorer.

Notre division était constituée de régiments de volontaires endurcis du Midwest. C'étaient des soldats valeureux empêtrés dans un tissu de circonstances défavorables. Tous avaient l'impression de servir contre leur gré. Après quatre années de guerre, presque tous mes hommes voulaient dénoncer leur enrôlement. Tous désiraient rentrer chez eux, rejoindre leur famille et reprendre le cours de leur vie.

Je comprenais leur désir, mais je ne pouvais le satisfaire. Je représentais alors le gouvernement, et ma mission consistait à restaurer l'ordre dans l'Union. Ces hommes avaient juré allégeance, ils avaient un devoir à remplir, tout comme moi, et il n'y avait qu'un moyen de les mettre au pas : infliger des châtiments qui fussent à la fois prompts et efficaces. Eussé-je cédé d'un pouce qu'une mutinerie aurait éclaté à coup sûr.

Il advint donc que je me retrouvai à maintenir l'ordre dans une population qui nous détestait, avec une division qui me détestait tout autant.

Dépités, les hommes remplissaient leurs devoirs en traînant les pieds, contestaient sans cesse les ordres, et rouspétaient en permanence. Ils se conduisaient davantage comme des bagnards vindicatifs que comme des soldats. Mes officiers appliquaient une discipline impitoyable et les tensions s'exacerbaient de jour en jour.

J'avais moi-même fait des pieds de nez à la discipline quand j'étais à West Point. Placer un garçon intrépide et bouillant de vie dans un cadre d'études et de contraintes ne pouvait donner d'autres résultats. Tant que je jouai au soldat, je le fis avec passion, mais la Grande Guerre était un jeu aux conséquences mortelles et elle changea pour toujours mon attitude envers la discipline.

J'en vins rapidement à considérer que notre armée était démunie sans elle. Les unités dans lesquelles la discipline était strictement respectée réussissaient souvent à remporter des victoires et à survivre, tandis que les unités indisciplinées étaient vaincues avant le premier coup de feu.

Pendant la guerre, nos volontaires se battaient pour une cause pour laquelle ils étaient prêts à mourir, mais pour mes régiments en Louisiane, la guerre était terminée, leur cause l'avait emporté, et je ne pouvais maintenir l'unité de notre division que par la discipline la plus stricte.

Ceux qui volaient les habitants recevaient vingt-cinq coups de fouet et avaient le crâne rasé. Ceux qui commettaient des délits mineurs devaient porter une bûche de dix kilos en effectuant leurs corvées de la journée. J'ordonnai que toute personne coupable de désertion ou de mutinerie fût fusillée. Je ne pris pas ces mesures de gaieté de cœur, sachant qu'en préservant l'ordre elles décupleraient aussi l'hostilité. Et c'est bien ce qui arriva.

Notre foyer connaissait rarement la paix. Chaque jour charriait son lot d'angoisse et de soucis divers. Lors d'une visite à La Nouvelle-Orléans, je fis faire une photographie de moi qui en dit long. Sur le cliché, j'ai l'air anéanti, comme pétrifié par les épreuves de l'existence. Cela dépeint exactement ce que je vivais à l'époque.

Les troupes manifestèrent une insubordination de plus en plus hardie. On me rapportait quotidiennement des menaces de mort contre ma personne, et les actes de vandalisme contre la population se poursuivaient. Quand j'appris qu'un régiment entier s'était présenté devant son colonel dans des tenues fantaisistes, je compris que l'heure était venue d'intervenir. Le spectre de la catastrophe ne m'inquiétait pas, car la catastrophe faisait déjà partie de notre quotidien. Je décidai de mettre un terme au conflit entre les hommes et leurs officiers par des mesures directes.

La tension atteignit son apogée quand un jeune première classe, un perpétuel mécontent, déclara à la ronde qu'il avait l'intention de déserter, et passa des paroles aux actes. Un officier ordonna qu'on arrête le déserteur, mais ses hommes refusèrent d'obéir l'un après l'autre. Le fuyard fut capturé par une autre unité, mais pendant ce temps-là un sergent du régiment désobéissant rédigea une pétition réclamant le remplacement de son commandant, et réussit à le faire signer par tous ses camarades.

Le sergent, un meneur du nom de Lancaster, avait un passé militaire glorieux et jouissait d'une immense popularité parmi les sous-officiers et les hommes de troupe. Il s'était malgré tout rendu coupable d'un acte de mutinerie, et je le fis arrêter. Le déserteur et le sergent passèrent en cour martiale, où ils furent reconnus coupables et condamnés à être fusillés. J'ordonnai que la sentence soit exécutée dans les quarante-huit heures.

Chacune de ces heures parut interminable. Je fus assiégé de demandes de clémence en faveur des deux condamnés, surtout du sergent Lancaster. Certains de mes propres officiers contestèrent le bien-fondé de la sentence, avançant qu'ils ne pourraient plus tenir leurs troupes si les deux hommes étaient exécutés.

Les suppliques en faveur de Lancaster touchèrent leur but, et je changeai d'avis, mais en tant que commandant je ne pouvais me permettre de paraître influencé par l'opinion publique.

Ma décision sortit renforcée quand je visitai la salle de police, la veille de l'exécution. Le jeune déserteur ne montra aucun remords, mais le sergent Lancaster était dans un autre état d'esprit. Je le trouvai tel qu'on me l'avait dépeint : jeune, vigoureux, courageux, et d'une intelligence supérieure. Son ardeur insurrectionnelle s'était calmée et je compris dès le début de notre entretien que j'avais affaire à un homme de grande qualité.

Il se leva à mon arrivée et accepta sans hésitation la main que je lui tendais. Il répondit à mes questions sans s'émouvoir, et ne baissa pas un instant les yeux, qu'il avait gris, d'une nuance remarquable.

Lorsque je lui demandai s'il avait médité sur son acte, il me répondit qu'il n'avait pensé qu'à cela. Je l'interrogeai alors sur les conclusions auxquelles il était parvenu.

— Elles sont contradictoires, m'avoua-t-il, et je crains qu'elles ne le soient toujours. Je suis bien conscient qu'il n'est pas tolérable de défier ainsi l'autorité, mais je considère qu'il est encore plus important de défendre mes hommes. J'ai servi sous divers commandants, poursuivit-il en me regardant de manière significative, mais la discipline qu'on impose ici n'est pas de la discipline, mon général, c'est de la torture.

— Ma foi, répondis-je, je suis d'accord avec vous, mais vous comprenez que je n'ai pas le choix.

— Est-il si difficile de choisir la justice?

— Point, mais il ne s'agit pas de justice, il s'agit de savoir qui commande, vous ou moi. Quiconque se comporte en fidèle soldat aura toujours mon respect. Ceux qui ne se comportent pas ainsi mettent la vie des autres en danger et doivent être écartés par tous les moyens. Ce n'est pas moi qui l'exige, c'est l'armée, et je suis un serviteur de l'armée.

Le sergent Lancaster acquiesça en hochant la tête. Quand je me levai pour clore l'entretien, il se mit au garde-à-vous et me gratifia d'un salut impeccable, que je lui rendis.

— Vous verrai-je à l'aube, mon général?

— Vous me verrez, assurai-je.

Le condamné parut dépité. Je lui demandai s'il préférait que je n'assiste pas à son exécution.

— Non, mon général. Mais j'ai entendu dire que des hommes étaient prêts à sacrifier leur vie pour vous ôter la vôtre.

— Je suis au courant, sergent. Je vous verrai à l'aube.

— Bien, mon général.

Je ne dormis pas de la nuit, Libbie non plus. Jamais notre foyer n'avait été soumis à si rude épreuve. Libbie a un flair incomparable pour sentir les problèmes, et outre le fait qu'elle trouvait la peine capitale trop sévère, elle s'inquiétait aussi pour ma sécurité. Les rumeurs d'assassinat étaient parvenues jusqu'à ses oreilles et, la veille des exécutions, elle était rongée par la peur. Elle exprima ses craintes pendant le dîner et exigea que nous poursuivions la discussion dans notre chambre.

L'agitation était accrue par les apparitions répétées de l'officier de garde à qui j'avais ordonné de me rendre compte des événements tout au long de la soirée. Nous reçûmes aussi la visite d'autres officiers qui voulaient des précisions sur les ordres que j'avais donnés pour le lendemain matin. Je dois dire qu'il régnait dans nos quartiers une atmosphère de chaos à peine contrôlé.

Confronté à de telles épreuves, mon instinct me dicte toujours de ne pas céder. Je considère la combativité comme mon talisman personnel, et soumis à de fortes pressions je l'ai toujours invoquée. C'est ce que je fis ce soir-là.

Voulant que chaque homme connaisse le prix de la désobéissance, je donnai des ordres pour que la garnison au complet se rassemble à l'aube et se forme en rangs autour du terrain de manœuvres. Je donnai aussi des ordres pour qu'on me laisse passer les troupes en revue sans escorte, armée ou non. Cette décision provoqua la consternation chez mes officiers les plus fidèles, mais après d'intenses réflexions j'étais parvenu à la conclusion qu'il valait mieux que les troupes voient leur commandant tel qu'il était : un homme seul.

Libbie ne trouva pas le sommeil et au petit matin, fatiguée et désespérée, elle me supplia de renoncer aux exécutions qui devaient avoir lieu incessamment. Je lui répondis que je ne le pouvais pas ; alors, elle se jeta sur le lit, enfouit sa tête dans l'oreiller et éclata en sanglots. Incapable de rien faire pour la rassurer, et comme l'aube approchait, je m'habillai prestement et quittai la pièce.

Même Eliza, qui était déjà levée et préparait le petit déjeuner, me regarda d'un œil maussade quand j'entrai dans la cuisine.

— Tu ferais mieux de me donner ton avis, dis-je. Tout les autres l'ont déjà fait.

— J'ai point d'avis, répliqua-t-elle en tisonnant le fourneau. Tout c'que j'sais, c'est qu'vous avez un sacré cran. Mais ça, g'néral, on l'savait déjà. Faites donc c'que vous avez à faire. C'est pas moi qui vous en empêcherai.

Le jour à peine levé, il faisait déjà chaud et moite quand j'arrivai à cheval sur le terrain de manœuvres. Près de quatre mille hommes étaient rassemblés comme convenu, en carré autour du terrain. Au centre, sous bonne garde, se tenaient les condamnés, à côté de leur tombe.

Je commençai à passer les régiments en revue; je le fis en silence, lentement, au pas. Mes yeux parcoururent ceux de milliers d'hommes, et nulle part je ne remarquai une expression neutre. Cette chevauchée fut l'acte le plus solitaire qu'il m'eût été donné d'effectuer, mais, bizarrement, je n'étais pas effrayé le moins du monde. Ce n'était pas différent d'un champ de bataille. Ma vie était en jeu, et le mécanisme mystérieux qui me pousse à tout risquer réglait mes automatismes.

La charrette qui apportait les cercueils détourna provisoirement l'attention de tous. Je me concentrai sur ma tâche et approchais de la fin de mon inspection quand un soldat lança : « Pourri d'assassin ! » Il n'avait pas proféré cette insulte dans mon dos, mais face à face. Je retins ma monture et dévisageai le coupable. Il avait peut-être dix-huit ans, et je me souviens qu'il avait de grandes oreilles. Il serrait les dents et ses yeux brillaient d'émotion.

Du ton le plus égal possible, je lui dis :

— Je vous ferai fusiller aussi, si c'est ce que vous cherchez.

Les traits de son visage se décomposèrent et virèrent au cramoisi. Calé sur ma selle, j'attendis sa réponse.

Il hoqueta un sanglot, laissa retomber sa tête et se couvrit les yeux d'une main tremblante.

Je venais de passer devant le dernier rang quand un roulement de tambour annonça l'arrivée du peloton d'exécution, un groupe de huit soldats qui se dirigeaient vers le terrain de manœuvres accompagnés par une escorte armée. Une rumeur de dernière minute prétendait que le peloton d'exécution avait l'intention de retourner ses fusils contre moi.

Je rejoignis vivement le peloton sur les lieux de l'exécution que je devais commander en personne.

On déposa les cercueils à côté des tombes, on lut à haute voix les condamnations, et on demanda aux prisonniers s'ils souhaitaient qu'on leur bande les yeux. Le sergent Lancaster refusa. Le déserteur accepta et on lui noua un morceau de tissu autour de la tête.

Un dernier roulement de tambour résonna quand les tireurs s'alignèrent devant les condamnés. J'ordonnai : « A vos armes ! », et les hommes du peloton brandirent leur fusil. Au commandement « En joue », ils épaulèrent. Je fis un signe de main convenu d'avance et l'officier du peloton fit un pas en avant et tira le sergent Lancaster hors de portée des fusils.

Je lançai : « Feu ! », et huit coups de fusil retentirent. Le jeune déserteur plia les genoux et s'effondra en biais, tête la première dans sa tombe, tandis que ses jambes restaient accrochées au rebord.

Quand la fumée des fusils se dissipa, j'ordonnai à un Lancaster pétrifié de retourner dans son régiment, et aux commandants de faire rompre les rangs. Les hommes regagnèrent leur poste dans un silence terrifié.

Libbie m'attendait sur le porche de notre demeure, impassible — sauf deux traînées de larmes ruisselant sur ses joues. A ma descente de cheval, elle m'enlaça et me soutint.

Ce fut l'une des rares fois où je manifestai un besoin de repos. Libbie m'aida à gravir l'escalier, m'ôta mes bottes quand je m'assis sur le lit, puis me déshabilla et me força doucement à m'allonger. Elle étendit une couverture sur ma carcasse, me baisa le front, puis se glissa hors de la pièce et referma la porte sans bruit.

A mon réveil, la fin d'après-midi étendait des ombres sur le lit. En regardant par la fenêtre, je m'aperçus que le vent s'était levé. Je me recouchai et dormis d'une traite, jusqu'au matin.

L'exécution sur le terrain de manœuvres de Louisiane joua un rôle de catalyseur pour la division tout entière. C'était comme si une énorme bulle de pression avait éclaté, et, les jours suivants, la vie militaire reprit son cours normal.

A peine trois semaines plus tard, nous entrâmes au Texas afin d'étouffer les intrigues impérialistes du Mexique de l'empereur Maximilien et de mater les rebelles sécessionnistes qui rôdaient encore dans le pays.

Ce fut une longue marche dans une chaleur pénible, mais l'action contribua à calmer les esprits échauffés, le mien compris.

Chevaucher de nouveau à la tête de ma propre colonne, sur un beau et solide coursier, chaque kilomètre apportant son lot de nouveautés et de surprises, écouter chaque battement de cœur d'une armée en marche, tout cela régénère mon esprit comme rien d'autre. Et cette sensation n'a pas perdu de son acuité avec le temps. Je la ressens aujourd'hui comme hier. C'est lorsque je suis libéré des contraintes que je suis le plus heureux, enivré par le goût et le parfum de nouvelles aventures.

Libbie voyageait dans une diligence que nous convertissions chaque soir en chambre à coucher. Elle se pliait soigneusement aux horaires et refusait de se plaindre des rigueurs d'une si longue marche. Elle ne critiquait pas davantage son mari pour ses absences prolongées, aussi fréquentes que nécessaires.

J'avais cette habitude, après l'établissement du camp, d'emmener les chiens et de chevaucher dans le crépuscule, prétendument pour chasser, mais surtout pour m'éclaircir les idées. Je rentrais parfois au camp longtemps après la nuit tombée, mais même dans ces cas-là, Libbie n'avait jamais un mot de reproche. Bien que nous fussions en désaccord sur de nombreux sujets, et que nous ne fussions pas à l'abri des disputes enflammées, Libbie faisait régulièrement passer ses propres besoins au second plan quand j'étais en service, et je lui serai éternellement reconnaissant pour ses sacrifices.

Quand je rentrais enfin, je la hissais dans notre diligence et nous effectuions ensemble le rituel disgracieux du déshabillage dans une chambre à coucher plus qu'exiguë. Je vaporisais un produit contre les moustiques tandis que Libbie se tortillait sous un drap. Ensuite, elle murmurait vivement une prière que je n'arrivais jamais à saisir.

Je plongeais ensuite à travers le nuage d'insecticide pour prendre possession de ma part du drap. Allongés sur le dos, nous profitions du silence, ensemble par le corps, seuls en pensée. A un moment qui semblait toujours bien choisi, Libbie se redressait et soufflait la bougie. Puis ses pieds nus cherchaient les miens sous le drap et nous nous endormions, les orteils enlacés.

Un soir, tandis qu'elle s'apprêtait à souffler la bougie, je brisai cette habitude. Peu auparavant, j'avais prié le Christ Notre Sauveur, mais pour dire la vérité je ne l'avais fait que pour elle — le destin est un dieu qui se moque des prières et j'avais toujours essayé de me tenir poliment à distance de la religion, quelles que fussent les circonstances.

Mais la prière du soir de Libbie m'intriguait. Je ne comprenais pas sa gaieté permanente. Sa source se trouvait peut-être dans la prière, et, dans ce cas, j'étais curieux de connaître son pouvoir.

— Puis-je te poser une question? demandai-je.

Libbie me sourit avec l'ardeur d'une écolière.

— Bien sûr! s'exclama-t-elle.

— Tu ne te plains jamais.

Son sourire s'agrandit.

— N'est-ce pas merveilleux?

— Si, bien sûr, m'esclaffai-je. Mais tu es seule dans un pays inconnu, au milieu de quatre mille hommes, secouée dans un chariot inconfortable, sous une chaleur torride, tandis que je suis par monts et par vaux, et tu ne te plains jamais... j'en suis venu à me demander si tes prières du soir ne sont pas des appels au secours.

Libbie écouta ma question en souriant tendrement, puis, lorsque j'eus terminé, elle plongea longuement ses yeux dans les miens. Elle souffla alors la bougie et se recoucha.

— Viens... m'ordonna-t-elle d'une voix douce. Donne-moi ta tête.

Je m'approchai. Elle prit ma tête dans ses mains, la pressa contre sa poitrine et me caressa les cheveux. J'entendais le souffle de ses poumons et le battement, léger et régulier, de son cœur.

— Ma prière ne demande rien, dit-elle enfin. C'est une prière de remerciement. Je remercie Dieu de m'avoir donné mon Autie et de l'avoir gardé en vie. Tout est tellement plus facile quand j'ai mon Autie.

Notre mariage a souvent subi les tensions venues de l'extérieur, mais, à l'intérieur, il a presque toujours bénéficié du calme qu'on trouve dans l'œil d'un cyclone. Pouvoir s'appuyer l'un sur l'autre, avec la certitude que seule la mort pourra nous séparer, est une joie que nous avons toujours connue. Entendre Libbie réciter sa prière, ce soir-là au Texas, m'a soutenu pendant maintes tribulations, et ces doux mots, « quand j'ai mon Autie », m'accompagnent encore aujourd'hui.

Notre destination était la ville de Hempstead, au Texas, et lorsque nous l'atteignîmes, des problèmes de discipline s'étaient de nouveau manifestés. Certains grognaient à cause de mon habitude de laisser les chiens voyager dans la diligence avec Libbie, alors qu'ils attrapaient des ampoules dans des marches épuisantes. J'ignorais leurs plaintes.

Les rations étaient, comme toujours, source de mécontentement, mais je n'avais rien de mieux à proposer, et comme j'étais résolu à traiter la population vaincue avec le respect le plus absolu, je jugeai nécessaire de renforcer la discipline, cela afin d'empêcher les virées de mes hommes dans les potagers et les poulaillers des Texans.

Les mesures prises se révélèrent efficaces pendant la marche, mais impossibles à maintenir quand nous installâmes nos quartiers à Hempstead. Les hommes mouraient d'envie de fruits, et de petits groupes commencèrent bientôt à faire des visites illicites en ville. Je punis les coupables du fouet et de la tonsure, et les rumeurs de mutinerie reprirent.

J'écrivis au général Sheridan et, à ma grande surprise, il vint en personne évaluer la situation. Il m'accorda son soutien le plus complet, les hommes en furent informés et, après son départ, tout bruit de sédition avait cessé.

La France se retirait déjà du Mexique, et la résistance des unités rebelles des confédérés ne s'était pas manifestée. Notre mission se réduisit au maintien de l'ordre local, un devoir que je trouve déplaisant et dégradant pour un soldat.

En fait, il n'y avait pas grand-chose à faire, sinon suivre le train-train quotidien, et même si nous participions, Libbie et moi, à la vie sociale en fréquentant les notables de la région, notre famille commençait à nous manquer sérieusement.

Tom ne nous avait pas suivis au Texas, toutefois je réussis à obtenir son transfert et à le faire nommer mon second. Comme la division avait aussi besoin d'un fourrier civil, je songeai à mon père. Bien qu'avancé en âge et peu au fait des usages militaires, il savait marchander mieux que personne, et je lui obtins la position enviée de fourrier de division.

Ces apports ne reflétaient pas seulement l'envie de compagnie familiale d'un mari et de sa femme. Les ennuis d'Alexandria m'avaient cruellement fait ressentir le manque d'un cercle de conseillers fiables, capables de me protéger des menaces qui pouvaient venir de n'importe où, à n'importe quel moment. Mon frère Tom et mon père Emmanuel furent les premiers membres d'un groupe d'alliés qui devaient me fournir des yeux, des oreilles et des cerveaux de rechange pour les années à venir, et c'est à ma famille que je réserve mon amour le plus profond.

Tom est avec moi en ce moment, de même que notre jeune frère Boston, mon unique neveu, mon homonyme, Autie Reed, et mon beau-frère, le très compétent Jimmie Calhoun. La famille possède ses désavantages mais, dans mon clan, les crédits dépassent largement les débits.

Au Texas, il n'y avait que mon père et Tom, mais notre vie commune se déroulait dans la tradition des Custer. En fait, il ne se passa pas un jour sans que nos oreilles ne tintent des rumeurs de quelque plan menaçant qui risquait de se matérialiser à tout moment.

Mon père est un mélange équitable de bizarrerie, de puissance et de comique. Son expérience des chevaux est sans égale, mais la politique est sa véritable passion, un domaine dans lequel il n'a jamais acquis une grande notoriété. En dépit d'une vie entière d'adhésion publique à ses opinions politiques, je ne crois pas que mon père ait jamais influencé un seul vote en faveur de ses convictions. En revanche, j'en connais beaucoup qu'il a entraînés dans le parti adverse.

J'attribue ce travers à son penchant comique, car mon père Emmanuel a rarement manifesté le désir de prendre la vie au sérieux. Oh, certes, il a dirigé notre foyer d'une main ferme, et mes frères et moi-même, nous lui avons obéi plus d'une fois, mais, comme beaucoup d'étrangers à la famille, nous avions du mal à le prendre au sérieux. Comment aurions-nous pu, puisque lui-même ne se prenait pas au sérieux? Chez nous, les pitreries étaient incessantes, et mon père en était souvent le meneur.

Les premiers mois après son arrivée et celle de Tom au Texas, les farces raffinées furent reportées à plus tard, et nous vécûmes uniquement de railleries et de plaisanteries. Tom était occupé à répercuter mes ordres et à se familiariser avec le personnel, tandis que Père s'était mis en demeure d'acquérir en ville, à force de cajoleries et de marchandages, certaines denrées à des prix défiant toute concurrence. Les nouveaux arrivés n'avaient pas le temps d'échafauder des niches et, au moment où nous commencions à nous habituer à Hempstead, notre division fut mutée à Austin.

Là, nous demeurâmes dans un bâtiment en pierre de deux étages que le gouverneur du Texas nous céda pour que nous y installions notre quartier général. C'était une ancienne institution appelée l'Asile des Aveugles, que les pensionnaires avaient évacuée pour une destination inconnue. J'ignore comment le bâtiment était utilisé auparavant, mais pour moi, mon personnel et ma famille, ce fut un logement idéal.

L'asile était situé dans une partie agréable mais relativement retirée, de la ville, et le vaste espace que nous offraient ses nombreuses pièces nous enchanta. Chez beaucoup de citadins, notre emménagement dans un asile pour aveugles donna lieu à diverses plaisanteries. Ceux qui y vivaient le baptisèrent simplement l'Asile, et pour se prémunir contre l'ennui qui hantait nos journées, les âmes oisives s'appliquèrent à échafauder des farces démoniaques qui, espéraient-elles, confondraient et humilieraient leurs victimes.

Un exemple de ces blagues nous est fourni par celle que Tom et moi imaginâmes aux dépens de notre père, et qui reste, pour ceux qui s'en souviennent, « l'affaire de l'alligator crevé ».

Cela commença par un dimanche indolent de septembre; assis sur le porche de l'Asile, nous buvions le café en lisant l'unique journal, que personne ne voulait laisser à mon père parce qu'il mettait toujours des heures à le terminer. Il allait jusqu'à lire les petites annonces en caractères minuscules comme s'il s'agissait de potins mondains croustillants ou de nouvelles du front.

Tom avait accaparé le journal et, sachant que mon père l'attendait, il n'était pas pressé de le céder. Cela irrita notre vieux qui s'agitait sur sa chaise, impatient. Quand Tom replia enfin les feuilles, Emmanuel se pencha en avant et tendit la main. Faisant mine de l'ignorer, Tom parut changer d'avis et rouvrit le journal. C'en était trop pour mon père.

— Donne-moi ce journal, Tom, siffla-t-il.

— Je n'ai pas encore terminé, Père.

— Si. Tu fais durer le plaisir parce que tu sais que j'attends.

— Bof, fit Tom avec langueur, si tu y tiens...

— Je veux mon journal.

— Tout de suite, Père.

Tom feignit un intérêt tardif pour un article obscur, tandis que mon père trépignait et que sa tempe commençait à s'orner d'une veine boursouflée.

— Tom...

— Voilà, Père.

Il replia enfin le journal, puis, à la fureur d'Emmanuel, il se mit délibérément à le rouvrir.

Mon père, que les ans avaient quelque peu ralenti, bondit

de son siège, arracha le journal des mains de Tom et se rassit confortablement, pleinement satisfait de sa prise.

Pendant qu'Emmanuel lisait, je m'aperçus que Tom lui jetait des coups d'œil furtifs, puis s'absorbait dans la contemplation du paysage. Après quelques minutes de ce manège, il croisa mon regard, désigna mon père du menton et me fit un clin d'œil. C'était le signal pour m'informer qu'une farce se préparait. Je me levai de mon siège et m'approchai nonchalamment de mon père.

— Il n'y a rien sur l'alligator, dit Tom. C'est bizarre.

Mon père, qui avait toujours été fasciné par les bizarreries de la nature, abaissa aussitôt le journal et considéra mon frère d'un air soupçonneux.

— Quel alligator?

— Un type m'a dit qu'on avait tué un gros alligator.

— Gros comment?

Tom parut faire un effort de mémoire.

— Je ne me rappelle plus exactement ce que disait le type, mais c'était un gros. Il l'a qualifié de monstre.

Le journal échappa aux mains de mon père qui courba la tête, perdu dans ses pensées.

— Tu es au courant, général? me demanda-t-il ensuite.

Mon père avait mordu à l'hameçon, il me revenait de ferrer le poisson.

— On m'a dit qu'il avait dévoré un enfant. Des habitants ont réussi à l'abattre, et j'imagine qu'ils l'ont éventré pour dégager le cadavre.

Mon père s'était levé, et il tirait sur l'espèce de long tapis qui lui servait de barbe.

— J'aimerais bien voir cet alligator, dit-il, à moitié pour lui-même. Ils ne l'ont pas découpé en morceaux ni brûlé, j'espère?

— Je ne sais pas, répliqua Tom. Je sais seulement qu'il a été abattu dans un endroit appelé Jensen's Fill.

— Où est-ce? demanda mon père en empoignant son chapeau.

Tom était l'image même de la sincérité.

— Je crois que c'est au nord de la ville... assez loin... je ne sais pas exactement. Tu comptes y aller?

— Il faut que je voie cet alligator, dit-il d'un ton décidé. Tu sais où se trouve Jensen's Fill, général?

— Je connais vaguement, mais je n'y suis jamais allé. Tu es sûr de vouloir y aller, Père? C'est une sacrée trotte, par cette chaleur.

— Qu'est-ce que vous voulez que je fasse? bougonna mon père en me poussant de son chemin. Que je tourne en rond ici toute la sainte journée en attendant que vous me cachiez mon dentier?

Il descendit les marches sans ajouter un mot et s'exposa à l'ardeur du soleil.

— Père? appelai-je.

Le vieil homme se retourna.

— Je ne parlerais pas de l'alligator si j'étais toi... les gens sont mal à l'aise... à cause de l'enfant.

Mon père balaya mon conseil d'un geste, comme s'il comprenait, puis se dirigea vers les écuries.

Tom et moi, nous courûmes nous réfugier dans l'Asile pour que nos éclats de rire puissent exploser hors de portée d'oreille. Réjouis, nous nous serrâmes près d'une fenêtre et nous regardâmes notre père s'éloigner vers Jensen's Fill; la silhouette de l'homme et de sa monture miroitait dans les vagues de chaleur.

Quand Libbie découvrit ce qui s'était passé, elle nous reprocha sévèrement d'avoir envoyé un vieil homme faire une si longue randonnée, par une journée aussi brûlante, à la recherche d'un alligator imaginaire.

Nous rejetâmes ses inquiétudes, mais à mesure que l'après-midi s'avançait, que le soir tombait, nous commençâmes à nous demander si nous n'avions pas été trop loin. Nous étions assis dans le petit salon, de plus en plus nerveux, quand nous entendîmes enfin des pas dans l'escalier.

Tom courut à la fenêtre et remonta le châssis.

— C'est lui, annonça-t-il. (Il se mit à rire.) Il a l'air cuit.

Mon frère retourna s'asseoir et nous attendîmes en silence pendant que la porte d'entrée s'ouvrait puis se refermait.

Peu après, mon père parut sur le seuil, les bras ballants, et nous dévisagea d'un œil rond, l'air épuisé et meurtri.

— Y a rien à Jensen's Fill, sauf un cadavre de mule en putréfaction.

Tom éclata de rire en même temps que moi.

— Il n'y avait pas d'alligator, déclara mon père d'un ton sinistre qui décupla notre hilarité.

Nous nous roulâmes par terre, et la vue de notre père, trop fatigué pour lever le petit doigt, pitoyable, fit redoubler nos rires.

— Je vous revaudrai ça, les garçons, dit-il, solennel.

Mais nous n'avions que faire de ses menaces. Nous avions franchi le seuil qui sépare une plaisanterie banale du fou rire, et nous avions trop mal aux côtes pour formuler une réplique.

Défait, notre père regagna sa chambre d'un pas pesant. Longtemps après son départ, Tom et moi étions encore par terre, incapables de reprendre notre souffle.

Nos derniers mois au Texas se déroulèrent dans ce même état d'esprit pétulant. Père eut maintes fois l'occasion de se venger, avec des succès divers, et même si, à deux ou trois reprises, le coup ne passa pas loin, aucun de nous ne subit de dommages majeurs à cause d'une plaisanterie trop poussée. Libbie se plaignait parfois de nos excès, mais ne perdit jamais complètement sa bonne humeur. En fait, il serait juste de dire qu'elle jouait plus souvent un rôle actif que celui d'une simple spectatrice.

Sur le plan professionnel, ce fut une période plutôt fade. Notre mission, à défaut d'engagements avec un quelconque ennemi, se réduisit rapidement au maintien de l'ordre. On était en train de démanteler l'armée, et je savais que mes volontaires réaliseraient bientôt leur rêve d'être renvoyés dans leurs foyers.

Le même sort m'attendait, j'allais perdre mon rang de général de division. Je comptais poursuivre une carrière militaire, mais l'imprévu fait toujours partie de la vie du soldat, et j'avais de longues conversations avec Libbie où nous nous interrogions sur un avenir dont nous ignorions tout.

Comme j'avais toujours été soldat, le monde des affaires était un univers mystérieux dans lequel je ne m'étais jamais senti à l'aise. Amené à flirter avec le monde du profit et des pertes dans les années qui allaient suivre, tel un amant qui n'arrive pas à rompre, je devais à chaque fois abandonner mes activités, quelles qu'elles fussent, pour reprendre l'uniforme au premier appel de l'armée. J'accourais au moindre bruit de bottes et de selles.

Il n'y a que dans la vie militaire que j'ai réussi à me bâtir un royaume. Il n'y a que dans ce monde que j'ai pu vivre comme un chevalier de guerre et d'amour. Je ne peux rien imaginer de plus grandiose.

Le jour qui s'achève a été un jour de supplice pour les chevaux. Nous avons connu une épouvantable averse de grêle peu après avoir établi notre campement, et la puissance des grêlons a gravement meurtri le dos des chevaux. Avec Burkman, nous avons réussi à entraîner Vic et Dandy à l'abri de ma tente, et même si nous avons dû lutter pour les y maintenir, ils n'ont pas été blessés. Ils sont calmes, désormais, car la grêle s'est changée en neige. De la neige au mois de juin ! Il est clair que je ne me ferai jamais remarquer par un quelconque talent à prédire le temps.

Les chiens sont sous la tente, ce soir, lovés ici ou là. Bluecher est tapi sous le lit. Il a dévoré Alf cet après-midi, et mon compagnon de nuit me manque beaucoup. Je finirai par pardonner à Bluecher, mais pour l'instant je ne supporte pas de le voir. Ce n'est pas sa faute, bien sûr. Il a souvent été félicité pour ses prises, et il ne fait pas la différence entre une souris et un cerf. Hélas.

2-5 juin 1876

En septembre 1867, Libbie, Eliza, moi et plusieurs membres de notre entourage prîmes à Saint Louis un train qui nous conduisit jusqu'au terminus de la ligne occidentale. En l'espace de quelques mois, j'avais été réduit au grade de capitaine de l'armée régulière, j'avais perdu les deux étoiles de général que j'avais gagnées en tant que chef des volontaires, j'avais été promu lieutenant-colonel de l'armée régulière, j'avais récupéré mes étoiles grâce à l'intervention du général Sheridan, et on m'avait confié le commandement du tout nouveau régiment de cavalerie du pays, baptisé le 7e de cavalerie, dont la mission était de protéger les frontières américaines. J'étais en réalité commandant en second, mais comme mon supérieur siégerait au quartier général de Saint Louis, je dirigerais, comme convenu, les opérations sur le terrain.

Former un régiment efficace avec un millier d'inconnus était une tâche stimulante, et pendant les premières étapes de notre voyage vers l'ouest, j'avais la tête bourdonnante de projets. Cependant, mes soucis étaient des peccadilles comparés aux inquiétudes qui rongeaient tout un chacun, car nous pénétrions dans un nouveau territoire, connu seulement à travers les descriptions qu'en avaient faites les rares personnes qui s'y étaient aventurées.

Rien n'aurait pu nous préparer au spectacle qui s'étendait à perde de vue à mesure que nous approchions de notre destination. Les arbres et les montagnes du Missouri disparurent peu à peu avant de s'évanouir complètement quand nous débouchâmes dans les vastes plaines du Kansas. C'était comme si nous étions entrés dans une mer d'herbe, de ciel et de nuages, et, au fur et à mesure que nous pénétrions plus avant dans cet espace infini, elle semblait se refermer derrière nous, nous coupant du reste du monde.

J'étais fasciné par l'existence d'un tel lieu, son étonnante platitude, la hauteur de l'herbe, la profondeur de l'horizon. Mais mon cœur s'emballa quand je songeai à ceux qui vivaient dans ce pays et qui, jusqu'à présent, y avaient régné presque sans partage.

Je n'avais jamais vu d'Indiens auparavant, sinon ceux qui avaient déjà subi des années d'assujettissement. Les Indiens des plaines sont d'une autre race. Ils ne traînent pas aux coins des rues et n'exploitent pas de petites fermes. Ils ne manient pas la binette et le râteau. Ils portent la lance et le bouclier, ils sont fiers de leur statut de guerriers et tiennent à leur liberté de chasser où bon leur semble. Ils sont aussi différents de nous que les plaines où ils vivent sont différentes de nos villes de l'Est, et ils pratiquent avec rigueur l'art de la guerre.

Tandis que les vastes plaines sauvages commençaient à nous envelopper, cette réalité s'imposa avec plus d'acuité. Cette terre étrangère était la patrie d'une race de guerriers qui défendraient chèrement leur territoire, c'était certain, et je résolus d'en apprendre sur eux le plus possible, le plus vite possible.

S'il ne s'était agi que de se battre, j'étais sûr que le nouveau régiment, une fois formé, rivaliserait en force et en ténacité avec n'importe quel ennemi. Mais les choses n'étaient pas aussi simples. Tandis que notre gouvernement avait engagé des mesures, que je considérais comme indûment rigoureuses, à l'encontre du Sud vaincu, il avait, presque en même temps, amorcé une politique de paix à l'égard des farouches guerriers des plaines du Sud. Cette politique de paix prit son essor au moment même où la construction de la voie ferrée abordait le cœur des terrains de chasse des Indiens, où les colons continuaient d'affluer et où on découvrait des richesses minières au Colorado.

Je n'arrivais pas à saisir comment le déplacement ou la suppression d'aborigènes hostiles pouvait coexister avec les politiques de paix menées par les hauts fonctionnaires qui suivaient alors les recommandations du président, qui était en outre le commandant en chef des armées.

Il ne pouvait en résulter que confusion et gâchis car trop d'intérêts divergents étaient en jeu, mais il eût été malavisé de ma part de lutter contre des forces que ni moi ni personne ne pouvions contrôler. Une vague de croissance et d'expansion gagnait le pays avec une force que d'aucuns croyaient d'inspiration divine.

Le 7e de cavalerie était chargée d'aplanir la route du progrès, il était de son devoir de balayer tout obstacle sur la voie du Destin manifeste. La difficulté de notre tâche ne faisait qu'ajouter à l'excitation de ce qui était pour moi un devoir sacré : servir la volonté du peuple.

Tandis que des kilomètres et des kilomètres de prairie déserte défilaient, un calme étrange s'empara de nous, et je ne crois pas que quiconque imaginât quoi que ce fût au-delà du nouveau monde dans lequel nous nous trouvions.

Nous atteignîmes enfin le terminus de l'Union Pacific, une colonie tapageuse de cheminots, nous déchargeâmes les animaux et nous nous entassâmes dans des diligences qui s'enfoncèrent dans la prairie plongée dans le noir. Le moral était au beau fixe quand nous attaquâmes les derniers kilomètres de notre long périple et nous trépignâmes littéralement de joie quand nous vîmes enfin les lumières du poste scintiller dans la nuit. Rien n'est aussi réconfortant pour un soldat et sa famille que de s'installer dans un foyer permanent, surtout quand c'est la première fois. Libbie m'enlaça et me posa mille questions sur notre nouvelle demeure, auxquelles, bien sûr, je ne pus répondre.

Après une brève inspection de nos quartiers, nous fîmes porter nos bagages à l'intérieur, nous installâmes de notre mieux notre petite ménagerie dans son nouvel environnement, puis nous nous couchâmes dans un nouveau lit, un parmi les milliers que nous allions partager.

Cependant, l'excitation de la journée nous avait stimulés et, incapables de dormir, nous approchâmes des chaises de la fenêtre et nous discutâmes de ce qui nous attendait en contemplant les silhouettes du fort.

Libbie n'aimait pas les propos de campagne, surtout quand celle-ci était proche. Au début de notre mariage, elle m'avait prévenu qu'elle n'était pas opposée à entendre parler des affrontements, mais uniquement après coup. Il lui fallait un immense courage pour attendre le résultat de mes opérations, et elle ne pouvait se permettre de gaspiller ses forces en spéculant sur l'issue des combats. Quand je suis absent, elle lutte constamment pour refouler les images de son époux mourant. Pourquoi s'infligerait-elle ces images quand je suis auprès d'elle ? J'ai toujours trouvé son exigence justifiée.

On ne peut éviter les préparatifs ni les discussions qui les accompagnent, mais je me suis toujours efforcé de les lui épargner de mon mieux. Libbie n'a jamais manqué de me rappeler, parfois avec une insistance irritante, que si mon rôle excède le sien sur le plan social, la tension que nous devons supporter est la même pour chacun de nous.

Tout aussi identique est la gymnastique d'esprit à laquelle nous devons nous livrer pendant une séparation prolongée. Par bien des aspects, son rôle est le plus difficile, car alors que je suis immergé dans les épreuves de la campagne, elle doit s'occuper pendant les interminables heures d'attente. Or même les activités les plus satisfaisantes ou les plus prenantes ne peuvent apaiser l'angoisse.

J'essayai d'aborder le délicat sujet de la séparation ce soir où nous discutâmes de choses et d'autres devant la fenêtre ouverte. Les autorités suprêmes envisageaient sérieusement de lancer une grande expédition, d'une importance dont Libbie n'avait pas idée. La campagne commencerait probablement au printemps et durerait pendant tout l'été. Le but était de faire une démonstration de force destinée à effrayer les Indiens plutôt que de les combattre, dans l'espoir avoué que la simple vue de notre armée pousserait les ennemis à une paix rapide et durable, ou, au moins, au début d'un retrait permanent, qui permettrait aux roues du commerce et de la colonisation de traverser la prairie sans encombre.

Peut-être était-ce l'enthousiasme de ma femme pour les aspects positifs de la vie ou un effort conscient de sa part pour écarter un sujet déplaisant. Quelle que fût la raison, je fus incapable d'aborder sérieusement le sujet des réalités de la vie militaire qui allaient, je le savais, nous engloutir prochainement.

Cette nuit-là, dès que je mentionnais une campagne, Libbie pensait invariablement aux souvenirs agréables de notre union et, avec sa gaieté habituelle, insista pour énumérer nos triomphes passés. En deux ans, nous n'avions jamais été séparés plus de deux semaines. Nous avions réussi cet exploit, malgré la Grande Guerre, grâce non à des circonstances fortuites, mais à notre inébranlable volonté de rester ensemble.

Dès avant notre mariage, nous avions fait le vœu sacré de ne pas nous conformer à la tradition qui voulait que les couples acceptent la séparation quand la vie l'exige. Nous ne voulions pas simplement nous marier, mais vivre toujours ensemble car nous ne croyions pas que les devoirs professionnels ou les besoins du protocole eussent le droit de séparer les couples. Pour nous, le but du mariage se perd quand deux époux passent de longues périodes sans se voir et nous décrétâmes dès le début que la pierre angulaire de notre lien sacré serait une véritable vie commune. C'était une belle idée, et une merveilleuse défense contre le monde d'insécurité dans lequel nous vivions.

Nous ne pouvions supporter aucune menace contre notre couple, et si j'avais réussi à aborder le sujet ce soir-là, aucun argument ne nous aurait convaincus d'accepter la séparation. En y repensant, je me rends compte que le fait d'avoir évité le sujet ne changea pas le cours des choses.

Notre destin voulait que nos pires craintes se réalisent, et même si nous avons souffert le calvaire, nous sommes toujours ensemble après douze années de lutte, et nous désirons plus que jamais rester unis. J'ai appris à vivre avec mon angoisse, Libbie aussi. Nous sommes d'anciens combattants.

Mais cette nuit, près de la fenêtre, nous étions jeunes et nous avions peur. Qu'allions-nous devenir dans cette région sauvage ?

Toutefois, plus nous parlions, plus notre enthousiasme prenait le dessus. La conversation revenait toujours sur le nouveau poste, et le confort de nos quartiers dès que nous les aurions aménagés. Nous rêvions du 7e de cavalerie, de la gloire que le régiment s'attirerait. Etant des passionnés de musique, nous discutâmes aussi cette nuit-là de la création d'une fanfare. Libbie pense que la musique nous relie aux cieux, surtout dans les périodes difficiles, et je partage joyeusement son avis. J'ai toujours considéré que la musique était essentielle dans une marche, sur le champ de bataille, et je l'ai utilisée à ces fins chaque fois que je l'ai pu.

C'est la fanfare de la brigade du Michigan qui m'a fait comprendre l'extraordinaire pouvoir d'un air bien senti dans une bataille. Parmi son volumineux répertoire, notre fanfare jouait *Yankee Doodle Dandy*, et chaque fois qu'elle l'entamait je remarquais que ce morceau égayait nos hommes au point de leur faire abandonner les tâches en cours. Bien que je ne l'eusse pas choisi comme air de marche, je ne pouvais nier le pouvoir qu'il possédait sur nos soldats. Ils se rassemblaient autour de l'orchestre pour chanter ou taper du pied. Il y avait toujours davantage de chahut dans le camp quand on jouait cet air, et j'informai le chef de fanfare que je voulais l'entendre régulièrement. Plus on le jouait, plus il comptait pour la brigade et avant longtemps il devint inconcevable de marcher au combat sans lui.

Je conduisis de nombreuses charges au son de cet inquiétant morceau guilleret, et avant la fin de la guerre il était devenu une arme contre l'ennemi. Ceux qui ne l'avaient jamais entendu le craignaient, les autres l'associaient à la défaite et à la mort.

Avec Libbie, nous tombâmes d'accord pour ne pas ressusciter *Yankee Doodle*, mais plutôt trouver un nouvel air que le 7e de cavalerie pourrait s'approprier. Pendant quelque temps, nous cherchâmes dans notre répertoire de chansons préférées, mais aucune ne semblait convenir.

Après un long silence, Libbie commença à chantonner distraitement *Yankee Doodle*. Puis elle leva les yeux vers moi et se mit à chanter les paroles dans la même tonalité sinistre que la fanfare quand nous marchions au combat. Je ne tardai pas à chanter avec elle.

C'était un moment singulier car, tandis que nous chantions ensemble dans le calme de la nuit, je me rendis compte que tous nos souvenirs de la guerre semblaient contenus dans cette chanson anodine, connue de chaque écolier américain.

Je ressentis aussi une curieuse sensation que Libbie a souvent le pouvoir de déclencher. Regarder sa bouche articuler les paroles de la chanson, voir l'éclat de ses yeux, observer la peau se tendre et se détendre le long de sa gorge délicate ; ces visions et bien d'autres m'entraînent dans des régions lointaines quand bien même je suis assis à côté d'elle. Dans ces moments, je ne suis plus le mari ni l'amant, mais l'admirateur secret que je n'ai jamais cessé d'être. Et c'est ainsi que je la contemplais, envahi d'un désir violent qui devait s'exprimer dans un baiser.

Je l'embrassai avant que notre duo se termine, et elle répondit ardemment à mon baiser, qui aurait certainement duré plus longtemps si Libbie n'avait eu un mouvement de recul subit.

— Qu'est-ce que c'est ? s'écria-t-elle en scrutant la nuit.

Intrigué, je l'imitai et vis aussitôt que des formes se déplaçaient sur le terrain de manœuvres. C'étaient des animaux, d'une espèce qui m'était inconnue. Ils étaient six ou sept et avançaient, tête basse, broutant ici ou là comme s'il s'agissait de leur promenade nocturne. Leur taille, monstrueuse, m'interloqua.

Plusieurs sentinelles parurent soudain aux abords du terrain de manœuvres. J'imagine qu'ils ne voulaient pas réveiller la garnison car ils s'approchèrent des animaux mais évitèrent d'utiliser leurs fusils. Les bisons levèrent la tête presque en même temps et détalèrent aussitôt à une telle vitesse qu'ils disparurent en un clin d'œil de ma vue.

Bien qu'il fût excitant de voir les animaux dont nous avions si souvent entendu parler, cela donnait aussi à réfléchir. Nous avions là une preuve de plus du caractère sauvage de la région dans laquelle nous arrivions tels des hôtes indésirables.

Le poids d'un long voyage, de tant de découvertes et de bruits nouveaux nous pesa soudainement, et nous ne tardâmes pas à aller au lit et à nous endormir.

Les jours suivants, Libbie s'occupa d'organiser notre nouveau foyer tandis que je m'attaquais à la tâche fastidieuse qu'est la création d'un nouveau régiment : surveiller le flot des hommes et du matériel, prendre la multitude de décisions, grandes et petites, qu'on attendait de moi. Cette tâche avait à peine commencé que je fus rappelé à Washington pour des raisons administratives qui, bien qu'importantes en elles-mêmes, me séparaient de ma femme et de mon régiment à un moment critique. Je pris le train sans enthousiasme pour le long voyage dans l'Est, sans savoir que cette séparation n'était que la première d'une longue série qui allait, avec d'autres circonstances imprévues, faire des dix-huit mois suivants les plus décevants de ma carrière.

Mes devoirs dans les arcanes du pouvoir parurent s'éterniser, et je ne rentrai à Fort Riley que la veille de Noël 1867.

Mon arrivée coïncida avec les nouvelles du massacre Fetterman, un drame qui provoqua un sentiment d'horreur dans le pays, et principalement dans l'armée. Dans les plaines du Nord, une série de forts avaient été construits pour protéger l'avancée des émigrants qui traversaient les terrains de chasse des Sioux, ces mêmes terrains sur lesquels nous marchons aujourd'hui, bien des années plus tard.

Depuis le début, les Sioux étaient opposés à la route et aux forts et, comme ils formaient une importante tribu guerrière, ils avaient ouvert des hostilités permanentes qui, par leur nature de raids éclairs, avaient placé les troupes de chaque garnison en état de siège. Après avoir été harcelées pendant une grande partie de l'été, les troupes étaient impatientes de riposter et, quand un détachement de corvée de bois fut attaqué sous les yeux de la garnison d'un des forts, le désir de vengeance, si longtemps bridé, trouva enfin à s'exprimer, avec des conséquences désastreuses.

Le capitaine Fetterman, qui était, je n'en doute pas, un officier compétent, mais inexpérimenté et doté d'une nature impétueuse, s'élança hors du fort avec quatre-vingts hommes pour voler au secours des bûcherons. Il avait reçu l'ordre formel de son commandant de mettre les agresseurs en fuite, mais de ne pas les poursuivre au-delà d'un point précis qui aurait mis les troupes hors de vue du fort.

Malheureusement, le capitaine Fetterman ne suivit pas ces instructions; il fut attiré dans un bassin naturel où l'ennemi l'attendait en surnombre. Surpris et encerclés, les hommes de Fetterman épuisèrent rapidement leurs munitions, puis tentèrent en vain de s'échapper du piège. Peine perdue, ils furent éliminés jusqu'au dernier.

Que les Indiens soient de redoutables guerriers, c'est un point acquis depuis l'époque coloniale, mais qu'ils pussent écraser quatre-vingt-un cavaliers bien entraînés, bien armés et bien équipés de l'armée des Etats-Unis était chose impensable, même en tenant compte des erreurs du capitaine Fetterman.

Le massacre Fetterman domina les conversations et les esprits pendant des mois, et je n'étais pas plus immunisé qu'un autre, même si le sujet me poussait davantage à la réflexion qu'à la discussion. Manquant moi-même d'expérience dans le combat avec les guerriers peinturlurés des plaines, je méditai longuement sur le cas Fetterman et parvins à la conclusion qu'il y avait deux grandes leçons à tirer du drame.

Que quatre-vingt-un hommes aient été attirés dans un piège mortel démontrait que les Indiens étaient capables d'un haut degré de subtilité dans la guerre. Et il était tout aussi clair que les troupes de Fetterman, dans leur fuite, avaient tourné le dos à l'ennemi, ce qui ne manque jamais d'inspirer les guerriers indiens.

S'agissant de ces derniers, je fus particulièrement ému par le sort singulier du clairon dans la débâcle. Les forces de secours qui étaient arrivées les premières sur le champ de bataille avaient découvert qu'un corps, et un seul, avait été respectueusement recouvert d'une peau de bison. C'était le corps du clairon, et un examen plus minutieux permit de noter que son instrument, qu'il serrait encore dans sa main, était déformé et cabossé. N'ayant pas d'arme, le jeune homme s'était servi de son clairon pour se défendre et avait dû se battre avec une grande vaillance pour être ainsi honoré par ses ennemis.

Il est évident pour moi que les Indiens réservent leur respect à la force et au courage, et méprisent les cœurs faibles. Ils admirent par-dessus tout l'intrépidité, et cette qualité de caractère est la seule qui permette de les combattre.

Les répercussions du massacre se firent sentir d'un bout à l'autre de la chaîne du commandement, et altérèrent les plans de la campagne expéditionnaire contre les tribus du Sud. Au lieu de prendre la route à la fin du printemps, quand les Indiens et leurs montures sont au mieux de leur forme, on décida de partir en campagne au plus tard à la fin du mois de mai avec une force trois fois supérieure à celle initialement prévue.

Pendant mon séjour à Washington, les plus hautes autorités décidèrent d'avancer la gigantesque campagne, ce qui compliqua encore plus le travail qui m'attendait, et à mon retour à Fort Riley je me lançai sans tarder dans la tâche ardue de bâtir un régiment à partir des morceaux disparates dont j'avais hérité.

La fin de la Grande Guerre et la démobilisation avaient complètement démantelé l'armée et, malgré les efforts pour maintenir un semblant d'unité, il ne serait pas exagéré de dire qu'il régnait la plus grande confusion. Des milliers d'officiers devaient se battre pour quelques centaines de postes, et la compétition se déroulait dans un désordre absolu. Des politiciens et des hauts commandants se livraient à une guerre d'influence quotidienne, les postulants utilisaient une gamme illimitée d'intercessions et de subterfuges pour obtenir une affectation. Nombre de postes étaient décernés sur la base de considérations politiques, ou de faveurs, ou par simple tirage au sort. Le corps des officiers qui résulta de ces procédés constitua un invraisemblable salmigondis de personnalités aux qualités les plus diverses.

C'était un jeu que tout le monde devait jouer, et bien que mon affectation fût plus sûre que la plupart, je dus moi aussi me livrer à une capricieuse guerre d'influence afin de me procurer les hommes dont j'avais besoin pour former le noyau de mon régiment.

Si je n'étais pas entré dans l'arène, j'aurais été obligé de jouer avec les cartes distribuées par les impénétrables courtiers du pouvoir qui hantaient Washington. J'obtins un succès modéré, ayant réussi à faire nommer quelques solides officiers qui avaient déjà servi sous mes ordres. Parmi eux se trouvaient George Yates, un vieil ami de Monroe et un camarade de la guerre civile, et, surtout, mon frère Tom.

Les autres officiers arrivèrent dans des paquets surprises. Certains avaient navigué dans les rangs des engagés, d'autres venaient d'écoles militaires, et d'autres encore s'étaient distingués comme mercenaires de fortune dans des guerres étrangères. L'adjectif le plus neutre que je puisse appliquer à ce mélange hétéroclite serait « exotique ». Certains, comme Tom et George, furent loyaux dès le début et continuent de servir sous mes ordres. D'autres, pour des raisons allant de la jalousie mesquine à la pure malfaisance, créèrent tout de suite des problèmes. Ironie du sort, certains de ces hommes sont encore avec moi aujourd'hui, neuf ans plus tard.

A cause de leurs différences d'éducation, les officiers se querellèrent constamment cet hiver-là. Pour aggraver les choses, ces mêmes officiers manquaient cruellement d'expérience dans le combat contre les Indiens. Il m'échut de former une équipe avec des pirates qui n'avaient jamais vu la mer, une tâche qui n'était pas sans rapport avec le fait de tailler une belle robe sans coutures apparentes à partir de chutes de tissu.

Les engagés du rang étaient affligés de défauts similaires, sinon pires.

Les fermiers, les avocats, les médecins et les commerçants qui avaient servi si courageusement pendant la Grande Guerre avaient tous été démobilisés, laissant dans leur sillage un vide profond qui allait être comblé par ceux qui rêvaient d'une carrière dangereuse, physiquement pénible, dans des garnisons isolées, et qui se satisfaisaient de rations médiocres et d'une paie tout aussi minable. Des hommes de qualité s'engagèrent, dont certains servent encore dans le régiment, mais la majorité était composée d'immigrants malchanceux, de délinquants en fuite, de vagabonds illettrés qui avaient collectionné les échecs, et de déserteurs chroniques.

Les défauts et les inconvénients de ces troupes étaient visibles pour tout le monde, y compris pour Libbie, qui en était profondément affectée. S'inquiétant pour moi, elle désespérait qu'une force motivée, fière et disciplinée puisse jamais sortir d'un amalgame aussi incertain. Je la rassurais avec ce que je considérais comme une vérité éternelle : un régiment ne faisait ses preuves que dans le feu du combat. Le combat seul avait le pouvoir de fondre des unités disparates en un tout impeccable. Ce n'était pas un argument efficace, car il charriait des images de bataille et aucun mot de réconfort n'aurait suffi à partir du moment où Libbie commençait à envisager ma condition de mortel.

Ce que je ne dis pas à Libbie, c'était que ces officiers querelleurs et ces troupes sans formation avaient peu de chance d'influencer mon avenir. En définitive, seule comptait la mission qu'on m'avait confiée : trouver les guerriers des plaines, et les convaincre ensuite par la force, si nécessaire, de se soumettre à notre autorité. Que les recrues fussent des bleus, que mes officiers n'eussent jamais combattu contre les Indiens et que je n'eusse moi-même jamais chevauché par les plaines étaient des réalités qu'il fallait ignorer lorsqu'on était confronté au devoir suprême d'exécuter les désirs de l'Amérique, émanant du gouvernement lui-même, un corps légalement élu par le peuple des Etats-Unis. Tant que j'ai porté l'uniforme, je me suis voué à servir la volonté du peuple, que je l'approuvasse ou non. C'est cette conviction qui inspirait mes actes tandis que je me plongeais dans la myriade de détails sans fin nécessaires à la préparation d'une campagne aussi importante que celle que nous envisagions pour l'été.

Personne n'était capable de prévoir les milliers de fléaux qui s'abattraient sur l'armée dans les mois à venir. Avec le recul, je ne suis pas sûr que dans mon cas un tel savoir aurait changé grand-chose. J'étais jeune, je n'avais pas encore vingt-huit ans, et il me semblait que cela faisait une éternité que je n'avais conduit des hommes au combat. J'avais été forcé de m'asseoir trop longtemps sur mes lauriers tandis que les démons habituels de la jalousie et du dépit m'assaillaient de tous côtés. S'il l'avait fallu, j'aurais volontiers marché au combat à la tête d'une troupe de morts-vivants. En fait, c'est précisément avec une troupe semblable que notre campagne s'acheva, les milliers de fléaux étant enfin venu à bout de l'armée et de ses plus ardents défenseurs, moi y compris.

Mais même si j'avais su ce qui allait advenir, je n'aurais rien pu y changer. La fortune était — et demeure — ma maîtresse, et je fis de mon mieux pour servir ce qui se révéla être un destin funeste.

La désertion était un monstre que je ne pouvais vaincre, un démon insupportable et constant qui déchirait le cœur de mon régiment. Aucune punition, quels que fussent sa sévérité ou ses effets humiliants, ne pouvait arrêter le flot de ceux qui faisaient le grand saut. Avant que notre régiment ait fait un pas, dix pour cent des recrues s'étaient enfuies, et même en terrain sauvage les hommes continuaient de déserter, parfois même sous mes yeux. Lorsque notre campagne initiale se termina, ma déception avait fait place à la rage.

Le whisky est le frère de la désertion. Je punis ses adorateurs et bannis sa présence partout et chaque fois que je le découvre, mais je ne peux dissuader les hommes de succomber à ses charmes. Malgré mon aversion connue pour la consommation de boissons fortes, un nombre tristement significatif d'officiers continuèrent d'abreuver leurs démons éthyliques chaque jour que Dieu fit. Le whisky a toujours mis en péril la force et la vitalité d'une armée, et j'imagine qu'il continuera à en être ainsi.

Parmi ceux qui sont encore avec moi, le major Reno est l'un de ceux qui n'ont jamais été capables de renoncer à la dive bouteille. C'est certes lamentable, mais c'est son droit, et je continue en vain de montrer l'exemple de l'abstinence, bien qu'il ne soit suivi ni par Reno ni par d'autres officiers, qui sont des membres à vie de la confrérie des buveurs.

Plus largement, la nourriture est la cause la plus profonde de la détresse d'un régiment, surtout parmi les sous-officiers et les hommes de troupe, et même si un soldat ne peut prétendre à des plats raffinés, je compatis avec ceux qui subissent si souvent des privations. La corruption et la négligence excessive du département de l'intendance sont les mêmes aujourd'hui qu'hier, c'est-à-dire abominables. Je perdis un temps fou et dus dépenser des tonnes d'énergie pour intercepter et examiner les ravitaillements qui arrivaient à Fort Riley.

Nos cargaisons de viandes, composées exclusivement de bacon et de porc salé, le premier affublé du mystérieux et cocasse sobriquet de « poulet de Cincinnati », étaient souvent parsemées de pierres.

Le pain, qui provenait de surplus de la Grande Guerre et avait attendu des années d'être consommé, nous arrivait moisi des entrepôts de l'Est. En outre, il était si dur qu'il était immangeable, à moins de le faire frire après l'avoir imbibé d'eau.

Il fallait constamment séparer les cailloux des grains de café, et il arriva même qu'une cargaison entière de café fût remplacée par des pierres.

Il se passait rarement un jour sans que j'aie à rédiger une lettre de protestation aux fonctionnaires ou autres sommités. Bien qu'on me promît à maintes reprises que les défauts seraient « rapidement corrigés », j'attends encore de voir ces promesses recevoir un début d'accomplissement. Je crois avoir disputé dans ma carrière davantage de guerres contre les divers départements de fournitures que contre les armées ennemies.

Cette vaine guérilla contre ceux qui étaient censés nous soutenir dans les opérations dure encore aujourd'hui. A travers des années de batailles, j'ai bien retenu les tactiques de mes ennemis et je supporte avec plus de sagesse les œuvres de l'avarice. Il y a quelque temps, je suis parvenu à la conclusion que la cupidité dans toutes ses manifestations, aussi nombreuses que les étoiles, ne peut être combattue, car c'est une condition permanente de la nature humaine. On n'y peut rien. On peut parfois la contenir, mais la vaincre, jamais.

Les difficultés que je rencontrai à former le 7e de cavalerie faisaient partie des aléas de la vie militaire, mais ajoutez à cela le caractère récent de l'unité, la rudesse de la région et les féroces ennemis qu'elle abritait, la nature perverse et contradictoire de la politique gouvernementale, le climat calamiteux et imprévisible, et vous obtiendrez un ensemble accablant. Point n'est besoin d'être grand clerc pour deviner que l'expédition Hancock était condamnée avant d'avoir commencé. J'aurais néanmoins pris la route car j'étais tout aussi désireux que n'importe qui de mesurer la qualité de l'entraînement à l'aune de l'action, et il est toujours du devoir d'un commandant d'exécuter les ordres qu'il a reçus plutôt que de satisfaire ses propres souhaits.

Il pleuvait le matin de notre départ, mais je crois que rien, hormis un cyclone, n'aurait pu entamer le moral de notre colonne, car c'était une magnifique assemblée, la plus majestueuse que j'aie vue depuis la Grande Guerre.

La fanfare était excellente, et le morceau que nous avions choisi pour hymne, l'émouvant *Garry Owen*, perça la pluie tel un soleil quand nous nous élançâmes, forts de quatorze cents hommes.

Je chevauchais à la tête de six compagnies de cavalerie, suivies par une batterie d'artillerie et sept compagnies d'infanterie. Une énorme colonne de chariots serpentait derrière nous, s'étendant sur près de deux kilomètres.

Aucun spectacle ne peut se comparer à la grandeur d'une armée entrant en campagne. Chaque uniforme est impeccable, chaque bouton astiqué. Chaque cheval miroite. Les drapeaux flottent, immaculés. Les ordres sont précis, leur exécution rapide. Chaque cœur rêve d'actes glorieux à accomplir, de victoires à remporter.

Le manque d'expérience de l'expédition fut vite oublié. Tous étaient unis par la certitude que nous représentions la puissance des Etats-Unis, une puissance si colossale qu'aucune armée de guerriers aborigènes, malgré leur réputation, n'aurait le courage suicidaire de s'y opposer... Que personne ne s'y risquât fut la grande ironie de cette première campagne, aussi ambitieuse que naïve.

Marchant vers l'ouest, nous atteignîmes Fort Harker sans incident et, comme le temps se dégageait, nous poussâmes jusqu'à notre destination première, un petit poste avancé baptisé Fort Larned, à l'embranchement de la Pawnee et de l'Arkansas.

Comme on pensait que la plupart des Cheyennes du Sud passaient l'hiver sur l'embranchement de la Pawnee, on avait déjà envoyé des coursiers répandre la nouvelle que nous souhaitions rencontrer leurs chefs à notre arrivée à Fort Larned. Une fois les responsables cheyennes rassemblés, le général Hancock avait l'intention de les informer des projets de notre gouvernement.

A part l'originalité du pays, il n'y avait pas beaucoup de distractions pendant la marche, et je meublais régulièrement le temps de la cavalerie par des manœuvres, dont les hommes avaient grandement besoin. De nombreuses recrues n'avaient jamais fait de cheval, encore moins de manœuvres montées, et leur maladresse m'atterrait.

Mais l'excitation d'être en marche et la perspective de rencontrer l'ennemi poussaient les plus novices à s'appliquer, et le 7e de cavalerie ressembla vite à un véritable régiment — j'ai encore des frissons quand je revois nos cavaliers, à l'écart de la colonne, manœuvrer au galop dans le vent et le soleil de la prairie.

Outre l'aspect hétéroclite des troupes, l'expédition comprenait une autre bizarrerie. Nous avions avec nous un jeune Cheyenne qui avait connu un étrange destin. Né et élevé dans les plaines comme un Indien, il avait survécu à l'âge de six ans à la déplorable affaire connue sous le nom de Massacre de Sand Creek. L'histoire s'était passée à la fin de 1864 et avait gravement mis à mal les relations avec les Cheyennes.

Un important village cheyenne avait été attaqué par des forces irrégulières de la milice du Colorado sous le commandement d'un ancien prédicateur qui considérait de son devoir d'exercer la vengeance de Dieu sur les Indiens hostiles. Après avoir massacré un grand nombre de femmes et d'enfants, ses hommes s'étaient attardés sur place et, ivres de boisson, avaient mutilé les cadavres et, en plus des scalps, avaient emporté des trophées parmi lesquels les organes génitaux de femmes assassinées.

Le garçon en question avait été capturé par un officier probe, et on l'avait découvert des années plus tard travaillant contre son gré dans un cirque de l'Est.

Cette découverte coïncida avec la préparation de notre expédition, et un débat intense avait agité les têtes pensantes du ministère de l'Intérieur. A la suite de quoi, il avait été décidé de remettre le garçon entre les mains de l'armée expéditionnaire.

L'expédition était en partie motivée par les raids croissants des tribus des plaines du Sud qui attaquaient les ouvriers du chemin de fer et ravissaient parfois des femmes et des enfants.

Les enlèvements, insupportables pour les parents, expliquaient la présence du jeune Cheyenne parmi nous. On pensait que son rapatriement serait une preuve des intentions pacifiques de l'expédition. On espérait aussi que notre noble geste inciterait les sauvages à rendre au moins une partie de leurs captifs blancs.

Personnellement, je trouvais cette décision vaine et mon cœur allait vers ce garçon qui avait été trimbalé d'un univers à un autre, et qu'on renvoyait dans son monde primitif. Il ne connaissait pas son âge; il devait avoir huit ou neuf ans. Il parlait mieux anglais que bien des soldats et jurait comme un charretier, une manie qu'il avait sans doute acquise chez les gens du cirque. Je n'ai jamais su pourquoi, mais tout le monde l'appelait Milton. Il désapprouvait ce nom, mais comme il était incapable d'en produire un autre, le nom lui resta.

Il errait dans le camp, armé d'un gros couteau de poche dont il usait avec une dextérité étonnante. Il pestait contre sa fâcheuse situation, claironnait son refus de « retourner chez ces damnés Indiens », mais, bien sûr, personne n'écoutait ses protestations. Le gouvernement trouvait utile de se servir de lui, et l'avis de Milton ne comptait pas.

Malgré ses vêtements et son anglais impeccable, Milton était clairement un membre de sa race, même s'il refusait de l'admettre. A mesure que nous approchions de Fort Larned, il devint sombre et renfermé, abandonnant ses bravades pour une attitude craintive, plus naturelle chez un enfant de son âge.

Jusqu'à la dernière minute de sa présence parmi nous, j'envisageai de plaider en faveur de Milton auprès du général Hancock, mais je ne parvins pas à m'y résoudre. Je n'avais pas de meilleur projet pour le garçon. Il devait retourner dans son peuple, point final.

Bien que construit depuis déjà quelque temps, Fort Larned n'était rien d'autre qu'un assemblage de bâtiments succincts perdus dans la plaine déserte. Le camp que nous installâmes, à portée de voix du fort, le fit paraître ridiculement petit.

Le premier jour fut consacré à établir une base et à nous préparer à recevoir la délégation de chefs indiens dont l'arrivée était attendue pour le jour suivant.

Le lendemain matin, il neigea si fort qu'on se serait cru retourné en janvier, et on resta prudemment auprès des âtres. Il neigea toute la journée, de gros flocons charriés par un vent si violent qu'on ne pouvait l'affronter debout. Vers midi, nous apprîmes que la délégation des Cheyennes serait retardée, une nouvelle qui nous fit l'effet d'une douche froide.

Ce contretemps me procura ma première leçon vitale concernant la vie dans les plaines. On ne peut rien prévoir, car c'est une région qui exerce son pouvoir sans prévenir et, lorsqu'il se déchaîne, les plans les plus sûrs du visiteur sont balayés si impitoyablement qu'ils en deviennent risibles. Les grandes plaines, comme les Indiens le savent, dictent leurs propres lois. Pour y survivre, il faut reconnaître leur pouvoir absolu. On doit se plier aux exigences de la région et non l'inverse.

La température chuta de dix degrés et, quand le soir tomba et que la tempête de neige diminua d'intensité, un froid glacial enveloppa le camp. Pour se tenir chaud, on remplit les tentes à deux places avec autant d'hommes qu'elles pouvaient en contenir. Un détachement d'une centaine d'hommes fit marcher nos chevaux toute la nuit afin de les empêcher de geler sur place.

J'allai chercher mes chevaux et les installai sous l'auvent de ma tente pour les protéger des rafales de neige. Là, ils profitèrent du peu de chaleur qui filtrait de l'intérieur. Les chiens se pelotonnèrent sur mon lit. Quand je n'étais pas en train de vérifier l'état des chevaux, je restais assis près du poêle et regardais la buée sortir de ma bouche et se transformer aussitôt en glace.

Personne ne dormit. Le camp tout entier passa la nuit à frissonner, personne ne voulait croire qu'il fît aussi froid en avril.

Au petit matin, avec une incrédulité égale, nous constatâmes que le ciel s'était éclairci, que le soleil brillait et que les vingt centimètres de neige avaient fondu avec une rapidité foudroyante.

En fin d'après-midi, les Indiens parurent en haut d'une crête. Atterrés, nous n'en dénombrâmes que quatorze : douze guerriers et deux chefs. Nous attendions une centaine de guerriers et au moins vingt chefs, mais, tandis que les cavaliers approchaient à contre-jour, nous nous préparâmes à les recevoir dignement.

Il avait été préalablement décidé que, pour faire la plus forte impression possible, le général Hancock ne prendrait pas la parole au début de la réunion. Mais la taille réduite de la délégation rendait les préparatifs presque ridicules. Après des discussions hâtives, durant lesquelles personne ne trouva de meilleure idée, il fut décidé de suivre le plan initialement prévu.

Avec le capitaine Yates d'un côté et l'interprète de l'autre, je partis à cheval à la rencontre de nos hôtes. Comme nous approchions de la petite délégation, je pus détailler leurs traits, mais même avant d'avoir pu les distinguer nettement, je m'aperçus que nos différences étaient éclatantes.

Ils avaient quelque chose de singulier, une manière de se mouvoir qui m'incita à penser que j'étais sur le point d'entamer une conversation avec des hommes qui appartenaient encore à l'âge de pierre.

Leurs poneys caracolaient comme les animaux à demi sauvages qu'ils étaient, mais les hommes qui les montaient les contrôlaient néanmoins avec une aisance insolente. Ils réussissaient cet exploit à l'aide d'une seule main, l'autre étant invariablement occupée à serrer une lance, un fusil, une hache ou une arme quelconque.

L'un des chefs portait un petit arc, l'autre une lourde lance d'au moins trois mètres de long. De petits boucliers ronds pendaient derrière leur dos. Ils s'avancèrent au-devant de nous avec une prestance que je qualifierais d'unique et, avant même qu'ils n'articulent un seul mot, il fut évident pour moi que ces hommes, surtout leurs chefs, étaient de sang royal. Toute sorte de déférence leur était inconnue, sauf celle qu'ils accordaient à leurs pairs. Pour nous, ils n'en manifestèrent aucune.

Nous nous arrêtâmes à quelques mètres, et tandis que leurs gardes du corps nous examinaient, retenant leurs poneys récalcitrants, je m'absorbai dans la contemplation des deux chefs.

Le plus vieux, qui s'appelait Taureau-Méchant, était puissamment bâti et on aurait dit que son visage avait été sculpté dans la pierre. L'autre, qui répondait au nom de Main-Gauche, était très différent d'aspect, presque féminin. Il avait un visage aussi lisse que du bois poli, des lèvres fines, de petits yeux, et, alors que les cheveux de Taureau-Méchant étaient tressés en deux nattes qui tombaient sur sa poitrine, les longs cheveux de Main-Gauche, dont les boucles, noires et lustrées, lui balayaient le visage, descendaient jusqu'à sa taille.

Le bruit que faisaient ces Indiens était remarquable, car les hennissements et les martèlements des poneys ombrageux étaient assourdis par les tintements divers produits par les cavaliers. Les armes s'entrechoquaient, de même que les nombreux bijoux portés par chaque guerrier. Chacun semblait avoir un bracelet au poignet. Certains portaient des médailles autour du cou, d'autres avaient cousu des grappes de clochettes sur les languettes de leurs mocassins. Même les plumes, plantées en quantité variable sur leur chevelure abondante, produisaient un sifflement étrange quand les rafales de vent de la prairie les traversaient.

Le bruit qui émanait de cette petite troupe était aussi aérien et gai que celui des carillons à vent par un après-midi d'été.

L'agréable tintamarre jurait avec les hommes eux-mêmes, tous à l'évidence de redoutables guerriers. Même Main-Gauche, le plus délicat d'entre eux, avait l'aura d'un homme qui n'a jamais connu la défaite. Perché sur le sommet de sa tête se trouvait ce qui ressemblait à un gros faucon dont le crâne emplumé et le bec jaune reposaient au milieu du front, produisant l'impression que l'homme et l'oiseau ne faisaient qu'un.

Nos hôtes du fond des temps donnèrent des réponses vagues à la question de savoir pourquoi si peu d'entre eux étaient venus à la conférence de Fort Larned. Je soupçonnai aussitôt que le souvenir de Sand Creek et la taille de notre armée les incitaient à la méfiance, hypothèse que les événements allaient confirmer.

Ils demandèrent une collation et on les escorta jusqu'à une vaste tente préparée dans ce but. La délégation ne dit rien en traversant notre camp, mais à voir leurs yeux écarquillés il était clair que l'énormité de notre force les impressionnait grandement. Leur curiosité concernant la nourriture que nous leur procurâmes n'était surpassée que par l'avidité de leur appétit. Ils engloutirent le repas avec la rapidité et la voracité de morts de faim.

Tandis qu'ils dévoraient leur dîner, je patientai avec le général Hancock et les autres membres de l'état-major dans la tente du quartier général. Nous attendîmes longtemps après la nuit tombée que nos hôtes aient satisfait leur appétit et accompli leurs préparatifs secrets.

Ils arrivèrent enfin, surgissant de la nuit à la queue leu leu. Mes collègues officiers et moi-même, nous avions revêtu nos uniformes complets pour la réunion; bien qu'ils n'articulassent pas un mot, les guerriers louchaient fréquemment sur nos habits, particulièrement sur les casques emplumés des officiers artilleurs.

Nous continuâmes à nous observer mutuellement pendant l'interminable rituel qui consistait à fumer la pipe au long tuyau que Taureau-Méchant avait apportée. Le calumet fit plusieurs fois le tour de notre cercle sans qu'un seul mot fût prononcé.

Lorsque ces préliminaires s'achevèrent enfin, le général Hancock annonça son intention de prendre la parole. Là-dessus, il se leva et entama une présentation de la position de notre gouvernement dans des termes que je trouvai clairs et sans équivoque. Il se dit déçu du peu de chefs présents, en prenant soin d'exprimer sa reconnaissance envers ceux qui s'étaient déplacés. Il annonça l'existence de Milton et fit part du désir du gouvernement de le rendre à son peuple. En même temps, il déclara qu'il avait entendu dire que les Cheyennes détenaient des captifs blancs, et dit qu'il espérait qu'ils seraient relâchés.

Il annonça aux chefs qu'il ne comptait pas seulement visiter leur camp, mais que les soldats du gouvernement resteraient parmi eux pour maintenir la paix. Sans mâcher ses mots, il déclara qu'il avait entendu dire que les Cheyennes songeaient à partir en guerre contre l'homme blanc. Si ces rumeurs étaient fondées, et si les Indiens désiraient se battre, il serait heureux de les satisfaire. Il expliqua sans détours que nos soldats étaient prêts à se faire tuer et que ceux qui trépasseraient seraient aussitôt remplacés.

Désignant les officiers qui l'entouraient, il annonça que nos chefs de guerre avaient combattu dans des batailles autrement plus importantes et contre des ennemis bien plus nombreux que leurs homologues indiens. Me montrant en exemple, il dit que si les intentions des Indiens étaient sincères, ils seraient considérés comme des frères, mais ceux qui trahiraient notre confiance seraient traités en ennemis et leur punition serait sévère. Le général Hancock me désigna encore et indiqua que, comme mes frères officiers, j'étais prêt à me battre si la paix ne pouvait être obtenue.

Il leur recommanda de s'en tenir à leur traité : alors, tout irait bien. Il leur assura enfin que si les Blancs molestaient des Indiens ils seraient punis, une remarque qui causa un émoi considérable chez nos hôtes, apparemment parce que punir ceux qui font la guerre à l'ennemi, quelle qu'en soit la raison, est une pratique inconnue dans leur société.

Le général Hancock termina par la déclaration bien intentionnée, mais malheureuse, que nous étions plus aptes à redresser les torts commis contre eux qu'ils ne l'étaient eux-mêmes, un commentaire que les Indiens considérèrent comme une grave insulte, leur réaction poussant le général Hancock à couper court à son discours.

On alluma encore le calumet et on le passa à la ronde autour du feu. Pendant que le général parlait, j'avais observé les Indiens, car il m'était impossible de détacher mes yeux d'eux. Le feu qui brûlait et la nuit en arrière-plan rendaient leur apparence encore plus étrange. Enveloppés dans des couvertures, la tête couverte de plumes, les Indiens s'étaient peint le visage et les bras après leur collation et tandis qu'il nous épiaient de leurs petits yeux, sans jamais ciller, je me surpris plusieurs fois à penser que j'étais en train de rêver.

Taureau-Méchant se leva pour répondre au général Hancock. Il rajusta sa riche couverture rouge autour de ses épaules et délivra son discours sans aucune émotion, et avec le recul je trouve que cela rendit ses propos plus percutants.

Il déclara que son peuple vivait en paix et souhaitait simplement qu'on le laissât tranquille. Il dit que les jeunes Blancs ne devraient pas tirer sur les Indiens pour s'amuser parce que cela ne conduirait qu'à répandre le sang entre nos deux peuples. Il dit que le chemin de fer était mauvais pour le pays parce que cela effrayait les animaux, mais il promit qu'il le laisserait tranquille au nom de la paix. Il mentionna les présents de nourriture, d'armes et de vêtements que le gouvernement leur avait promis. Les Indiens, dit-il, avaient abandonné l'espoir de voir un jour ces promesses tenues.

Taureau-Méchant conclut en disant qu'il était prêt à être ami avec les Blancs mais que si nous venions dans son village le lendemain il n'aurait rien de plus à nous dire. En d'autres termes, il considérait notre visite annoncée comme une perte de temps.

C'était, à mon avis, un exposé d'une brillante diplomatie, et Taureau-Méchant para les répliques ou objections éventuelles en demandant à voir le jeune Cheyenne.

On amena Milton devant Taureau-Méchant et Main-Gauche, qui firent preuve à son égard d'une intense curiosité. Main-Gauche voulut toucher l'épaule de Milton, mais le garçon se recula vivement et sortit son couteau. Sa réaction déclencha chez les Indiens une hilarité débridée, hilarité dont je ne les aurais pas crus capables.

Comme j'étais à côté du garçon, je lui expliquai qu'ils étaient simplement curieux et qu'ils ne lui voulaient pas de mal. Devant mon insistance, il accepta à contrecœur de se laisser examiner de près, d'abord les épaules, puis la tête et finalement la bouche.

Taureau-Méchant consulta brièvement ses compagnons, puis nous dit que personne ne reconnaissait le garçon, mais qu'ils essaieraient de retrouver ses parents dès leur retour au village.

Les Indiens se levèrent comme un seul homme et mirent un terme au conseil en partant, emmenant Milton avec eux.

Je les revis quand ils reprirent la route aux premières lueurs de l'aube. Milton était assis sur la croupe d'un cheval, derrière un des guerriers. Je l'appelai par son nom, mais il ne m'entendit pas, ou feignit de ne pas m'entendre. Il paraissait à l'aise quand la petite troupe s'enfonça tranquillement dans la gueule gigantesque de la prairie. Il ne jeta pas un regard en arrière et garda à la main son couteau de poche ouvert, comme s'il était prêt pour une grande aventure.

Avant leur départ, les chefs avaient été prévenus que nous marcherions le jour même aux environs de leur village, une déclaration qui ne fit l'objet d'aucune réponse claire. Pressés de les rattraper, nous démontâmes vivement notre ville militaire de campagne et, quarante-cinq minutes plus tard, la colonne suivait la piste des Indiens.

Nous espérions parcourir près de quarante kilomètres le premier jour, mais il faisait un froid pétrifiant qui, ajouté au vent violent qui balayait la prairie, nous obligea à dresser le camp de bonne heure. Le vent qui soufflait toujours aussi fort le lendemain et la nature massive de notre expédition nous empêchèrent de lever le camp avant onze heures du matin.

Je ne pus m'empêcher de comparer la lenteur de nos déplacements avec la légèreté et la mobilité des Indiens venus au conseil. Il ne fallait pas être grand clerc pour parvenir à la conclusion que notre colonne empruntée ne pouvait espérer rattraper ni coincer des nomades aussi vifs et bien adaptés. C'était ridicule; mais je retins ma langue.

En fait, mon opinion n'avait pas d'importance, car nous ne trouvâmes pas les Indiens... Ce sont eux qui nous trouvèrent. L'expérience m'a appris par la suite que, sauf circonstances des plus favorables, les soldats de l'armée des Etats-Unis n'ont aucune chance de surprendre ou de rattraper des Indiens. A moins d'être extrêmement rapide et rusé, on est réduit à courir après des mirages.

Nous contactâmes les Cheyennes ce jour-là uniquement parce qu'ils le voulaient bien. Ce sont eux qui décidèrent du lieu, du moment et des termes de la rencontre. Nous avions à peine commencé notre marche lorsque des cavaliers, qui semblaient surgir de terre, apparurent. A première vue, ils ressemblaient à des grappes isolées, mais leurs rangs se remplirent en un rien de temps et un mur de plusieurs centaines de guerriers boucha rapidement l'horizon.

Néanmoins, nous continuâmes résolument d'avancer et je pus bientôt distinguer nos opposants avec précision. C'était le premier, et, jusqu'à aujourd'hui, le plus spectaculaire étalage de cavalerie sauvage qu'il m'eût été donné de voir. Des centaines et des centaines de guerriers, perchés à cru sur des poneys peinturlurés à demi sauvages. Chaque guerrier hérissé d'armes, aussi bien anciennes que modernes : boucliers aux couleurs vives, lances de jet, arcs, flèches et haches, pistolets à six coups et fusils à répétition, la plupart étant des présents en gage de paix de notre propre gouvernement. Jamais je n'avais vu une armée mieux équipée pour le combat.

Ils s'avancèrent vers nous comme un seul homme et je ne pus que m'émerveiller de leur discipline et de leur maîtrise, auxquelles, je l'avoue, je ne m'étais pas attendu. Mais, malgré l'ordre monolithique affiché par leur cavalerie, une puissante brise printanière produisit un effet contrasté de franche gaieté à mesure qu'ils approchaient.

Les crinières et les queues des poneys s'agitaient dans le vent comme des drapeaux, de même que les plumes et les divers accoutrements que portaient les Indiens. Je comptai parmi eux des dizaines de chefs affublés de coiffes de plumes d'aigle dont les traînes épousaient l'arrière-train des poneys et flottaient au vent, comme dotées d'une vie propre, tandis que leurs propriétaires galopaient de-ci, de-là, donnant des ordres à leurs guerriers.

Nous étions sur le point de rassembler à la hâte nos chariots quand les Indiens s'arrêtèrent, manœuvre qui déclencha une activité fébrile dans nos rangs. Nous déployâmes prestement l'infanterie en première ligne, nous traînâmes notre artillerie en position, dirigée sur l'ennemi, la cavalerie se hâta de couvrir le flanc droit des canons et je donnai l'ordre de dégainer les sabres.

Ensuite, le silence... brisé seulement par les reniflements des poneys ennemis impatients, un bruit qui résonnait à mes oreilles comme le flux incessant des vagues sur le rivage.

A l'extrémité de la ligne indienne, où la majorité des chefs s'était concentrée, un drapeau blanc apparut soudain qui se dirigea vers nous. Nous dépêchâmes deux interprètes à la rencontre de leur délégation et, après quelques minutes de discussion, une conférence entre les chefs des deux camps fut organisée.

Dix minutes plus tard, le général Hancock, moi-même et plusieurs officiers allions à la rencontre d'une délégation indienne de même rang.

Nous approchâmes chacun de notre côté, puis un homme se détacha de leur troupe et s'avança vers nous. Plus d'un mètre quatre-vingts, extrêmement musclé, il avait une présence extraordinaire et s'appelait, comme je ne tardai pas à le découvrir, Nez-Aquilin. Une veste d'officier portant des épaulettes recouvrait son torse. Un assortiment hétéroclite de plumes encadrait son visage, partie d'une coiffe dont la traîne balayait le sol et tressautait au vent. Il avait un long visage, un nez proéminent, des lèvres pleines, comme soudées, et des yeux noirs sans fond. Les membres de son escorte, qui nous observaient à quelques pas derrière, empoignèrent leurs armes, prêts à s'en servir à tout moment. Ma main se serra sur la crosse de mon pistolet.

Avec une expression impénétrable, Nez-Aquilin demanda sans attendre ce que nous voulions aux Cheyennes et, quand on le lui expliqua, répondit que bien qu'il lui importât peu que des Blancs s'aventurent dans son pays, il ne voulait pas que nous entrions dans son village parce que les femmes et les enfants prendraient peur et s'enfuiraient à notre approche.

Le général Hancock réitéra l'explication de notre mission et assura Nez-Aquilin de nos intentions pacifiques. Puis il déclara d'un ton assez froid :

— Mais si vous voulez la guerre, vous l'aurez.

Lorsqu'on lui traduisit la menace, un fin sourire se dessina sur les lèvres de Nez-Aquilin. Le sourire s'élargit jusqu'à exposer deux rangées de dents fortement plantées, d'une blancheur incroyable.

— Si je voulais la guerre, répliqua-t-il, je ne serais pas venu à portée de vos fusils.

Pendant cette petite conférence, les forces indiennes avaient commencé à se disperser, créant l'impression qu'elles rentraient sous terre morceau par morceau jusqu'à ce que l'armée entière se soit évanouie.

Je crois avoir compris alors que tout se liguait contre nous.

Non seulement les Indiens, qui venaient de démontrer sans ambiguïté qui était le maître de ces lieux, mais le terrain sur lequel nous nous trouvions, l'air glacé que nous respirions, et le vent cruel qui nous souffletait implacablement les joues, tout cela, comme le reste de l'environnement, paraissait se jouer de nous à sa guise.

S'appuyant sur les conditions climatiques, le général Hancock suggéra que la discussion se poursuive au village. Il n'y eut pas de réponse. Comme en un tour de passe-passe, le poney de Nez-Aquilin recula soudain de quelques pas, se dressa sur ses antérieurs, pivota et partit au galop, suivi aussitôt par les autres chefs.

Leur vélocité était prodigieuse, son aspect spectaculaire accentué par la facilité de l'exécution. Ils restèrent un moment visibles à l'horizon, comme suspendus, puis disparurent complètement, laissant le terrain désert à part la présence de Taureau-Méchant, qui paraissait réellement seul au monde. Il chevaucha avec nous pendant quelques kilomètres, formulant constamment ses inquiétudes à propos de notre venue dans son village.

J'en frémis encore aujourd'hui. C'était une ruse. Les complaintes émouvantes de Taureau-Méchant n'étaient qu'une tactique dilatoire préétablie, une des facettes de la stratégie indienne; une stratégie qu'ils avaient appliquée depuis le début avec une grande efficacité.

Lorsqu'un Indien craint pour sa vie ou celle de ses proches, il adopte n'importe quelle mesure de protection qu'il juge nécessaire, parmi lesquelles la duplicité est la plus communément employée.

La dernière étape de la marche fut vivement menée, car nous redoutions l'imprévisible et le mystère. Notre impatience fut récompensée en fin d'après-midi quand nous aperçûmes enfin les toits coniques des abris indiens. D'une taille conséquente, le village se détachait avec une certaine majesté du sol de la prairie sur lequel il avait été construit. C'était une vision d'un autre temps, la vision d'une cité interdite qui aurait percé le brouillard de l'éternité.

J'ai peut-être dans mes griffonnages invoqué par mégarde quelques fantômes du passé, particulièrement concernant le vent, car je viens juste de rentrer d'une expédition nocturne : tandis que j'écrivais ces mots, la brise s'est levée subitement, gagnant peu à peu en intensité, avec pour résultat que ma tente s'en trouva arrachée.

Au même moment, je fus soufflé de mon siège et quand je recouvrai mes esprits, je m'aperçus que j'étais engoncé dans plusieurs mètres de toile flottante. Heureusement, John Burkman vint prestement à mon secours et m'extirpa de l'enchevêtrement de mes anciens quartiers. Nous réussîmes à récupérer la toile errante, et nous eûmes la chance de retrouver mes affaires personnelles, qui avaient été emportées dans la nuit.

Tout cela se passa dans le noir absolu, par une nuit sans lune et sans étoiles. Le camp principal a davantage souffert que moi dans l'aventure.

Il fait toujours un froid hors de saison, la contrée est si rude que nous devons la conquérir kilomètre par kilomètre, et le phénomène qui nous a frappés cette nuit — c'était peut-être un cyclone — a complètement désorganisé le camp. Heureusement, on me dit que la colère de Mère Nature n'a pas provoqué d'incendie ni infligé de graves blessures. J'ai réussi à retrouver mon encrier intact, je me suis de nouveau installé, j'ai rallumé la bougie, et je reprends ma narration dans l'espoir qu'elle ne sera pas de nouveau interrompue.

Le vent souffle toujours, néanmoins, et tandis que les rafales intermittentes gonflent les parois de ma tente, je n'ai aucun mal à retrouver les souvenirs des premiers jours venteux de l'expédition Hancock.

J'ai une plus grande expérience désormais, mais, d'une certaine manière, le sentiment d'aventure et l'excitation de découvrir une terre étrangère sont les mêmes. Je ressentais les mêmes émotions, il y a neuf ans, sur la fourche de la Pawnee et de l'Arkansas.

Nous installâmes notre camp à distance respectueuse de l'immense village qui se composait d'environ trois cents abris en peau de bison. Taureau-Méchant partit conclure avec ses collègues les préparatifs pour un second conseil.

Nous attendîmes à l'ombre de la cité cheyenne que quelque chose se passe, mais un calme insolite régna jusqu'au crépuscule, moment que Taureau-Méchant choisit pour venir nous apprendre que quantité de femmes et d'enfants s'étaient enfuis.

Le général Hancock en fut déçu et marri. Dans un état proche de la fureur, il ordonna à Taureau-Méchant de retrouver les fuyards et de revenir faire son rapport dès qu'ils auraient regagné leurs foyers.

Il était encore furieux lors d'une réunion d'état-major peu avant la retraite et, en me regardant, il ordonna que nous nous retirions tous sur-le-champ car nous risquions d'avoir besoin de tous nos moyens pour être prêts à affronter ce qui allait se passer à l'aube.

Je suivis fidèlement ses ordres, mais fus réveillé à une heure trente du matin avec l'instruction de me rendre aussitôt auprès du général Hancock. Des éclaireurs l'avaient informé que les Indiens s'enfuyaient désormais en masse. On m'ordonna de réunir le régiment et d'encercler le village pour empêcher de nouveaux départs.

En quelques minutes, des centaines de soldats entouraient le village. Aucun d'eux ne s'avança à plus de vingt ou trente mètres du plus proche abri afin de ne pas effrayer davantage les occupants encore sur place.

Assis dans le noir à l'extrémité nord de la cité indienne, je ressentais un étrange calme palpable qui, malgré les lueurs qui scintillaient à l'intérieur de certains tipis, me convainquit que nous étions entourés de fantômes. Je reçus peu après un message m'ordonnant d'entrer dans le village afin de vérifier l'état des lieux. Je m'aventurai à l'intérieur avec une escorte d'une demi-douzaine de cavaliers et pendant un quart d'heure nous parcourûmes les avenues désertes du village, d'une propreté et d'une organisation irréprochables.

Les seuls bruits étaient ceux que nous faisions nous-mêmes, le martèlement régulier des sabots et le cliquetis occasionnel d'un sabre ou d'une gamelle. La cité indienne semblait suspendue dans le temps et je l'imaginais peuplée d'habitants invisibles vaquant à leurs occupations ancestrales. Me retrouver dans un tel endroit était une expérience unique et troublante, une expérience que peu d'hommes avant moi avaient connue.

Aucun être humain n'émergea des tipis et, après avoir fait le tour complet du village, je donnai l'ordre aux troupes qui l'encerclaient de se livrer à une inspection détaillée des trois cents habitations.

Je descendis de cheval devant un tipi d'où une lumière filtrait, je repoussai le battant en peau de bison qui servait de porte et jetai un coup d'œil à l'intérieur. L'habitation avait été abandonnée. Les couches et les lits étaient intacts, toutes sortes d'objets personnels éparpillés par terre ou accrochés aux montants. Un arc et un carquois rempli de flèches gisaient parmi ces objets hétéroclites, et une marmite, dans laquelle quelque mets indien bouillait encore, était suspendue au-dessus des cendres brûlantes du foyer central.

Les autres habitations étaient dans un état semblable; après avoir fouillé plus d'une heure, nous ne trouvâmes que deux malheureux restés sur place.

Un vieillard était couché dans une habitation défraîchie. Il souffrait d'une maladie qui l'avait affaibli au point de ne pouvoir marcher et nous dûmes le transporter hors du village.

L'autre était une fillette à qui je donnai une huitaine d'années. La pauvre petite avait été sauvagement violée. Nous ne réussîmes pas à découvrir si elle était blanche ou indienne, et elle était tellement choquée qu'elle fut incapable d'articuler plus de deux mots. Nous fîmes de notre mieux pour sauver la malheureuse et le vieillard, mais j'appris par la suite qu'ils moururent tous les deux.

Le général Hancock était tellement furieux de la fuite des habitants qu'il pensa d'abord mettre le feu au village, mais plusieurs officiers, dont moi-même, lui conseillèrent d'y renoncer. Il paraissait évident que les habitants n'avaient pas déserté pour nous défier, mais par peur. Après de longues discussions, le général Hancock, bien qu'à moitié convaincu, décida de voir la tournure que prendraient les événements avant d'incendier le campement indien.

En attendant, je fus prié de prendre huit escadrons de cavalerie et de poursuivre les Indiens aux premières lueurs de l'aube, ce qui signifiait que nous passerions une nuit blanche à préparer une marche éclair.

Pendant que mes troupes s'organisaient, je tins une série de conseils avec mes éclaireurs, tant indiens que blancs. Sachant que nous ne serions pas encombrés de chariots ni d'artillerie et connaissant la taille de notre proie, trois mille sauvages paniqués, j'étais sûr que nous les rattraperions, même en dépit de notre départ tardif.

Mais mon excitation fut douchée par les arguments des éclaireurs, persuadés que nous ne pouvions pister les fuyards. J'écoutai leurs opinions mais demeurai fermement convaincu de notre force. Tout de même, huit escadrons de cavalerie, que rien ne ralentirait, rattraperaient forcément des fuyards en si grand nombre.

Nous partîmes dès que nous pûmes y voir, et nous avalâmes la prairie à un trot rapide. Presque aussitôt, nous découvrîmes une large piste, et j'en conclus que nos Delawares et nos éclaireurs locaux s'étaient trompés. Nous poursuivîmes nos recherches à vive allure.

Après une demi-heure de cavalcade, je découvris avec stupeur que la piste principale se divisait soudain en deux.

Ce fut la première de nombreuses haltes et, à chacune, ma déception grandissait. Combien de fois la piste cheyenne se divisa, je ne m'en souviens plus, mais la colonne dut attendre que chaque trace soit examinée, puis attendre encore la fin de nombreuses discussions avant qu'une décision soit prise concernant la piste à suivre. Les ramifications se firent de plus en plus nombreuses, puis toutes s'évanouirent dans la poussière et à la fin nous ne trouvâmes plus une seule empreinte des trois mille fuyards. Qu'ils se fussent donné rendez-vous dans quelque endroit, j'en étais persuadé, mais rien ne nous permit de découvrir où se trouvait cet endroit.

Il ne nous restait pas d'autre choix que d'interrompre nos recherches et de nous diriger vers Smoky Hill Road, qui se trouvait à quelques kilomètres au nord. La route était la piste principale qui traversait la région, peuplée de quelques fermes isolées et d'un chapelet de relais de diligences.

Ce fut sur cette route, à Fossil Creek, un relais avancé, que nous découvrîmes que les Indiens nous avaient précédés. Le relais avait été incendié, le bétail volé et les trois employés sauvagement assassinés.

Leurs cadavres témoignaient d'une guerre cruelle. Noircis par le feu, ils gisaient, démembrés et décapités, dans la cour du dépôt. On avait éparpillé les membres, ouvert les ventres, laissant les boyaux se répandre, on avait jeté les têtes dans la prairie, et des flèches étaient encore fichées dans les orbites.

Ces mutilations avaient été commises avec une férocité qui surpassait le feu normal du combat. Ces atrocités avaient été exécutées avec une sorte de jouissance rituelle. J'envoyai des soldats récupérer les morceaux des cadavres et, pendant qu'ils se mettaient à l'ouvrage, j'essayai de visualiser la scène, imaginant le relais et ses employés attaqués par une bande d'enfants fous.

La scène eut un effet dévastateur sur mes hommes et sur moi-même. Nous découvrîmes par la suite les mêmes atrocités sur des kilomètres de chaque côté de la route. Les Indiens avaient déferlé telles les Furies en détruisant tout sur leur passage.

Je dépêchai aussitôt deux cavaliers pour qu'ils rapportent nos découvertes à l'expédition, et nous passâmes le reste de l'après-midi à enterrer les corps et à chercher les traces des Indiens.

Ce ne fut pas avant les premières heures du jour que les nouvelles nous parvinrent. J'appris alors avec stupeur comment le général Hancock avait réagi à mon message de la veille. Il avait vu dans les attaques des relais une déclaration de guerre et avait fait incendier le campement cheyenne.

A ce moment-là, j'étais seulement abasourdi par la décision du général, mais avec le temps j'en suis venu à la considérer comme une erreur d'une bêtise monumentale. Que les Indiens dussent être soumis et déplacés de la route du destin national était inévitable. Mais l'incendie du village cheyenne garantissait que ce déplacement ne s'effectuerait pas de manière paisible. Comble de l'ironie, il me revint plus tard aux oreilles que les mutilations de Smoky Hill avaient été commises par les Sioux, et que les Cheyennes n'avaient joué aucun rôle dans les attaques.

On m'ordonna de marcher vers l'est jusqu'à Fort Hays, où nous devions recevoir du fourrage et des rations en attendant des ordres pour ce qui serait sans doute une campagne estivale active.

Nous couvrîmes deux cent quarante kilomètres en quatre jours et demi et arrivâmes à Fort Hays avec des montures exténuées et des réserves de nourriture épuisées.

Dire qu'à cette époque Fort Hays était un poste avancé délabré qui n'offrait que peu de confort à des soldats en campagne serait faire une description enjolivée de ses qualités. Son état n'étant toutefois pas inattendu, on lui pardonna.

Nous pardonnâmes moins facilement que les rations et le fourrage promis ne fussent pas au rendez-vous. Il n'y avait pas de fers pour nos chevaux, rien à manger pour eux, et pas non plus de montures de rechange.

Le poste rationnait déjà ses maigres réserves et il n'y avait pas le moindre légume en stock. L'eau était rare et il fallait aller la puiser dans un ruisseau saumâtre.

Ces conditions déplorables contribuèrent à affaiblir le moral déjà chancelant de mes hommes — l'abattement se lisait sur le visage de chacun.

Pour soutenir mes troupes, j'envoyai un cavalier porter un message au général Hancock et en fis parvenir un autre par diligence à l'intendant de la division. C'était comme de lancer une bouteille à la mer, car les réponses, quand elles arrivèrent enfin, ne comportaient que de vagues promesses. En réalité, on ignora le 7e de cavalerie pendant près d'un mois ; le général Hancock reporta son attention sur des discussions avec d'autres tribus des plaines et l'intendant de la division tergiversa.

Il n'y avait rien d'autre à faire que regarder l'herbe pousser, un spectacle rendu déchirant par la certitude que la croissance des pâturages engraissait et fortifiait chaque jour les poneys indiens. Eussions-nous pu agir rapidement, je crois que la campagne estivale aurait connu une autre conclusion. Mais les choses étant ce qu'elles étaient, nous étions aussi coincés qu'un navire échoué sur le sable.

Pendant ce mois d'interminable attente et de privation, le climat fut à rendre fou. Il plut, il grêla, et il neigea. Le vent souffla comme s'il n'allait jamais s'arrêter. Je ne pus faire effectuer que des entraînements sporadiques, et je bouillais en voyant s'enfuir les occasions de former mon régiment et de le préparer au combat.

On venait de trouver de l'or au Colorado, et cette découverte, liée au manque de rations, à la rudesse du climat et à l'ennui accablant, se révéla une tentation trop grande pour de nombreux soldats. Pendant les six semaines où nous languîmes à Fort Hays, quatre-vingt-dix hommes firent le grand saut. Nous n'en rattrapâmes qu'une poignée qui passèrent en cour martiale.

Ceux qui restèrent en poste étaient, vu les conditions, des proies faciles pour les marchands de whisky itinérants. Le trésorier arriva au milieu de notre séjour et cela n'aurait pu me mécontenter davantage car je savais que la plupart des hommes dilapideraient leur maigre paie dans la bouteille. Hélas, de nombreux officiers les imitèrent.

Comme je m'y étais attendu, ceux qui ne désertèrent pas saisirent la première occasion pour s'enivrer jusqu'à plus soif. Emergeant de mes quartiers par une belle journée ensoleillée, donc rare, de la fin mai, je tombai sur la triste vision d'un deuxième classe affalé sur le ventre dans la poussière, ivre mort devant ma porte. J'ignorais quelle quantité d'alcool il avait ingurgitée, mais il était inconscient à mes pieds, et si j'avais laissé la colère me guider j'aurais réuni la garnison et je l'aurais achevé devant tout le monde... avec mon propre pistolet.

Au lieu de cela, je le fis emmener à la salle de police, où j'ordonnai qu'on le recouvre d'un cercueil que je fis ensuite clouer au plancher. Je laissai des ordres pour qu'à son réveil on l'ignore, quels que soient ses cris ou son agitation.

Au bout d'une heure environ, il dut se réveiller car je remarquai qu'une foule de ricaneurs s'était rassemblée devant la salle de police. Peu après, le captif se révolta contre son enfermement singulier et commença à hurler qu'on le sorte de son tombeau. Ses plaintes ne rencontrèrent qu'un silence dédaigneux et l'homme ne tarda pas à pleurer pour avoir de l'eau. Il finit par devenir fou furieux, ses cris et ses gémissements résonnèrent à travers la caserne tout l'après-midi. Ses hurlements morbides écorchèrent les nerfs de tous, mais c'était une musique douce à mes oreilles, car elle indiquait clairement à tout le monde comment je punissais l'ivrognerie.

Il pleurnichait encore au coucher du soleil quand l'officier de garde et plusieurs autres officiers vinrent me demander respectueusement d'abréger ses souffrances et d'ôter le cercueil, car certains hommes, fatigués d'entendre ses gémissements, étaient au bord de la crise de nerfs. Ils exprimèrent aussi la crainte que l'ivrogne puisse perdre la raison ou même mourir.

Je cédai à leur requête à la condition qu'une fois libéré de son enterrement prématuré le soldat reste confiné dans la salle de garde pendant trois jours et qu'il soit condamné au pain sec et à l'eau.

Le whisky continua de couler à flots mais avec discrétion. L'ivrogne ne mourut pas, ni ne perdit la raison, et il resta dans l'armée. Il est actuellement sergent dans ma campagne contre les Sioux. Je ne me suis plus informé de son alcoolisme et il ne m'en a plus reparlé, mais je ne l'ai plus revu lever le coude.

En raison de l'activité des bandes d'Indiens maraudeurs, les courriers venaient rarement et je recevais peu de lettres de Libbie. A cause de la préparation de l'expédition Hancock, de nos rapports chaotiques avec les Cheyennes et de notre séjour décevant à Fort Hays, je commençais à me languir de ma femme avec une intensité que je n'avais encore jamais connue.

Je n'étais pas fait pour la bouteille, je méprisais l'alcool, mais à part la distraction que me procurait la chasse, maintenir le régiment en bon état était un combat permanent et épuisant. Je n'avais rien pour me consoler. Le seul vice qui m'était permis était les jeux de hasard, surtout les cartes, mais même ce divertissement me fournissait un plaisir frustrant, étant donné les circonstances.

Bien qu'elle fût à des centaines de kilomètres, Libbie devint mon seul soulagement face à l'enfer de ce printemps. Mes lettres se chargèrent de descriptions de plus en plus crues du manque que son absence me faisait ressentir, et j'ai honte en me rappelant les propos piteux que je tenais sur le papier. Je me surpris même en train de rêvasser à des ébats scandaleux avec elle au cours de discussions de routine avec mes officiers.

Ces rêveries désespérées n'étaient que de pauvres substituts. Des fables destinées à me protéger de la terrible incertitude à laquelle j'étais confronté lorsque je n'étais pas avec ma Libbie. Le vide béant de son absence était plus profond que je ne l'avais imaginé, et je devins de plus en plus conscient d'une chose que je soupçonnais depuis notre mariage : ma femme était indispensable à ma vie, elle surpassait de loin l'importance de ma carrière. Sans Libbie, les satisfactions de la vie n'avaient plus de sens.

Ses réponses intermittentes à mes lettres accroissaient mon chagrin, car bien qu'elles continssent les nouvelles normales présentées d'un cœur léger et avec une gaieté indomptable, je sentais l'anxiété latente courir sous la surface enjouée.

Nous étions encore très jeunes à l'époque, et j'imagine qu'une partie de nos craintes trouvait sa source dans l'insécurité naturelle de deux époux de fraîche date, profondément attachés l'un à l'autre, obligés de vivre sous les feux de l'opinion publique. Mais la cause principale de notre inquiétude face à la séparation se trouvait plus exactement dans la profondeur de nos sentiments. Ces sentiments étaient d'une réalité intangible et nous ne supportions pas d'imaginer les perdre.

Mon humeur semblait prisonnière d'un tourbillon descendant dont j'étais impuissant à m'échapper. Je redoublais constamment d'efforts pour surmonter les petites frustrations quotidiennes et commençais à me demander sérieusement si la spirale de mon état mental ne risquait pas de déboucher sur la folie.

Et puis un matin, environ deux semaines avant notre départ, un petit convoi de chariots et de diligences accompagné par quelques cavaliers, trop peu nombreux pour justifier le nom d'escorte, apparut à l'est. D'ordinaire, j'aurais sauté sur un cheval et foncé aux nouvelles, pressé d'inspecter le ravitaillement qui nous arrivait enfin, mais mon moral était si bas que je me retrouvai à pied, marchant mollement avec le reste de la garnison vers la petite file de véhicules. J'étais encore à quelque distance quand, d'une diligence, quelqu'un m'appela. C'était un simple mot, mais je ne saurais décrire l'effet qu'il eut sur moi. Je me figeai en reconnaissant la voix familière : « Autie ! »

Terrassé, je vis sa mince silhouette descendre de la diligence, courir à ma rencontre, serrant à deux mains le devant de sa robe qu'elle soulevait pour permettre à ses fines mais robustes jambes de trotter plus aisément.

Elle me heurta si fort que je vacillai. Elle sauta dans mes bras, s'agrippa à mon cou, mon chapeau s'arracha et virevolta dans le vent. Mais je ne le remarquai pas et, toujours incapable d'émettre un son, j'étreignis ma femme de toutes mes forces. En la serrant dans mes bras, je sentis mon fardeau s'alléger et s'envoler dans un ciel infini, et soudain radieux.

Quand je pus enfin articuler une question, la réponse de Libbie fut simple et sincère. « Il fallait que je te voie », dit-elle, l'œil brillant. Puis, dans cette plaine dénudée, elle m'embrassa devant la garnison tout entière.

Grâce à son ingéniosité et à son courage indomptable, elle avait parcouru plus de cent soixante kilomètres en territoire hostile afin d'être avec celui dont elle ne pouvait se passer. Venir de si loin, en prenant tant de risques, pour presser sans vergogne ses lèvres sur les miennes en public pourrait paraître excessif à certains. Mais de telles démonstrations de dévotion suprême étaient la marque de notre union, et nous ne pouvions pas plus tempérer notre amour que vivre éloignés l'un de l'autre.

Les manifestations affectueuses de notre amour ont souvent provoqué le scepticisme et même les railleries, et je crois sincèrement que ces réactions étaient surtout dues à l'envie et à la jalousie, également provoquées par ma célébrité en tant que soldat. Ceux qui ont tourné notre mariage en dérision n'ont fait que refléter la médiocrité de leur propre vie amoureuse et leurs flèches ne nous ont jamais atteints. Dès les premières heures de notre idylle, nous avons résolu de ne jamais nous laisser influencer par les rumeurs ni par les atrabilaires. Que nous nous y soyons tenus est une autre qualité de notre mariage, et nous la portons haut et fort comme un honneur.

Bien sûr, Libbie avait amené avec elle Eliza, et avec les chiens et les chevaux, elle fit de ma vaste tente à Fort Hays un petit coin de paradis pendant cette dernière semaine de mai 1867. Eliza me commandait comme d'habitude, les chiens traînaient constamment dans mes jambes, et les chevaux nous permirent de nombreuses et merveilleuses promenades. Nous nous retirions tôt sous notre tente, et nous nous racontions des sottises sur les gens que nous connaissions, nous parlions à voix basse de notre avenir, et nous faisions discrètement l'amour aux premières heures de l'aube, quand le camp était encore endormi.

La présence de Libbie m'imprégna d'une force renouvelée pour affronter la campagne à venir. Cette capacité à me fortifier montre l'importance vitale de Libbie dans les moments critiques de ma vie. Je m'abreuvai pleinement à sa fontaine enrichissante dans le vain espoir que cela me permettrait de supporter notre séparation prochaine qui risquait de durer des mois.

Lorsque nous nous quittâmes, le premier jour de juin, je sentis que si tout le reste échouait, je survivrais aux épreuves qui m'attendaient grâce à mon désir inébranlable de revoir ma Libbie. Si tant est que ma volonté soit d'acier, Libbie doit être ma forge.

Mais même sa visite tonifiante ne put atténuer l'émoi que je ressentis lorsque nous prîmes enfin la route quelques jours plus tard. Depuis des semaines, le général Hancock m'implorait de commencer la campagne, une requête que je déclinais régulièrement, bien que respectueusement, à cause de l'état des chevaux et des hommes, et du manque de ravitaillement. Nous ne pûmes bouger avant la première semaine de juin.

Les désertions avaient encore affaibli la troupe, mais nous quittâmes Fort Hays avec ce qui nous restait : trois cent cinquante hommes et un convoi de vingt chariots. La mission elle-même n'était pas le moindre de mes fardeaux, car ses buts semblaient contradictoires. L'incendie du campement cheyenne avait provoqué un tapage monstre au Congrès et à la Maison-Blanche. En outre, des frictions juridiques entre le ministère de l'Intérieur et le ministère de la Guerre causèrent des conflits quasiment incessants.

Mes ordres étaient de nettoyer une région immense, de Smoky Hill Road jusqu'à la rivière Platte. Cette tâche herculéenne devait être accomplie de manière paisible ! Comment fallait-il s'y prendre, personne n'en avait la moindre idée. Comment serions-nous ravitaillés, personne ne le savait précisément. Comment les troupes restantes se conduiraient pendant la marche, et comment elles se battraient, dussent-elles le faire, restait une question ouverte.

Je savais seulement qu'un jour d'inactivité de plus à Fort Hays eût été intolérable et je conduisis mes hommes dans la prairie avec une seule idée en tête : mon devoir à remplir. Que mes troupes ne fussent pas au complet et que mes ordres manquassent de clarté étaient hors du sujet. Nous devions agir, quelles que fussent les circonstances.

Je ne voudrais pas donner l'impression que je m'embarquais dans une mission impossible, car telle n'était pas mon opinion à l'époque. Quelles qu'eussent été mes craintes, mon sang bouillait et ma résolution était sans faille.

Devant nous s'étendait une marche de quatre cents kilomètres dans ce que beaucoup de gens à l'est surnommaient « le grand désert américain ». Depuis son acquisition, cette région avait été considérée comme sans valeur : vastes étendues de terres inhabitées qu'aucune haie, aucune charrue, aucune piste ne venait briser, région aussi déserte et monotone qu'un océan.

Bien que sa valeur pour l'Amérique ait été reconnue dans les années suivantes, je chérissais alors cette région pour les mêmes raisons qui faisaient qu'on la méprisait. C'était un pays aussi sauvage et aussi libre qu'à sa création, encore soumis aux lois irréfutables de la nature. Son côté imprévisible, son aspect désertique et les dangers potentiels qu'il recelait m'exaltaient.

Pénétrer dans un tel pays, parcourir ses herbages et ses escarpements, franchir ses rivières, se reposer à l'ombre de ses arbres majestueux, dormir sous ses ciels étoilés, tout cela excite mon imagination encore aujourd'hui. Voyageur dans une nature indomptée, je me sens libéré des entraves de mon époque. Cette fois-là, comme maintenant, j'étais libre, tel un Argonaute, je sondais les profondeurs de l'inconnu, j'en mesurais les hauteurs, ouvert à tout dans ce vaste nouveau monde.

Plus notre colonne avançait, mieux je me sentais, et bien que le spectre de la désertion et de la débauche me pesât, il y avait à mes côtés de robustes guerriers sur qui je savais pouvoir compter. Yates, Moylan et Hamilton... Keough, Cooke et Elliot... et mon frère Tom, le meilleur bras droit dont un soldat puisse rêver. Malgré nos frasques et nos chahuts, c'est sur mon frère que je compte avant tout. Il est d'une loyauté inaltérable, et son ardeur au combat, qui lui valut deux médailles pendant la Grande Guerre, a toujours été sans faille.

Il y avait ceux qui, sans pratiquer la désobéissance et tout en étant de bons soldats de carrière, ne prenaient pas la peine de cacher la mauvaise opinion qu'ils avaient de moi. Les raisons de leur animosité résidaient dans une opposition davantage de style que de fond. Heureusement, ils représentaient une minorité et, tandis que la colonne serpentait vers le nord, j'étais convaincu que notre petite troupe relèverait les vastes défis qui l'attendaient.

Cette conviction commença à s'éroder au bout de quelques jours de marche seulement. Le troisième soir, je dînais sous la tente avec plusieurs officiers quand un coup de feu retentit dehors. Nous laissâmes tomber nos couverts et sortîmes précipitamment pour voir ce qui s'était passé.

Des hommes s'étaient déjà attroupés autour de la tente du major Cooper, un officier compétent qui s'était souvent absenté du mess à cause d'un état dépressif dû à l'inquiétude qu'il se faisait pour son épouse malade et enceinte, restée dans l'Est.

Il faut dire que je n'avais jamais conversé avec lui sans sentir son haleine chargée de whisky. L'alcool, qui avait plongé ses griffes dans le dos du major Cooper des années auparavant, avait aggravé sa détresse, et même si une balle l'avait emporté dans l'autre monde, c'était l'alcool qui avait visé le cerveau et actionné la détente.

Le major était à genoux, la tête bizarrement tordue sur le sol dans une mare de sang. Il n'était pas mort en soldat, mais en épave. Néanmoins, le protocole exigeait que nous conservions son corps, un fardeau inopportun et déshonorant, pour ne pas dire plus.

Hélas, le cadavre en décomposition du major ne dissuada pas les engagés ni certains officiers de leur goût pour la boisson. Le corps du major ne fut rien d'autre qu'un boulet de plus attaché à l'arrière de la colonne, un rappel persistant de frustrations plus profondes, la première d'entre elles ayant un rapport avec la question lancinante : « Mais où donc se cache l'ennemi ? »

Après seulement quelques jours sur la piste, mon moral en prit un coup car nous ne trouvions aucune trace des Indiens que nous étions censés châtier. Ni les Delawares, ni nos éclaireurs blancs, pourtant des frontaliers expérimentés, ne nous furent d'aucun secours. Sous la pleine lune, je passai des heures avec eux à fouiller la prairie, mais si j'appris beaucoup sur la technique du listage et sur la personnalité colorée des frontaliers, je ne trouvai rien dans les collines ondoyantes qui présentât un intérêt militaire.

J'ai été interrompu dans mon récit nocturne et solitaire; cette fois ce ne fut pas par un violent orage ou un coup de feu, mais par deux yeux qui m'épiaient à travers une fente de la toile.

Je crus d'abord à un fantôme, puis le battant de la tente s'entrouvrit et, avant d'avoir pu esquisser un geste, je reconnus la silhouette granitique de Couteau-Sanglant. Ce qui l'amena dans mes quartiers à une heure si matinale demeure pour moi un mystère, mais il avait apparemment été attiré par la lueur de la bougie, la seule du camp restée allumée. Je lui fis signe d'entrer. Il s'aventura d'un ou deux pas sous la tente, fasciné par la vue des pages et intrigué par ce qui avait bien pu m'inciter à rester assis à mon bureau si avant dans la nuit.

Par signes et à l'aide du peu de mots que chacun connaissait de la langue de l'autre, il fut vite clair que mon énergie était la source de la curiosité de Couteau-Sanglant. J'avais couvert quatre-vingts kilomètres le jour précédent, dont une grande partie en sa compagnie. Il était plus de trois heures du matin, et le vaillant chef de mes éclaireurs s'inquiétait de savoir si je n'allais pas dormir le jour venu.

Je lui assurai que je serais en tête de la colonne comme d'habitude et, au bout de quelques minutes, il réussit à me faire comprendre qu'il doutait que je pusse chevaucher toute la journée sans dormir.

Avec force gestes et quelques mots intelligibles, je pus lui expliquer que je n'avais pas besoin de sommeil quand je pistais un ennemi, que son odeur suffisait à me tenir éveillé.

Là-dessus, Couteau-Sanglant parut fortement impressionné. Il écarquilla les yeux, hocha la tête, puis son éternelle solennité céda, son visage s'éclaira et il me gratifia d'un sourire entendu.

Il se frappa la poitrine et murmura plusieurs fois la même phrase avec un débit précipité. Je ne compris pas les mots, mais le sens ne m'échappa pas.

Lui non plus ne dormait pas quand l'odeur de l'ennemi lui chatouillait les narines.

6-7 juin 1876

Aujourd'hui, la colonne a parcouru plus de trente kilomètres, et j'en ai fait plus du double. Je préfère monter Vic parce que Dandy commence à se faire vieux et qu'il a largement mérité son repos après une longue carrière bien remplie. Il m'a aidé à franchir sans un faux pas des pics apparemment infranchissables et d'innombrables torrents. Surtout, il n'a jamais flanché devant l'ennemi.

S'il ne tenait qu'à Dandy, nous poursuivrions notre collaboration, mais je ressens trop les efforts qu'il doit consentir pour faire son devoir. Ses pas sont moins sûrs, son cœur moins vaillant. Un peu de lui-même s'en va chaque jour.

Vic est le plus apte à lui succéder, mais malgré sa puissance, il lui manque le sixième sens que Dandy a toujours eu, une qualité que je n'espère pas retrouver un jour chez un cheval. J'ai monté des centaines de chevaux parmi les meilleurs, mais aucun n'égalait Dandy, et je ferai tout ce qui est en mon pouvoir pour qu'il connaisse une fin de vie paisible.

J'aurais aimé faire de même pour tous mes collègues quadrupèdes, mais en écrivant ces mots je me rends compte à quel point cet espoir est vain. J'ai beau être sincère, je sais qu'il s'agit d'un rêve d'enfant impossible à réaliser. La mort et la destruction ont fait partie de mon environnement et même si j'ai essayé de préserver la vie chaque fois que je l'ai pu, et même de la célébrer, j'ai plus souvent dû me durcir pour affronter le visage de la mort qui m'a nargué à chaque instant de ma carrière militaire. Ce n'est, je crois, qu'en acceptant le jugement final de la mort que j'ai été capable de survivre.

Cela n'a jamais été plus vrai que dans les plaines du Kansas en 1867, l'été de l'expédition Hancock. Je côtoyai la mort non dans la gloire des batailles acharnées et des victoires chèrement acquises, mais dans le sort pitoyable réservé aux mal-informés, aux mal-entraînés et aux impotents. Cet été-là, j'étais un naïf parmi les naïfs.

La marche de Fort McPherson à la rivière Platte se poursuivit sans accrocs jusqu'à l'avant-veille de la première étape de nos recherches infructueuses.

Nous fûmes alors abordés par une bande de guerriers itinérants. Ce n'étaient pas des Cheyennes mais des Sioux, plusieurs centaines d'hommes conduits par un dénommé Tueur-Pawnee[1]. Nous nous assîmes en rond pendant deux heures sur les rives de la Platte boueuse et la réunion fut cordiale. Je demandai à Tueur-Pawnee de confiner ses troupes aux régions qui s'étendaient au nord de la Platte. Il acquiesça et nous nous séparâmes dans les meilleures dispositions du monde.

Bien que je fusse grandement satisfait de nos échanges, un doute me tenaillait, suscité surtout par la personnalité de l'homme avec qui j'avais traité. Il souriait facilement, montrait en surface un visage aimable, mais son côté fuyant me laissa un goût amer.

A première vue, tout semblait marcher, mais je n'avais jamais rencontré un tel exemple de ce caractère insondable qu'on associe communément aux membres de sa race. Ses yeux étaient particulièrement remarquables : deux fentes à demi-fermées, comme pour mieux cacher les convictions de son âme.

Mes doutes s'accrurent à notre arrivée à Fort McPherson, le lendemain après-midi. Le général Sherman s'y trou-

1. Indiens des plaines de langue caddoan qui vivaient alors dans la vallée de la Platte, dans le Nebraska, et qu'on trouve de nos jours dans l'Oklahoma. *(N.d.T.)*

vait, ayant délaissé ses devoirs administratifs à Washington pour venir constater par lui-même les activités de la coûteuse expédition Hancock.

Je le mis au courant de notre marche infructueuse et j'eus la hardiesse de lui exprimer mon mécontentement concernant le département de l'intendance. Le général écouta sans un mot mon rapport, et ne parut pas manifester d'intérêt particulier.

Sherman est un commandant pour qui les résultats comptent avant tout — je suis assez d'accord avec cette façon de voir. Je lui racontai donc avec joie ma récente rencontre avec les Sioux. Je fus atterré quand il m'interrompit. Il ne me réprimanda pas ouvertement, mais me dit clairement que mon entretien avec Tueur-Pawnee avait, au mieux, été superflu. Si j'avais été plus sage, me dit-il, j'aurais pris des otages pour être sûr que Tueur-Pawnee tienne parole. Je partageais les doutes de mon commandant, mais je croyais malgré tout que Tueur-Pawnee respecterait ses engagements, croyance davantage fondée sur l'espoir que sur les faits.

Je revis souvent le général les jours suivants, et il souligna à plusieurs reprises l'importance qu'il y avait à déplacer les Indiens hors de la région afin que l'expansion nationale puisse se dérouler normalement. Il m'ordonna d'aller reconnaître la source de la rivière Republican, un peu plus au sud, et de me rendre ensuite à Fort Sedgwick, dans le nord, afin de me ravitailler avant d'entreprendre une marche de quatre cent quatre-vingts kilomètres pour regagner Fort Wallace. Je pouvais modifier cet itinéraire à mon gré, surtout si je devais poursuivre l'ennemi, auquel cas le général me recommandait instamment de n'épargner ni les hommes ni les chevaux.

Dans mon esprit, ces directives contredisaient la lettre et l'esprit de l'expédition, dont la politique avait été définie par le président des Etats-Unis en personne.

J'avais pris la route pour une mission de paix, or le commandant en chef de l'armée m'ordonnait de rechercher la guerre. Mission de paix ou de guerre, cela n'aurait fait aucune différence : en tant que soldat, j'aurais fait mon devoir d'un côté comme de l'autre. Mais les ordres de Sherman brouillaient les choses et, en reprenant la route, j'eus la désagréable impression d'être réduit à occuper une position intenable dans une sorte de purgatoire.

Forcé de choisir, je décidai de maintenir le but premier de l'expédition. Tout en étant prêt au combat, je tendrais la main à tous ceux que nous rencontrerions.

En théorie, cela aurait dû être facile. Toutefois, en pratique, c'était une autre affaire. Mes troupes s'amenuisaient rapidement. Trente-deux hommes s'étaient enfuis pendant notre séjour à Fort McPherson, et des rumeurs de désertion continuaient ouvertement tandis que nous marchions vers la source de la Republican, qui se trouvait à égale distance de la rivière Platte, au nord, et de Fort Wallace, sur la route de Smoky Hill, au sud.

Les rations que nous avions reçues à McPherson étaient abominables. Nous mangions tous du pain dur sorti de cartons datant de 1860, et presque chaque morceau était vert de moisi. Et il s'agissait là de nos meilleures rations.

L'été approchait de son apogée, les tempêtes du printemps avaient été supplantées par des températures torrides qui transformaient les plaines sans arbres en un gigantesque gril. Les chiens qui suivaient la colonne se mirent à tomber comme des mouches et, lorsque nous atteignîmes enfin la Republican, les hommes et les cheveux commençaient à craquer.

L'eau de cette rivière vaseuse était à peine potable et il fallait la filtrer plusieurs fois avant d'en boire une seule goutte amère.

L'aventure était devenue une corvée et, tandis que nous redescendions la rivière, mon esprit se peupla d'images de Libbie, puissant antidote à la dure situation dans laquelle je me trouvais. Je rationnai mes rêveries, comme un voyageur rationne ses dernières gorgées d'eau en traversant un désert.

J'avais demandé à Sherman si Libbie serait autorisée à venir à McPherson, et il avait gracieusement consenti. Mais au moment d'aborder notre marche je me rendis compte que nous irions vers le sud, en direction de Fort Wallace, et avant de quitter McPherson, je lui écrivis pour lui conseiller d'aller plutôt à Wallace, où nous aurions plus de chance de nous rencontrer... Ah, si cela avait pu se faire!

En longeant la Republican à la recherche des Indiens, notre moral continua de s'effriter. La chaleur était un supplice pour les hommes et les bêtes, la qualité de l'eau ne s'améliorait pas, le gibier se faisait désespérément rare, et l'objet de notre mission — les Sioux ou les Cheyennes — était pratiquement invisible.

Il nous arriva cependant d'effrayer notre ennemi; un midi, nous surprîmes une centaine de cavaliers cheyennes près d'un gué. Ils s'égaillèrent comme une volée de moineaux et la chasse que nous leur donnâmes fut vaine. Nos chevaux lourdement chargés peinaient sur chaque mètre de terrain tandis que les Indiens paraissaient voler à travers la prairie sur des montures largement supérieures, la plupart étant des chevaux dérobés dans les relais de diligences.

Désormais, après environ un mois de campagne, même le plus demeuré des soldats savait implicitement que nous ne rattraperions jamais notre proie, dussions-nous la poursuivre pendant mille ans.

Je rêvais de Libbie jour et nuit et, quand je ne pouvais pas me concentrer sur mes rêveries, je me surprenais à rabrouer quiconque s'approchait de moi.

Quand je ne rêvassais pas, j'essayais d'imaginer une issue à notre situation infernale. Je ne pouvais interrompre les recherches sans ordre et n'osais me rendre à Fort Sedgwick pour le ravitaillement prévu. La région était encore plus difficile et comme Sedgwick était situé près d'un important axe d'émigration, je redoutais que les désertions ne s'accélèrent au point de me priver complètement de troupe. Je ne pouvais pas davantage rester où j'étais, dans un pays desséché et pratiquement sans eau.

Je dus finalement accepter l'idée que notre mission ne pouvait réussir. J'imaginai alors un plan radical qui, je l'espérais, sauverait la colonne et me permettrait peut-être de retrouver ma femme. C'était notre seule chance de salut.

Au lieu d'emmener notre compagnie entière à Sedgwick, j'y envoyai le major Elliot et une douzaine d'hommes pour voir si de nouveaux ordres n'étaient pas arrivés.

En même temps, j'envoyai le toujours fiable lieutenant Robbins et deux escadrons à Fort Wallace avec ordre de se procurer tout ravitaillement disponible et de le rapporter par convoi.

Moi-même, je continuerais à fouiller les abords de la Republican comme convenu, rejoignant la Platte, qui croisait notre route au sud. Il y avait des relais de diligences le long de la rivière, mais même s'ils présentaient une nouvelle tentation pour les futurs déserteurs, les risques étaient moindres que dans un centre aussi important que Fort Sedgwick. Nous nous dirigeâmes donc vers l'ouest, passant les rapides de la Republican au peigne fin pour que le major Elliot et son détachement nous trouvent plus facilement dès leur retour, qui ne devait tarder.

Nous ne vîmes aucun signe d'Indiens, mais apparemment ils nous suivaient. A peine vingt-quatre heures s'étaient écoulées depuis le départ du major Elliot qu'une force combinée de Sioux et de Cheyennes tenta de capturer nos chevaux juste avant l'aube. La vigilance de nos sentinelles, dont une fut tuée, les empêcha de parvenir à leurs fins.

Craignant une embuscade et ne voulant pas risquer le combat à découvert contre une cavalerie ennemie supérieure en nombre, je ne poursuivis pas les coupables. J'ordonnai qu'on dresse le camp près de la rivière.

Cette absence de représailles fut, à juste titre, interprétée par les Indiens comme une preuve de faiblesse et, tandis que nous amenions nos chevaux dans le camp et qu'un périmètre défensif était établi, l'ennemi traîna, moqueur, dans les parages.

Les Indiens nous encerclèrent; ils apparaissaient à intervalles réguliers sur les collines et les crêtes, telles des cibles dans un stand de tir. Ils surgissaient çà et là, prenant soin de rester hors de portée de nos fusils, et s'adonnaient à cheval à des exercices de haute voltige qui défiaient l'imagination.

Lorsqu'ils se lassèrent de ces jeux et de ces démonstrations, ils se contentèrent de nous lancer, dans un anglais impeccable, des injures et des obscénités qui mettaient en doute notre virilité, la légitimité de notre naissance et raillaient les habitudes sexuelles de nos mères.

A un moment donné, une demi-douzaine de guerriers descendirent de cheval, ôtèrent leurs sous-vêtements aborigènes, nous tournèrent le dos et, courbés en deux, nous présentèrent à l'unisson une vue plein soleil de leurs derrières nus. Voyant cela, nos hommes, fous de rage, se seraient précipités sur les sauvages si les officiers n'avaient réussi à les maîtriser.

Vers midi, ils cessèrent leurs activités, mais continuèrent de surgir de temps en temps dans notre champ de vision. Ils étaient, à l'évidence, en train de discuter de leur prochaine manœuvre, et je profitai de cette accalmie pour envoyer une délégation, formée de mon adjudant, d'une poignée d'éclaireurs et de moi-même, faire quelques centaines de mètres à découvert, protégée par un drapeau blanc.

Nous fûmes aussitôt rejoints par une délégation correspondante d'Indiens, et après une brève discussion il fut décidé de tenir un conseil, dont la condition première était que chaque participant vînt sans armes.

Nous dressâmes vivement une tente non loin de notre camp. Le conseil, qui comprenait cinq chefs, deux interprètes, les capitaines Keough et Yates, deux ordonnances et moi-même, se mit en action. Notre groupe atteignit la tente le premier et, tandis que nos homologues ennemis s'approchaient à cheval, je fus chagriné de voir Tueur-Pawnee parmi eux.

Malgré un soleil cuisant, chaque Indien était emmitouflé dans une lourde couverture, dont la fonction apparut clairement dès qu'ils descendirent de cheval et s'avancèrent audevant de nous. Les chefs étaient tellement chargés d'armes dissimulées qu'ils avaient du mal à marcher. Comme nous avions, bien sûr, caché nous-mêmes nos armes, je serais tenté de dire que le conseil s'ouvrit sur des bases égales.

Les Indiens entrèrent sous la tente et nous nous regardâmes en chiens de faïence. Il y avait tant d'armes sous les couvertures et sous les manteaux que personne n'avait hâte d'entreprendre la périlleuse opération qui consistait à s'asseoir. Il ne restait qu'à jouer cartes sur table. Par l'intermédiaire de l'interprète, je suggérai que nous nous mettions à l'aise, en prenant garde que, ce faisant, un coup de feu ne parte tout seul.

La franchise de ma proposition pétrifia momentanément les Indiens, mais ils eurent tôt fait de s'asseoir. Dans le processus, un incroyable assortiment d'armes apparut, qu'ils déposèrent ensuite à leurs côtés.

Nous fîmes de même et, tandis qu'on allumait l'inévitable calumet, chaque camp examinait ouvertement les armements de l'autre. Tueur-Pawnee voulut tâter mon pistolet à long barillet, une demande que je m'empressai de satisfaire après en avoir retiré les balles. Pendant que je le regardais soupeser le pistolet, il me parut évident que ces sauvages n'étaient venus au conseil que dans un seul et unique but : s'assurer *de visu* de nos forces et de nos faiblesses.

Après plusieurs tournées de calumet, Tueur-Pawnee s'enquit des raisons de notre présence dans un pays qu'il estimait appartenir à lui-même et aux siens.

Je répliquai que notre mission avait toujours été, et demeurait, une mission pacifique, et que nous étions là pour entretenir de bonnes relations. Mais je rappelai à tous que nous étions aussi de valeureux guerriers et que nous étions prêts à combattre si tel était leur désir. Avant de le laisser répondre, je demandai à Tueur-Pawnee pourquoi il se trouvait si loin au sud de la Platte alors qu'il avait accepté, quelques jours auparavant, de rester au nord du fleuve. Puis je lui demandai pourquoi il avait essayé de voler nos chevaux.

Il souligna que lui et les siens poursuivaient les bisons et qu'ils ne faisaient qu'exercer leur droit de chasser pour leurs familles. Ne sachant qui nous étions, ils avaient décidé de s'approprier nos chevaux pour nous punir d'avoir empiété sur leur territoire; il ajouta que ce n'était qu'une tape sur la main. Le châtiment aurait pu être plus lourd.

Ne souhaitant pas entamer une discussion sur ses véritables intentions, je laissai passer les piètres excuses de Tueur-Pawnee. Je préférai l'informer que, dorénavant, il devrait chasser au nord de la Platte et que, pour être sûrs qu'il s'y tiendrait, nous allions les suivre partout ils iraient, lui et ses amis.

Bien que mécontent, il ne manifesta pas sa mauvaise humeur. Ils grommelèrent entre eux, puis se levèrent. Tout le monde se serra la main, et le conseil s'acheva.

Toutefois, le temps que nos soldats sellent leurs chevaux et les montent, Sioux et Cheyennes étaient déjà loin. Ils restèrent ensemble pour nous conduire en zigzag pendant plusieurs kilomètres, puis, brusquement, ils se divisèrent en groupes de plus en plus réduits qui fonçaient de plus en plus vite avant de s'évanouir dans la nature.

J'étais furieux de m'être encore fait flouer. Pendant que les hommes faisaient chauffer le café, je tins avec les officiers et les éclaireurs une réunion dont il ne sortit rien. Nous n'avions plus qu'à retourner d'où nous venions, encore une fois bredouilles.

Après une longue et brûlante chevauchée, nous atteignîmes le camp en fin d'après-midi, pour découvrir que le fourbe Tueur-Pawnee était revenu sur ses pas afin de saccager notre foyer provisoire.

Les toiles des tentes voletaient dans la prairie, les ustensiles avaient été éparpillés aux quatre vents, et les Indiens avaient volé les objets qui les intéressaient, parmi lesquels le drapeau du régiment. Je retrouvai mes rares objets personnels immergés dans la Republican. Un semblant d'ordre ne fut rétabli dans notre camp qu'à la tombée de la nuit. Mais il n'en allait pas de même de notre fierté. Elle gisait, éparpillée dans la plaine, parmi les restes perdus d'une chasse inutile. Sans connaître de blessés, nous avions été humiliés par un ennemi qui prenait un malin plaisir à nous narguer. Ne supportant pas d'affronter mes hommes, je me retirai sous ce qu'il restait de ma tente, vexé d'être réduit au rôle de victime de moqueries incessantes.

Ma fureur couva toute la nuit et me consumait encore au

réveil tandis que nous attendions, abattus, le retour du major Elliot.

Il arriva avec son détachement le lendemain après-midi, sain et sauf, mais porteur de nouvelles vexantes. Sa dangereuse équipée n'avait servi à rien. Il n'y avait pas de nouveaux ordres, et je ne serais pas resté dans ce camp une minute de plus, quand bien même il eût été établi sur une montagne d'or.

Nous nous mîmes aussitôt en marche pour la Platte, et après deux jours, dont les hauts faits se bornèrent à la besogne déplaisante d'achever des chevaux et des chiens à bout de forces, nous atteignîmes un endroit appelé Riverside Station.

Ce n'était rien d'autre qu'un relais de diligences, mais il y avait assez de réserves pour alimenter les hommes en eau potable et en portions de porc salé. Il y avait surtout suffisamment de chevaux pour remplacer ceux que nous avions perdus. Et, plus important encore, il y avait une ligne télégraphique ; je pus ainsi télégraphier au commandant de Fort Sedgwick.

Sa réponse m'apprit que le major Elliot avait manqué les nouvelles instructions de quelques heures seulement. Le général Sherman en personne avait ordonné que nous cessions nos recherches et que nous nous rendions à Fort Wallace, où nous devions attendre les ordres du général Hancock.

Ayant manqué le major Elliot, le commandant avait envoyé un jeune lieutenant du nom de Lyman Kidder — un nom que je n'oublierai jamais — avec une escorte de onze hommes et un éclaireur sioux, pour me faire parvenir les nouvelles instructions de Sherman. Ce garçon, qui venait juste d'arriver de l'Est, errait désormais quelque part en territoire ennemi.

Comme s'il n'y avait pas déjà assez de problèmes, durant la nuit que nous passâmes à Riverside Station, un complot éclata et trente-quatre hommes, succombant aux attraits de la vie civile, en profitèrent pour faire le grand saut. Les gardes que j'avais postés en prévision d'une telle manœuvre étaient apparemment de mèche avec les déserteurs.

Nous remontâmes la Republican le lendemain matin, dans l'espoir de tomber sur le lieutenant Kidder et son détachement, qui venaient du nord, ou sur un convoi de chariots en provenance de Fort Wallace. Il ne se passa pas un seul kilomètre sans que la cadence accablante de la défaite ne résonnât dans ma tête. Le régiment pour lequel je m'étais battu si longtemps afin d'en faire une force combattante de premier ordre partait en lambeaux.

L'expédition Hancock, dont j'étais le fer de lance, pataugeait en pleine pagaille, défait à la fois par la politique brumeuse du gouvernement et par des cavaliers ennemis particulièrement rusés.

J'avais perdu le contrôle de mes troupes et, pour la seule et unique fois de ma vie, mon esprit en ébullition envisagea la désertion. Seules les images de Libbie me permirent de tenir. Chaque kilomètre le long de la Republican fut un véritable calvaire.

Au repas de midi, treize hommes, que la perspective de la défaite avait, j'imagine, rendus effrontés, décidèrent de déserter au vu et au su de la troupe.

S'emparant de quelques-uns de nos meilleurs chevaux, ils agitèrent leur chapeau pour saluer leurs camarades et partirent tranquillement. Ils étaient encore en vue quand on attira mon attention sur eux et, lorsque je les vis disparaître au loin derrière un monticule, ma fureur explosa soudain, exacerbée par la frustration et le fardeau de la campagne.

Ces treize hommes ne faisaient pas simplement un pied de nez à leurs engagements militaires, ils me ridiculisaient. Si je ne les arrêtais pas immédiatement, si je ne les punissais pas sur-le-champ, aucun de mes ordres ne serait jamais plus exécuté.

J'aurais préféré les poursuivre moi-même, mais cela aurait été aussi malséant que de les laisser s'échapper. J'appelai prestement Tom et le toujours loyal lieutenant Cooke et leur ordonnai de prendre autant d'hommes qu'ils voudraient et de rattraper les déserteurs. Le major Elliot voulut faire partie de l'expédition, et j'accédai à sa demande.

Dès le départ de Tom et de ses hommes, un silence de mort enveloppa le camp. Personne ne parla, peu circulèrent. Après ce qui nous parut une éternité, on repéra des cavaliers. Ils faisaient partie du détachement que j'avais envoyé à la poursuite des déserteurs et, après avoir expliqué que des blessés étaient restés dans la prairie, ils demandèrent un chariot pour les ramener. J'ordonnai qu'on envoie un véhicule, et après une nouvelle attente d'une demi-heure, le chariot reparut à l'horizon avec, à l'avant, Tom, le lieutenant Cooke et le major Elliot.

Sept déserteurs s'étaient échappés. Trois des six restants avaient été tués. En discutant avec les officiers, de retour de leur chasse, je remarquai que notre chirurgien, le docteur Coates, se dirigeait vers le chariot qui transportait les blessés. Je lui ordonnai aussitôt, assez fort pour que tous m'entendissent, de faire demi-tour et je lui interdis d'aider les blessés de quelque manière que ce fût. Je donnai ensuite des instructions pour reprendre la marche et, vingt minutes plus tard, la colonne était repartie.

Les treize fuyards avaient fait partie d'un groupe plus vaste qui s'était préparé à déserter le soir venu. Les conspirateurs croyaient que nous resterions jusqu'au lendemain matin au camp où nous nous étions arrêtés pour déjeuner, ce qui leur eût laissé amplement le temps d'achever les préparatifs pour leur escapade nocturne. Mais l'impatience des treize avait gâché la désertion massive.

Après avoir couvert plusieurs kilomètres, je convoquai le chirurgien et l'autorisai à soigner les blessés. Je lui demandai d'agir discrètement car je tenais à ce que les troupes gardent le souvenir de ce qui attendait quiconque envisageait de déserter. Personne ne s'y risqua plus.

Maintenir la troupe intacte n'était qu'un des nombreux soucis qui assombrissaient mes pensées.

Tout le monde pensait au sort du lieutenant Kidder et de son détachement. Un jeune homme sans expérience, malgré la présence de l'éclaireur sioux, pouvait-il se frayer un chemin en plein territoire ennemi sillonné par des bandes de farouches guerriers ? Cela faisait l'objet de bien des spéculations. Certains soldats allèrent jusqu'à parier sur son sort.

Le télégramme que j'avais reçu de Sedgwick m'informait également des offensives renouvelées sur Smoky Hill Road. Pendant que nous errions, impuissants, à une centaine de kilomètres au nord de l'action, des garnisons étaient régulièrement attaquées tout au long de la route. Comme Fort Wallace était l'une d'elles, le sort du convoi de chariots censé nous rejoindre me tourmentait. Cinquante hommes seulement l'escortaient et si Libbie avait reçu mes lettres, elle était peut-être avec eux. Je détachai un escadron à qui j'ordonnai de rejoindre le convoi à marche forcée.

Mais il y avait pire. Le spectre redouté du choléra était apparu dans l'Est et la camarde avançait le long de Smoky Hill Road. Ce fléau, contre lequel il n'y avait pas de défense, emportait presque tout le monde sur son passage et cette nuit-là, au cours d'un sommeil agité, je fis un affreux cauchemar.

Quelque part, dans un endroit inconnu, Libbie gisait sur le flanc dans son lit, pliée en deux par des crampes abominables ; ses cris atroces résonnaient dans la pièce, tels les hurlements d'un horrible vent implacable.

Ses yeux étaient grands ouverts et sa couche souillée de sueur, de vomissures, d'urine et d'excréments.

Tandis que je restais à son chevet, incapable de l'aider, ses cris se calmèrent peu à peu. Puis, au moment où je croyais la paix enfin revenue dans la pièce, les yeux de ma bien-aimée se dilatèrent et ses cris déchirants reprirent de plus belle.

Je regardais, impuissant, le choléra aspirer cruellement la vie du corps de Libbie. A la fin, elle fut réduite à un squelette gémissant qu'un souffle incertain agitait sporadiquement sur le lit souillé.

Je me réveillai sur le sol de ma tente, une couverture enroulée autour de mes genoux, alors que le jour pointait. Ma première pensée fut d'emmener sans tarder mes hommes loin de cet endroit maudit.

De nombreux chevaux n'étaient qu'à quelques jours de

leur fin; au camp suivant, après avoir creusé pendant des heures, nous trouvâmes juste assez d'eau pour maintenir les hommes en vie. Après une marche de cinquante kilomètres sous une chaleur accablante, aucun des chevaux n'eut une seule goutte à boire.

Je postai des officiers en sentinelle pour la nuit afin d'empêcher d'autres désertions, mais je doute qu'aucun homme pensât encore à s'enfuir. Je crois que tout le monde savait que nous marchions pour sauver notre peau et que la survie dépendait de notre capacité à rester unis.

Le lendemain à midi, les chevaux purent enfin s'abreuver quand nous tombâmes sur la piste qui menait à Fort Wallace. L'eau était si alcaline que nous devions nous boucher le nez pour boire. Les pauvres chevaux, incapables d'accomplir un tel geste, burent quand même.

Un de nos guides, Will Comstock, qui s'était rendu indispensable pendant le voyage, était certain que la piste de Wallace nous apprendrait quelque chose sur le lieutenant Kidder et sa petite troupe, s'ils avaient réussi à parvenir aussi loin. Après quelques kilomètres seulement, nous découvrîmes un premier indice, les traces de dix chevaux ferrés. D'après les empreintes, ils avançaient au pas, ce qui signifiait qu'ils n'étaient pas poursuivis et nous permit d'espérer.

Peu après, nous tombâmes sur un cheval blanc, mort et dépouillé au beau milieu de la piste. En l'examinant de plus près, nous découvrîmes que l'animal avait été abattu et qu'il portait une marque de l'armée. Comme il n'y avait pas de traces de poney autour de la carcasse, nous imaginâmes que le cheval était tombé d'épuisement et avait été achevé aussitôt.

Nous hâtâmes le pas et, trois kilomètres plus loin, nous trouvâmes le cadavre d'un autre cheval sur la route. Cette fois, le sol autour de l'animal racontait une tout autre histoire. Les chevaux du lieutenant Kidder s'étaient mis au galop, poursuivis par des centaines de chevaux non ferrés. Comme le paysage était devenu plat et dégagé, il offrait un terrain propice aux sauvages qui pouvaient facilement encercler et détruire leur proie.

J'aperçus le premier les vautours qui planaient au-dessus du sol à moins de cinq cents mètres. Nous partîmes au galop et, presque aussitôt, une puanteur qui ne trompait pas nous frappa les narines. Nous ne tardâmes pas à apercevoir les corps.

Ils étaient regroupés dans une légère déclivité de la prairie brûlante. Appeler les formes qui gisaient au sol des corps serait exagéré. Les vautours et les loups avaient arraché la plupart des chairs et éparpillé les membres et les appendices dans l'herbe. Des cadavres avaient été brûlés, ce qui indiquait que certains des hommes du lieutenant Kidder avaient été torturés. Nos tentatives d'identification se heurtèrent à l'état des visages. Brisés en morceaux par les haches, ils étaient méconnaissables.

Chaque forme humaine était hérissée de vingt-cinq à trente flèches. L'éclaireur affirma qu'il s'agissait de flèches sioux. Cela se confirma lorsque nous découvrîmes le corps de l'éclaireur sioux. Il s'appelait Perle-Rouge et c'était le seul membre de la troupe dont le visage était intact. Son scalp reposait à côté de lui, une pratique que Comstock identifia comme spécifique aux Sioux s'agissant d'un des leurs considéré comme un traître.

Quand la colonne nous rejoignit, je formai un détachement de fossoyeurs et nous attendîmes dans cet endroit sordide que des tranchées soient creusées, les os rassemblés et les corps enterrés.

Perché sur ma jument Fanchon, je me forçai à regarder le triste rituel et ne pus m'empêcher de penser à la cruauté de l'ennemi. Encore une fois, je rapprochai leur fureur au combat de celle de monstrueux garnements impies.

Nous marquâmes l'endroit d'un monticule de pierres et nous repartîmes au galop. J'avais ordonné à chaque membre de la troupe de contempler le carnage et je suis sûr que la détermination des soldats sortit renforcée du spectacle du massacre.

Ce soir-là, nous dûmes de nouveau creuser pour trouver de l'eau et après la retraite j'accomplis la tâche ingrate d'écrire une lettre aux parents du jeune Kidder. Je leur dis qu'il était mort courageusement, en faisant son devoir, et leur recommandai de se consoler en pensant qu'il était mort pour sa patrie. Je ne parlai pas des atrocités que j'avais vues. Je ne leur dis pas non plus qu'il était mort à cause d'une mission imbécile qu'on n'aurait jamais dû lui confier.

Je pensai au lieutenant Kidder longtemps après avoir rédigé la lettre, ce jeune homme qui n'avait que deux ans de moins que moi, sacrifié inutilement à un ennemi assoiffé de sang.

Ce soir, neuf ans plus tard, le sort de Lyman Kidder me hante encore. Cela aurait aussi bien pu être moi, cet homme réduit à néant, le crâne fracassé, le corps abandonné à une lente décomposition sur une terre hostile.

La vision du massacre m'avait endurci. Désormais, je ne pourrais plus faire de quartier à Tueur-Pawnee ni à ceux de sa race. Depuis ce jour, je n'ai pensé qu'à détruire l'ennemi. Je n'ai jamais touché aux femmes ni aux enfants, c'était pour moi une ligne à ne pas franchir, mais tout Indien mâle qui a levé la main sur moi ou sur mes hommes, je me suis efforcé de l'expédier de vie à trépas car je savais qu'il m'aurait fait subir le même sort si je lui en avais laissé l'occasion.

Je ne peux penser au Kansas sans revoir à la campagne de l'été 1876. Si nous réussissons à rattraper et à cerner les nomades, il en ira sans doute fort différemment que lors de l'expédition le long de la Republican.

Si seulement nous pouvons prendre l'ennemi à la gorge, l'issue ressemblera à celle de la Washita. Le 7e de cavalerie est désormais un régiment aguerri et la désertion ne représente plus le cauchemar que j'ai connu autrefois. En fait, d'après ce que je peux en juger, les hommes brûlent d'en découdre, même si certains doutent de plus en plus d'y parvenir cet été. Et pourquoi ne douteraient-ils pas? Jusqu'à présent, notre séjour sur les plaines du Nord a davantage ressemblé à un vagabondage prolongé qu'à une campagne militaire.

Nous avons essuyé une épouvantable averse de grêle cet

après-midi, mais heureusement elle nous a frappés avant que le camp ne soit installé. Elle a tué deux antilopes qui observaient notre arrivée, mais tout le monde a eu la chance de pouvoir se réfugier sous les arbres et seuls quelques chevaux ont été blessés.

Nous approchons de la rivière Yellowstone, du rendez-vous avec la colonne du colonel Gibbon et du vapeur *Far West*. Tout le monde a le moral, car ce bateau apportera des provisions fraîches et plusieurs sacs qui contiennent le trésor du soldat : le courrier. Connaissant Libbie, je m'attends à ce qu'elle ait trouvé le moyen d'être à bord. Il y aura au moins plusieurs lettres d'elle. J'ai hâte de la voir, de sentir sa joue contre la mienne, mais l'expérience nous a appris à tous deux que si elle ne se montre pas, ce sera pour son bien.

C'est parce qu'elle ne s'est pas montrée ce fameux été 1867 au Kansas qu'elle est encore en vie. Nous rencontrâmes le convoi en provenance de Fort Wallace le lendemain de l'enterrement de Lyman Kidder, et j'appris avec horreur que, les jours précédents, une troupe de Sioux et de Cheyennes l'avait attaqué. Les cinquante hommes qui l'escortaient avaient réussi à repousser les sauvages une grande partie de l'après-midi, mais leurs munitions s'étaient épuisées et ils auraient certainement été submergés sans l'arrivée propice de l'escadron que j'avais dépêché à leur rencontre.

Longtemps auparavant, j'avais ordonné à tous mes officiers, s'ils subissaient une attaque pendant que mon épouse se trouvait parmi eux, de la tuer immédiatement en cas de défaite, la mort étant un sort préférable à la captivité.

Les guerriers indiens sont toujours avides de capturer des Blanches et le sort qui attend celles qui se retrouvent entre leurs mains est innommable. Celle qui n'est pas tuée instantanément avec une cruauté ignoble sera invariablement battue et traitée en esclave. Si elle résiste ou si elle est incapable de remplir ses devoirs, elle devient la cible de représailles charnelles et, après avoir abusé d'elle, ses bourreaux s'en débarrassent.

J'ai réussi à arracher plusieurs Blanches des mains des

Indiens, mais cette libération — en aucun cas un triomphe en soi — n'a jamais pleinement satisfait les captives ni leurs familles. Celles qui reviennent sont, pour la plupart, des loques humaines. Je ne connais pas de femme qui soit revenue intacte de captivité. Les dommages ne peuvent être réparés. Les âmes mêmes des captives ont été brisées et modifiées selon ce qu'elles ont subi. Elles sont vouées à porter les cicatrices de leur supplice pendant le restant de leurs jours.

Je ne saurais accepter que cela advienne à Libbie. Je ne lui ai jamais parlé des ordres que j'avais donnés à mes officiers, mais elle savait très bien qu'elle prenait les mêmes risques que moi en venant me rejoindre. Je crois aussi qu'elle se savait trop délicate et trop douce pour survivre à une telle catastrophe.

En retenant mon souffle, je demandai au lieutenant si Libbie était dans le convoi.

— Non, mon général, répondit Robbins, et nous n'avons aucune nouvelle d'elle.

C'était comme si le nuage de mauvais augure qui masquait le soleil venait de passer. Mais mon soulagement fut de courte durée car le lieutenant poursuivit son rapport. La Smoky Hill Road était pratiquement en flammes. Tous les relais de diligences avaient été plusieurs fois attaqués au cours des deux dernières semaines et Nez-Aquilin avait même tenté de s'emparer de Fort Wallace la semaine précédente. Nos troupes l'avaient affronté en corps à corps; même si la garnison avait repoussé l'assaut, nos soldats avaient eu plusieurs tués, sept blessés, et la moitié des chevaux avaient été massacrés ou capturés.

Les rumeurs de choléra qui hantaient les esprits depuis longtemps avaient été confirmées. L'épidémie n'était pas encore à son sommet et n'avait pas atteint Fort Wallace, mais elle faisait son apparition partout le long de Smoky Hill Road.

Je décidai de rejoindre Wallace à marche forcée. Nous poussâmes hommes et montures et traînâmes les chariots récalcitrants par-dessus tous les obstacles dans notre hâte de parvenir à destination.

Avec à peine assez d'énergie pour mettre un pied devant l'autre, les troupes établirent enfin un camp de fortune à deux kilomètres à l'ouest de Fort Wallace, le 13 juillet 1867. Nous avions marché en territoire ennemi pendant près de six semaines, fouillant une étendue de plus de mille kilomètres.

Je me rendis à cheval au fort et demandai à son commandant, le capitaine Keough, de me décrire l'état actuel des lieux ainsi que les événements des dernières semaines. Libbie n'était pas à Wallace, il n'y avait pas non plus de lettres d'elle, et je compris aussitôt que mon courrier ne lui était pas parvenu.

Nul ne savait où se trouvaient le général Sherman et le colonel Smith, mon supérieur immédiat. On croyait que le général Hancock était dans la ville de Denver, mais il n'avait laissé aucune instruction.

Les fils télégraphiques étaient coupés et le service de diligences interrompu à cause des attaques des relais.

Le choléra n'avait pas encore frappé, mais on l'attendait du jour au lendemain.

La garnison avait encore des provisions, de qualité inférieure, et la nourriture se faisait rare. Il n'y avait pas de quoi stopper la débandade.

Et il n'y avait pas un seul cheval pour remplacer nos montures exténuées.

Je ne pouvais pas rester les bras croisés à attendre que les choses s'aggravent. J'avais encore la force et la volonté d'agir. Il fallait impérativement réapprovisionner le fort, et pour cela rétablir les communications avec les autorités susceptibles d'apporter un changement. Au lieu d'attendre une intervention divine, je décidai de partir au plus vite. Je réunis les hommes les plus aptes pour nous lancer vers l'est à marche forcée. J'en choisis soixante-quinze parmi plus de cent volontaires, et je pris les meilleurs chevaux restants.

Libbie accaparait mon esprit plus que tout le reste et, bien que je fusse prêt à donner une fois ma vie pour mon pays, je l'aurais gaiement donnée cent fois pour assurer le bien-être de ma chère épouse. Il fallait que je sache si elle était saine et sauve.

Nous partîmes le 15 juillet au coucher du soleil, décidés à couvrir le plus rapidement possible les deux cent quarante kilomètres qui nous séparaient de Fort Hays. Ce serait une marche ininterrompue et les difficultés qui nous attendaient devaient être claires pour tous les volontaires. Voyager de nuit ne nous donnait aucun avantage réel sur les bandes ennemies car le capitaine Keough m'avait informé que, la route grouillant d'Indiens, personne, encore moins une troupe de notre taille, ne pouvait faire un kilomètre sans être repéré. S'approcher des relais de diligences la nuit était en fait dangereux en soi, car les hommes qui les protégeaient étaient prêts à ouvrir le feu sur tout ce qui bougeait dans le noir.

Nous partîmes néanmoins au coucher du soleil parce que, en dépit de ces difficultés, il était essentiel d'épargner aux hommes et aux chevaux la chaleur accablante du jour, notre pire ennemi.

Le lendemain à midi, nous avions atteint un point sur la ligne des diligences appelé Downer's Station. Outre ses forces habituelles, il était gardé par une troupe d'infanterie.

Contrairement aux instructions précises, certains de nos hommes traînaient à l'arrière depuis l'aube et lorsque j'appelai Fanchon je m'aperçus, furieux, que l'homme qui la menait était très attardé sur la route. A ce stade, tout délai était intolérable, mais le cheval que je montais ne pouvait plus avancer. Je n'avais pas d'autre choix que d'envoyer un détachement chercher ma jument.

Après avoir attendu plus d'une demi-heure, je vis arriver au grand galop les membres du détachement. Ils m'informèrent que nos traînards avaient été attaqués par un petit groupe d'Indiens. Au lieu d'organiser la défense et de repousser leurs agresseurs, les imbéciles s'étaient enfuis et deux hommes avaient été tués.

Heureusement, Fanchon était saine et sauve et j'avais de nouveau une monture fraîche. Chaque minute comptant, je n'avais pas l'intention de pourchasser un ennemi qui, sans nul doute, s'était fondu dans la nature après son attaque. Quant aux morts, je laissai des instructions aux fantassins pour qu'ils retrouvent les cadavres et se chargent de les enterrer.

Nous continuâmes vers l'est et nous arrivâmes à Fort Hays le lendemain matin à trois heures, après avoir parcouru deux cent quarante kilomètres en cinquante-cinq heures.

Là, j'appris que le colonel Smith était à Fort Harker, à cent kilomètres à l'est. Laissant le gros de mes troupes se reposer, je me remis en selle avec le lieutenant Cooke, Tom et deux engagés. La région était relativement peu dangereuse et, après douze heures de vive chevauchée sans incident, nous arrivâmes à Fort Harker. Le télégraphe marchait; je fis donc parvenir les tragiques nouvelles du groupe Kidder à Fort Sedgwick.

Je cherchai ensuite les quartiers de mon supérieur, l'aimable colonel Smith, et le tirai du lit. Je lui narrai brièvement les mésaventures de notre longue équipée et l'informai des conditions régnant à Fort Wallace. Je lui dis aussi que le capitaine Hamilton arriverait sous vingt-quatre heures avec le reste de mon escorte. Ils prépareraient le convoi qui devait apporter des vivres et des médicaments à Fort Wallace. Finalement, je lui demandai des nouvelles de Libbie, et il m'apprit que ma femme était en sécurité à Fort Riley, à cent cinquante kilomètres plus à l'est.

Sachant qu'il faudrait au moins deux jours pour charger les chariots, je demandai au colonel la permission de profiter de ce laps de temps pour aller voir ma femme. Fort Harker était à l'époque le terminus de la ligne de chemin de fer, et on m'avait assuré qu'un train pour l'est partirait à trois heures.

— Vous ne voulez pas dormir? s'étonna le colonel.

— Je préfère voir ma femme, mon colonel.

Il me sourit paternellement et me dit :

— Bien sûr, mon garçon, je vous comprends.

Il insista pour m'accompagner à la gare, et j'attendis avec

impatience pendant qu'il s'habillait. Après les innombrables épreuves des six dernières semaines, l'idée de rater le train m'était insupportable, mais la locomotive était encore là quand nous parvînmes à la gare et, à mon grand soulagement, nous partîmes à l'heure.

Je ne me souviens pas d'un voyage aussi long que les cent cinquante kilomètres de Fort Harker à Fort Riley. Quand, juste avant l'aube, j'aperçus enfin les lumières du poste, mon cœur se mit à battre la chamade.

Je devais avoir une drôle d'allure lorsque je surgis dans le fort, couvert de poussière, cherchant ma femme partout. Je ne tardai pas à trouver son adresse, et j'entrai chez elle sans tarder.

Il y avait du bruit dans la cuisine; Eliza tisonnait le four. Elle porta les mains à sa poitrine en me voyant. Sa mâchoire parut tomber jusqu'à terre, mais fort heureusement elle eut le souffle coupé et ne proféra aucun son qui eût dévoilé ma présence. Avant qu'elle se ressaisisse, je la pris dans mes bras et lui bâillonnai la bouche d'une main.

— Où est ma jolie? demandai-je dans un murmure.

Eliza leva les yeux au plafond.

Je la quittai après lui avoir recommandé de ne laisser entrer personne, et je montai sans bruit les quelques marches qui menaient au premier étage. La porte de la chambre à coucher était entrouverte, je me faufilai à l'intérieur. Je restai un instant dans la pénombre et regardai les lueurs de l'aube pénétrer dans la pièce comme une lampe qui s'allumerait lentement. Je distinguai la frêle silhouette qui dormait paisiblement.

Ne voulant pas la réveiller, j'allai sur la pointe des pieds jusqu'à une chaise. Je posai soigneusement mon chapeau par terre, ôtai ma tunique et m'assis le plus doucement possible. Je parvins à retirer mes longues bottes sans faire de bruit, puis je me débarrassai de mes sous-vêtements, rampai jusqu'au lit, soulevai la couverture et me glissai contre la chemise de nuit de ma belle.

Elle remua, mais avant qu'elle se fût complètement

réveillée, je la pris dans mes bras, l'attirai à moi et lui soufflai à l'oreille :

— Tout va bien, Libbie, c'est moi.

Bien que surprise, elle était trop endormie pour avoir l'énergie de crier ou de gémir. Elle roula sur le côté et, sans ouvrir les yeux, ne cessa de murmurer : « Oh, mon Dieu », tout en me couvrant de baisers.

Les frustrations des quarante-cinq derniers jours s'évaporèrent avec l'odeur de sa peau, le goût de ses lèvres, la caresse de ses doigts. Ces premiers moments des retrouvailles étaient les plus merveilleux que des amants pussent rêver. Avec une volonté inébranlable, un entêtement tenace, j'avais récupéré ma vie. Elle était là, contre moi, sous la forme d'une âme dont l'existence nourrissait la mienne, le seul être avec lequel je me sentais entier et vivant par le simple miracle de sa présence.

Les baisers empressés en réclamèrent d'autres, chacun plus long et plus profond que le précédent tandis que nous nous abandonnions à la pureté divine des caresses. Je ne sais combien de temps nous fîmes l'amour ce matin-là. Je sais seulement que nous le fîmes avec une liberté incomparable, sans l'entrave des paroles, des souvenirs, ou d'une quelconque envie d'autre chose.

Combien de minutes s'écoulèrent tandis que nous restions allongés, écoutant la douce respiration de l'autre, je ne m'en souviens pas non plus, mais ma mémoire se moque des détails, seule comptait notre réunion en tant que telle, d'un abandon si romantique qu'elle se noyait dans un tout amoureux. Cette simple réunion fournit une étincelle suprême, dont le souvenir a fait davantage pour vivifier notre mariage que n'importe quel événement de son histoire. Rien, aucun obstacle, quels qu'en soient les effets dévastateurs, ne pourra jamais effacer ce matin de juillet à Fort Riley, au Kansas. Libbie en parle souvent comme de « notre jour parfait », une description on ne peut plus adéquate.

La réalité reprit le dessus, mais le souvenir de son retour est aussi flou que le reste. Nous nous mîmes à parler, mais je n'arrivais pas à garder les yeux ouverts et, après trois jours et demi sans dormir, je sombrai dans le sommeil, probablement au milieu d'une phrase.

Je refis surface dans l'après-midi, réveillé par une odeur de nourriture. J'ouvris les yeux et découvris Libbie assise sur le bord du lit avec un plateau d'œufs et de pommes de terre, un demi-pain cuit par Eliza et une cafetière brûlante.

Adossé au mur, le plateau sur mes genoux, je dévorai chaque morceau succulent, Libbie allongée à côté de moi. Nous devisâmes gaiement et, à peine la dernière bouchée engloutie, je me rendormis.

Lorsque je me réveillai pour la seconde fois, j'étais seul mais complètement revigoré. Les ombres de la fin d'aprèsmidi emplissaient déjà la pièce quand j'enfilai un uniforme propre et dévalai l'escalier. En bas, je trouvai ma Libbie dans la cuisine avec Eliza.

Au lieu de sourire, elle arborait un visage soucieux et me remit un télégramme qui venait d'arriver. Il émanait du colonel Smith et m'ordonnait de revenir à Fort Harker sur-le-champ.

Incapables d'imaginer la cause d'une telle urgence, nous fîmes prestement nos bagages et courûmes à la gare pour prendre le premier train en partance. Notre angoisse et notre appréhension furent prolongées par divers retards dus à des perturbations sur la voie, et nous n'arrivâmes pas à Fort Harker avant le lendemain soir.

Inquiets, nous nous rendîmes au quartier général du commandant, où nous découvrîmes que le colonel Smith, d'habitude si cordial, et avec qui nous avions toujours été dans les meilleurs termes, était entouré d'officiers dont les visages étaient aussi pâles et graves que le sien. Il accueillit Libbie avec raideur et lui demanda de se retirer le temps d'avoir un entretien avec moi. J'insistai pour qu'elle reste.

Le colonel s'assit derrière son bureau, feuilleta quelques pages d'un document officiel, puis leva les yeux vers moi.

— J'ai le regret de vous informer que vous êtes en état d'arrestation, déclara-t-il.

J'étais trop abasourdi pour parler. Le colonel poursuivit :

— Vous êtes accusé d'avoir quitté votre poste sans autorisation.

— Qui porte ces accusations ? demandai-je.

Le colonel soupira tristement, s'éclaircit la gorge.

— Moi-même, admit-il à regret.

8-10 juin 1876

Les grands desseins du général Terry m'exaspèrent. Sur le papier, son plan semble inattaquable. La colonne de Gibbon descend du nord, nous arrivons de l'est, et Crook du sud. Ensemble, nous poussons les nomades vers l'ouest où nous les encerclons en ne leur laissant que deux issues : combattre on se rendre.

La stratégie paraît sans faille, mais son importance même me rend dubitatif. Nous sommes sur le terrain depuis près de trois semaines, nous explorons une région qui n'a pas vu l'ombre d'un Indien depuis des mois, nous ne faisons qu'errer, apathiques, dans une étendue déserte.

Nous installons nos filets avec une lenteur qui évoque le goutte à goutte d'une cruche qui fuit. Pendant que nous avançons pas à pas, fouillant en chemin chaque vallée désolée, l'herbe qui pousse renforce nos ennemis de jour en jour.

Ils seront au sommet de leur forme quand nous les rattraperons. Nous devrions foncer droit sur eux, mais non, nous furetons à droite et à gauche, imitant les méandres d'un ruisseau paresseux, dans l'espoir chimérique que nos trois colonnes pataudes, en convergeant, on ne sait comment au moment opportun, resserreront le nœud avant que l'ennemi s'aperçoive qu'on lui a passé la corde au cou.

Je suis déchiré. Comme c'est le seul plan que nous ayons, je suis entièrement disposé à jouer mon rôle pour qu'il soit exécuté en vue du succès.

En même temps, il me paraît d'une lenteur imbécile, rêverie d'opiomane d'un quelconque bureaucrate dont l'activité la plus échevelée consiste à frotter le cul de son pantalon contre sa chaise, produisant ainsi un lustre glorieux.

Mon inconfort est encore aggravé par la certitude que le plan colossal de notre armée est miné par les vrilles presque invisibles de centaines d'intrigues politiques. Effectué à plusieurs milliers de kilomètres de distance, ce travail de sape affaiblit notre campagne aussi sûrement qu'un virus à l'insu du malade.

Bien qu'ayant déjà subi plus d'une fois ces sombres et insidieuses influences, je dois admettre que je n'ai jamais été capable de les prévoir entièrement.

Ces mêmes influences que je sens aujourd'hui à l'œuvre furent responsables de ma disgrâce au Kansas. Comme maintenant, je l'avoue avec regret, j'étais naïf, inconscient, et j'ignorais leur présence... jusqu'à ce que j'en sois frappé avec la force d'une étoile filante. Ce n'est peut-être pas dans ma nature, mais malgré tous mes efforts, je n'ai jamais été capable de prévoir un traquenard politique avant d'y avoir mis le pied.

Après ce fameux été au Kansas, j'ai appris à vaincre les ennemis indiens, mais ceux qui hantent les arcanes du pouvoir ont toujours eu une longueur d'avance sur moi. J'en suis réduit à me dire que je n'ai pas pu m'améliorer à ce jeu parce que les cartes que j'ai eues en main ont toujours été distribuées par les puissants. J'ai néanmoins joué chaque partie consciencieusement, trop peut-être.

Ce qui m'est arrivé au Kansas continue de me hanter parce que je me sens aussi vulnérable aujourd'hui que je l'étais alors. Peut-être même davantage.

J'ai déjà décrit ce qui se déroula au Kansas, mais de manière à en révéler le moins possible tout en satisfaisant l'appétit des lecteurs. Aujourd'hui, j'écris pour moi et j'espère qu'en couchant ces événements noir sur blanc je pourrai me débarrasser des fantômes du passé.

Le colonel Smith m'avait ordonné de prendre le prochain train pour Fort Riley et d'y rester en résidence surveillée pendant que la machine judiciaire qui m'enverrait en cour martiale commencerait son long et interminable broiement.

Je pris donc le train avec Libbie. Par moments, nous ne pouvions croire à la bombe qui venait d'éclater dans notre vie; à d'autres, nous étions outrés qu'elle eût pu éclater. D'où provenait la bombe et quels dégâts elle risquait de causer, c'étaient là des questions auxquelles nous étions incapables de répondre. Mais nous décidâmes dès le début de sauver la face en public.

Bien que nous ne pussions prétendre que rien ne s'était passé, nous tenions à ce que notre famille, nos amis et surtout les étrangers ne nous regardent pas comme des victimes. Nous nous promîmes que, quelles que soient les suites, nous garderions la tête haute.

En fait, au début, le manque d'informations joua en notre faveur et, lorsque nous descendîmes du train à Fort Riley, notre moral était au plus haut.

Pour chaque personne qui se réjouirait de notre infortune, nous étions certains qu'il y en aurait une pour prendre notre défense. Les accusations seraient peut-être abandonnées, ou balayées. Il revenait à Ulysses Grant, alors général en chef de l'armée, d'ordonner la cour martiale, une décision qu'il n'était peut-être pas disposé à prendre. La partie venait à peine de commencer, et c'est avec un moral serein que nous nous installâmes dans notre petite maison proprette, théâtre de la scène de notre « jour parfait ».

Mais à mesure que les longues heures de l'été s'écoulaient, les nouvelles qui arrivaient jour après jour nous laissaient de moins en moins d'espoir d'un avenir radieux.

Le tableau général des circonstances ayant conduit à cette calamité devint bientôt clair. Je compris, avec une certitude croissante, que j'étais tombé à mon insu dans une toile embrouillée dont j'avais peu de chances de me sortir.

J'appris rapidement que le colonel Smith n'avait pas porté les charges contre moi de son propre chef. Il avait agi sur l'insistance du général Hancock. La raison pour laquelle le commandant de l'expédition était si pressé de porter des accusations, fondées en réalité sur un argument de droit, devint aisément compréhensible dès que je commençai à me mettre au courant des nouvelles du pays.

Les journaux de l'Est avaient publié des rapports quotidiens sur le débat national entamé avec le début de la campagne. A l'origine, ce débat était resté confiné aux querelles sur la politique pacifique confuse à l'égard des Indiens, mais quand l'expédition avait commencé à s'embourber dans une campagne infructueuse, le mécontentement des politiciens des deux camps avait déclenché une guerre verbale qui était vite devenue nationale.

Certains membres du Congrès enflammèrent leur électorat en accusant l'expédition Hancock de tondre les contribuables au rythme de cent cinquante mille dollars par jour. Ces accusations expliquaient *a posteriori* la position agressive du général Sherman lors de nos entretiens successifs du mois de juin à Fort McPherson. Il m'avait plusieurs fois encouragé à engager le combat avec les Indiens. Bien qu'il n'eût pas mentionné le débat national à l'époque, le général avait en fait délivré un avertissement politique que je n'avais pas su entendre.

Alors que, pendant la marche vers Fort Wallace, mes hommes n'avaient fait que puiser assez d'eau pour survivre, l'opinion publique rejoignait le camp de ceux qui qualifiaient l'expédition Hancock de gouffre financier. Les répercussions de ces épanchements se propagèrent jusqu'à la Maison-Blanche et ternirent l'administration du président Johnson à la veille d'une année électorale.

En tant que chef de l'expédition, le général Hancock faisait une cible de choix pour les deux camps qui s'entre-déchiraient pour savoir s'il fallait ou non faire la paix avec les Indiens. Il occupait une position à haut risque, et la tentation de reporter l'attention sur une cible encore plus voyante devint trop forte. En dirigeant les attaques vers quelqu'un dont le nom était connu de quasiment tous les Américains, il pouvait, du moins temporairement, repousser les flammes qui l'assaillaient de toutes parts.

Mais à peine avais-je emmagasiné ces révélations qu'une autre bombe nous explosait au visage. Le capitaine Robert

West, de longue date membre de mon régiment et chaud partisan de la clique anti-Custer, avait porté de nouvelles accusations contre moi. Celles-ci concernaient la poursuite, la fusillade et le prétendu refus de soins médicaux aux six déserteurs, dont l'un avait fini par mourir à Fort Wallace.

Ces nouvelles charges choquèrent tout le monde. Au haut commandement, certains craignirent un retour de bâton à cause de l'intérêt croissant de l'opinion publique pour l'affaire. Fusiller les déserteurs avait longtemps été dans l'armée une politique tacitement acceptée. Mais parce que cette politique n'était pas écrite, et parce que la discrétion était toujours observée dans ces cas, je n'avais aucun moyen de m'opposer à ces accusations, sauf devant un tribunal militaire.

Je compris aussitôt ce qui les avait provoquées. La participation du capitaine West à la clique anti-Custer était un fait que j'avais admis sans rancœur, ayant appris à accepter l'animosité comme une caractéristique naturelle de la vie militaire. Tout le monde sait qu'aucun officier ne peut se flatter d'être aimé de tous les membres de ses troupes et que les hautes responsabilités entraînent leur cortège de détracteurs. Le capitaine West était un bon soldat qui exécutait les ordres avec promptitude et efficacité mais, malheureusement, il faisait partie de ceux dont la carrière et le caractère avaient gravement souffert de leur incapacité à décoller leurs lèvres de la bouteille.

Il avait plusieurs fois frôlé dangereusement l'intoxication pendant notre traversée du Kansas et je n'étais pas disposé à lui confier des responsabilités autres que de pure routine. Je l'avais envoyé à Wallace pour œuvrer à l'organisation du convoi de ravitaillement et assurer son escorte, mais mon appréhension fondée sur son amour de l'alcool était telle que j'avais désigné le lieutenant Robbins comme responsable de l'entreprise à la place du capitaine West. J'avais pris cette décision en tenant compte de l'intérêt supérieur de la troupe, bien que sachant qu'elle alimenterait son hostilité envers moi, déjà considérable.

J'ignore si son hostilité eut des effets sur son comportement à notre arrivée à Fort Wallace, mais le capitaine West se saoula avec une telle ardeur qu'il devint inapte pour quelque mission que ce fût et je n'eus d'autre choix que de le mettre aux arrêts, ce qui n'arrangea pas nos relations.

Une des caractéristiques de la clique anti-Custer a toujours été la propension inépuisable de ses membres à nourrir des rancunes. Dans le cas du capitaine West, j'imagine que l'alcool l'avait enhardi et qu'une crise de dépit l'avait poussé à porter de graves accusations contre moi. En définitive, elles ne pesaient pas lourd et ne firent qu'embarrasser l'armée. Mais elles eurent pour moi un effet néfaste durable car elles convainquirent une certaine partie du public que j'étais d'une cruauté excessive.

Pendant ce temps-là, nous recevions visite sur visite dans notre petite maison de Fort Riley. C'était un défilé permanent d'amis de toujours, porteurs de déclarations de soutien. De temps en temps, un étranger venait présenter ses respects. Des mots manuscrits d'alliés militaires stationnés dans des bases lointaines me permettaient d'évaluer le soutien, ou son absence, parmi le corps des officiers. Nombre d'amis de l'Est vinrent cet été-là nous apporter leur réconfort moral, certains restant même plusieurs semaines.

En contact permanent avec moi, le général Sheridan, qui avait acquis une position privilégiée après la Grande Guerre, m'assurait de son appui et promettait de faire tout son possible pour exercer une influence positive sur le déroulement de la procédure. Néanmoins, nous savions tous deux, sans jamais le formuler, qu'en dépit de son pouvoir les rouages de cette singulière forme de justice échappaient à son contrôle.

Nous suivîmes attentivement les éditoriaux des journaux qui affichaient une grande diversité d'opinions concernant mon arrestation et les accusations portées contre moi. Certains prétendaient que toute l'opération se résumait à des accusations mineures et qu'elles devraient être rapidement abandonnées, tandis que d'autres ne me pardonnaient pas mon soutien affirmé et précoce au président Johnson. J'étais effaré et déprimé par les rapports souvent malhonnêtes des faits élémentaires de mon affaire, un journal n'hésitant pas à raconter que j'avais fait fusiller des hommes que je soupçonnais de *vouloir* déserter.

Je ne pouvais m'empêcher d'être brûlé par le vitriol qu'on déversait sur moi, et même si je sauvais la face, les attaques personnelles, surtout lorsqu'elles mettaient en cause mes mérites de soldat, me rendaient, on le comprendra, triste et amer.

Libbie ne manquait jamais de me remonter le moral et me rappelait constamment qu'après avoir affronté tant de balles réelles je n'avais rien à craindre de ces « balles de papier ».

L'attente de la décision du général Grant était interminable, mais nos espoirs finirent par s'effondrer le 27 août quand il ordonna la constitution d'une cour martiale qui devait se réunir à Fort Leavenworth et ouvrir le procès le 17 septembre 1867.

Fort Leavenworth servait de QG au général Hancock, et aucun d'entre nous ne pouvait croire que le procès se déroulerait en sa présence. Nous avions vu juste. Cinq jours avant que la cour se réunisse, le général Hancock fut transféré hors du district, ce qui le mit effectivement à l'abri des critiques et me laissa seul pour affronter les accusations.

Le général Sheridan fut nommé en remplacement de notre ancien commandant, un fait nouveau qui fut bien perçu par toutes les parties, même s'il était clair à ce moment-là que, s'agissant de mes propres difficultés, il avait les mains liées.

Depuis que j'avais été relevé de mon commandement, les Indiens avaient accru l'envergure et la férocité de leurs attaques, et je trouvais ironique que la politique gouvernementale commençât au même moment à pencher finalement en faveur de la paix. C'était même doublement ironique à la lumière de l'affectation du général Sheridan, car il était considéré comme le commandant le plus combatif de l'armée, une réputation en tout point comparable à la mienne.

On avait désigné pour ma défense le capitaine Charles Parsons, un camarade de West Point. Tandis qu'il préparait le procès avec Libbie et moi, il nous apparut à tous trois que les preuves éventuelles influenceraient moins la décision finale que la composition de la cour elle-même.

J'étais légalement coupable d'avoir quitté mon poste sans autorisation — d'après le témoignage du colonel Smith —, mais ce genre d'acte était fréquent chez les responsables nommés sur la frontière. L'insinuation sous-jacente selon laquelle je m'étais absenté uniquement pour rejoindre mon épouse était autrement plus grave, surtout si la composition de la cour m'était défavorable.

Nous nous inquiétâmes peu des accusations du capitaine West. Tout le monde pensait que l'armée ne pouvait abandonner une politique solidement implantée dans le seul but de me condamner et qu'il était impossible qu'on ose appeler à la barre des témoins le capitaine West, désormais aux prises avec le delirium tremens.

Quand le procès débuta et que fut connue la composition de la cour, nos pires craintes se confirmèrent. Sur les dix membres, la moitié avait auparavant servi sous les ordres du général Hancock. Parmi les juges restants, un officier avait été attaché à l'intendance et avait, à ce titre, reçu maintes plaintes de ma part. Plus grave était le fait que certains officiers sélectionnés pour siéger étaient mes inférieurs en rang, choix contraire aux usages militaires.

Nous protestâmes vigoureusement, mais, comme pour nos autres objections, celle-ci fut rapidement balayée et le procès commença.

Même si je savais depuis le début que je serais condamné, la constitution de notre défense m'absorba tellement que je ne pus m'empêcher d'espérer une issue favorable. Pendant plus de trois semaines, je me jetai de toute mon âme dans le rôle de l'accusé; je suivis avec minutie tous les témoignages, je préparai les questions à poser aux témoins, j'enregistrai chaque réaction des juges. Je m'étais si totalement immergé dans la procédure que j'eus vite l'impression d'avoir passé ma vie derrière le long bureau éculé qui trônait sur le plancher poli d'une pièce nue, dans un bâtiment austère de Fort Leavenworth.

Je jetais parfois un regard par la fenêtre et me perdais momentanément dans la contemplation du ciel. Même le cycle naturel des saisons semblait contre moi. La lugubre campagne de l'été était terminée. Avec l'arrivée de l'hiver, les ennemis cesseraient leurs attaques et l'armée réduirait ses opérations. D'un point de vue militaire, je ne m'étais jamais senti aussi vulnérable.

Les jours se succédèrent sans apporter de surprises. Les seuls événements qui ralentirent la machinerie pesante de la justice furent les absences sporadiques des membres de la cour. Même l'accusé contribua au ralentissement à cause d'un gros furoncle qui dut être incisé à deux reprises, provoquant un ajournement de deux jours.

Comme le procès avançait pesamment vers sa conclusion, je m'attaquai à la rédaction d'une déclaration finale, exercice incroyablement difficile tant j'étais convaincu de son inutilité. Chaque jour nouveau avait accru ma certitude que la cour était soucieuse de prononcer davantage un arrêt politique qu'un arrêt juridique, et qu'aucune preuve, aussi irréfutable fût-elle, n'infléchirait la décision de mes juges.

Ma déclaration finale, que le capitaine Parsons lut avec beaucoup d'éloquence, était fort longue. Il est inutile de la reprendre ici *in extenso* — les minutes du procès sont accessibles à tous.

Mais j'ai conservé les dernières lignes de ma déclaration jusqu'à ce jour car elles résument bien mes sentiments et je crois que le document lui-même reflète mieux l'état de mon âme que les souvenirs que j'en ai.

Après avoir relaté en termes respectueux et minutieux l'absurdité des charges pesant sur moi, je concluais ainsi :

« Je ne me suis jamais absenté de mon poste sans permission, comme l'accusation le prétend. Je n'ai jamais épuisé ni d'aucune manière utilisé mes hommes pour satisfaire mes désirs ou mon intérêt personnel — comme l'accusation le prétend — ni n'ai jamais trop exigé de quiconque, comme l'accusation le prétend, sinon lorsque le devoir l'imposait.

« Je n'ai jamais utilisé de transports gouvernementaux, comme l'accusation le prétend, sauf ceux qui sont universellement reconnus comme revenant de droit à un officier. Je n'ai jamais fui l'ennemi, comme l'accusation le prétend, ni manqué de porter secours à un ami en péril, comme l'accusation le prétend, ni laissé sans sépulture le moindre soldat tombé au combat sous mon commandement, comme l'accusation le prétend. Je n'ai pas davantage pris la responsabilité d'une seule action sommaire sans que la situation l'exigeât, comme l'accusation le prétend. Enfin, je n'ai jamais laissé un homme souffrir, comme l'accusation le prétend, quand, par mon autorité, j'aurais pu le soulager.

« Aussi, si je me sens coupable d'une ou de toutes les accusations, croyez bien que c'est un sentiment dont je ne suis pas conscient. »

Le verdict fut : coupable de toutes les accusations ; la sentence : suspension de rang et de solde pendant un an. Le jugement fut automatiquement transmis au général Grant pour examen et, un mois plus tard, il publia un communiqué dans lequel non seulement il approuvait le jugement mais, ajoutant l'insulte à l'offense, allait jusqu'à s'étonner de la clémence du verdict.

Bien que tous deux affectés par ce qui venait de se passer, nous décidâmes, Libbie et moi, de ne donner à personne la joie de nous reléguer au rang de parias. Bien qu'en rupture d'armée, je résolus de rester à Leavenworth, ne fût-ce que pour démontrer publiquement que nous n'étions pas défaits, du moins jusqu'à l'arrivée du général Sheridan.

Aucun revers ne m'a jamais affecté très longtemps, et je ne me souviens pas d'un seul échec sur cette terre qui ne m'ait incité à réagir. Avoir été jugé coupable de délits dont beaucoup dans l'armée comme dans le civil pensaient qu'ils n'auraient jamais dû m'être reprochés affermit encore ma détermination à faire front. Au fond de mon cœur brûlait un violent désir de relever ce que je percevais comme un défi plutôt que comme une défaite. Si on me donnait l'occasion de revenir, je savais que je le ferais avec un enthousiasme renouvelé et une ardeur au combat sans faille.

Cela dit, je dois aussi admettre que nous vécûmes, Libbie et moi, une double vie pendant la plus grande partie de l'année suivante. Ouvertement, nous recevions avec notre bonne humeur habituelle des visites d'amis militaires et d'amis de l'Est. L'atmosphère légère que nous créâmes et que nous maintînmes eut l'effet recherché sur ceux avec qui nous entrâmes en contact.

Des officiers, jeunes ou vieux, des journalistes, des candides, et même des passants, m'assuraient constamment que mon procès et son verdict étaient grotesques et que le temps ne saurait tarder où on me rétablirait dans mes fonctions.

Même si je ne décourageais jamais ces marques de sympathie, je me lassai vite des constantes prédictions sur mon avenir glorieux et je dus lutter contre la tentation de me laisser submerger par la mélancolie.

La situation, telle que je la percevais, était bien plus précaire que beaucoup ne le croyaient. Quand nous étions enfin seuls, je tombais souvent dans une humeur contemplative que je pouvais cacher à tous sauf à Libbie, qui guettait mes états dépressifs et s'efforçait de les combattre au plus vite.

Je savais que ses interventions partaient d'un bon sentiment, et pourtant elles m'irritaient de plus en plus. Elle voulait sans cesse s'informer de mes pensées secrètes, et plus elle me questionnait, plus j'étouffais. Je voulais donner à mes blessures le temps de cicatriser, ouvrir les vannes de la douleur et laisser son flot nettoyer mon chagrin. S'il n'avait tenu qu'à moi, je serais parti à l'autre bout de la terre et j'aurais attendu en silence que mes plaies se referment. Mais la double vie que nous avions construite et notre mariage lui-même m'interdisaient de réaliser mon vœu.

J'étais désormais un général sans commandement, un soldat inactif et sans ressources dont l'avenir, malgré les assurances de ses amis et de sa famille, était voilé. J'étais un héros national brusquement soustrait aux feux de la rampe, non en vertu d'une mort au champ de bataille mais des stigmates de ses méfaits. Il ne me restait plus qu'à sourire les dents serrées en espérant qu'on lève, j'ignorais comment, ma suspension. Extérieurement, j'étais toujours l'intrépide Autie, mais j'étais à la dérive, amer et triste. On m'avait dépouillé de ma réputation et de mon rang, on m'avait arraché tout ce que j'avais si justement gagné. Tout en m'efforçant de donner le change, je maudissais intérieurement chaque minute de chaque jour.

Le général Sheridan prit son commandement en décembre et il eut aussitôt un geste chevaleresque d'une charité étonnante, ce dont ma famille et moi-même lui serons éternellement reconnaissants. Il insista pour que nous occupions sa résidence officielle à Fort Leavenworth, ce qui releva notre moral au-delà de toute espérance car c'était un geste hautement symbolique qui montrait à tous et à toutes qu'un des plus hauts gradés de l'armée se rangeait à nos côtés.

En privé, le général Sheridan me déclara qu'il désirait mon retour à la tête de mes troupes le plus vite possible. Il alla jusqu'à dire que je lui étais indispensable et qu'il n'imaginait pas échafauder de plans définitifs sans moi, ce qui, assura-t-il, serait comme de découper de la viande avec une cuillère.

Il émit l'hypothèse selon laquelle mes propres problèmes seraient arrivés à un moment ironiquement fortuit. La volonté de paix avait débouché sur une commission présidentielle qui venait de tenir un grand conseil en Oklahoma, dans un endroit appelé Medecine Lodge, avec les tribus du Sud : les Cheyennes, les Sioux, les Arapahos, les Kiowas et les Comanches. Ce conseil, qui eut lieu peu après mon jugement, s'était conclu par un traité, dont tout le monde à l'est jugeait qu'il représentait un pas significatif vers la paix, mais que ceux qui avaient quelque expérience des régions frontalières considéraient comme une vaste fumisterie.

Il n'y avait pas beaucoup de grands chefs parmi les signataires. On avait dépensé des centaines de milliers de dollars en cadeaux, armes à feu et rentes pour les sauvages, mais en retour le gouvernement n'avait reçu que les mêmes vagues promesses de bonne volonté dont j'avais été le témoin l'été précédent.

Ceux qui connaissaient le sujet savaient que, malgré les sincères intentions pacifiques des signataires, on ne pouvait nier les multiples facettes du comportement des Indiens.

Un traité de paix était destiné à rester lettre morte, car aucune tribu n'avait d'influence sur les autres. Même dans les plus petites bandes, la démocratie atteignait des proportions outrancières aux yeux des Blancs. Les anciens, quels que fussent leur rang et leur sagesse, manquaient cruellement d'autorité sur les plus jeunes. Et tous les Indiens mâles que j'avais rencontrés étaient entraînés depuis leur naissance à devenir des instruments de guerre. Le général Sheridan savait, je savais, et tous ceux, civils ou militaires, qui vivaient dans les plaines le savaient, lorsque l'herbe aurait poussé et que les poneys auraient engraissé, un grand nombre d'Indiens prendraient le sentier de la guerre. Traité ou pas.

Le général Sheridan était convaincu que le général Grant se présenterait à la présidence, qu'il avait même une chance de l'emporter, et qu'il ferait certainement campagne avec un programme en faveur de la paix. Cela, combiné avec le récent traité signé à Medecine Lodge, lierait forcément les mains des militaires.

Pas plus que moi le général Sheridan ne pensait que le traité de paix tiendrait longtemps. Mais nos opinions comptaient peu. Si la paix perdurait, les deux camps seraient satisfaits. Si elle s'effondrait, cela prendrait du temps. Le général Sheridan devait donc se contenter de maintenir ses troupes en état d'alerte et il me conseilla de profiter de mon mieux de mon absence forcée. Il me suggéra habilement de voir ce que le monde avait à m'offrir, tout en me recommandant de tempérer mes recherches dans la vie civile.

Le moment venu, il m'appellerait et comptait sur moi pour servir sous ses ordres. Je lui assurai catégoriquement que rien au monde ne m'empêcherait de répondre à son appel.

11-15 juin 1876

Je suis cloué au camp, une réalité contre laquelle mon esprit impatient se serait autrefois rebellé. Dans ma jeunesse, j'aurais été fou de rage, mais désormais, bien que je sente encore mon esprit impatient tirer sur les rênes, je suis assez mûr et sage pour plaquer contre ma poitrine les cartes qu'on m'a distribuées et observer les mimiques des autres joueurs.

Le général Terry est parti vers le nord avec une petite escorte, à la recherche du vapeur *Far West* et de la colonne du Montana du colonel Gibbon, dont on dit qu'elle bivouaque sur les berges de la Yellowstone, à proximité de la rivière Tongue.

Un messager nous a apporté des nouvelles de mauvais augure des troupes du colonel Gibbon. Elles campent plus ou moins au même endroit depuis quelque temps, et il semble que le général Gibbon ait laissé passer plusieurs occasions de frapper l'ennemi, préférant s'en tenir à la stratégie fondamentale de l'expédition : les trois colonnes de taille monumentale, la sienne, la nôtre et celle de Crook, devront converger en ordre symétrique afin d'encercler et d'écraser les nomades.

Les chances de réussite de cet exercice de tableau noir sont, au mieux, infimes, et mon intuition, fondée sur une longue expérience, me dit que Gibbon a gâché une occasion de porter un coup décisif qui aurait surpris l'ennemi juste avant que commence la curée.

Le général Terry est parti en avant pour obtenir des impressions de première main de Gibbon et de sa colonne, mais quant à savoir de quelle sorte d'évaluation il est capable, cela reste un mystère. J'aime bien Terry et je sais tout ce que je lui dois, car c'est lui, plus que tout autre, qui m'a aidé à résoudre mes dernières difficultés politiques. En fait, sans sa ferme insistance, je ne serais probablement pas en train de commander le 7e de cavalerie.

Mais c'est à mon avis un soldat qui a passé trop de temps derrière un bureau, ces dernières années. Hier, il est venu me trouver pour m'informer qu'au lieu de continuer vers l'ouest il avait décidé de faire un long détour par la vallée de la Powder, une reconnaissance de plusieurs jours alors que, j'en suis persuadé, aucun Indien ne se cache dans la région. Il n'en résultera qu'une perte de temps.

Je crois connaître les raisons qui incitent le général Terry à la prudence, et je respecte sa position. Il sent les regards de Sheridan, de Sherman et du président Grant dans son dos. Officier de carrière remarquable, il sait qu'au moindre faux pas il risque de basculer la tête la première dans l'abysse et de ne jamais refaire surface.

Peu importe sa nécessité, je méprise la réalité de la chaîne de commandement, implacable système qui nourrit les hésitations et l'indécision, car je crois qu'elle fait perdre davantage de vies humaines qu'elle n'en sauve.

Cela se résume peut-être à une confrontation de styles, mais je ne vois pas l'intérêt de fouiller chaque centimètre carré de terrain pour trouver un ennemi dont tout le monde sait qu'il a déserté la région depuis longtemps.

Je n'ai pas daigné faire changer d'avis mon commandant, mais quand il a exprimé le désir que je conduise ces recherches superflues j'ai respectueusement décliné l'offre, suggérant que le major Reno — qui pourra mettre cette expérience à profit, car il en manque singulièrement — prenne ma place. Le général Terry a consenti et Reno est parti en emmenant avec lui Couteau-Sanglant et la moitié du 7e de cavalerie.

La question qui me tracasse plus que toutes les autres est la suivante : où peut bien se trouver le général Crook? Sa colonne arrive par le sud, le long de la rivière Rosebud, mais nous n'avons aucune nouvelle de lui. Crook est connu pour son excentricité, mais c'est aussi l'un de nos commandants les plus expérimentés et les plus compétents, un homme qui, dans des circonstances normales, ne manquerait pas de tenir ses collègues informés de ses déplacements.

Pour l'instant, on m'a laissé seul à méditer sur ces étranges rebondissements, mais même si je suis encalminé je n'aurais pu choisir de meilleur endroit pour tuer le temps. J'ai autorisé les hommes restés avec moi à dévier des formalités ordinaires du camp. Certains ont planté leur tente à l'abri des arbres, le long du petit cours d'eau appelé Mizpah Creek. Comme nous restons sur place, il n'y a pas de reconnaissance à effectuer. Les sentinelles sont en nombre réduit car il n'y a pas d'Indiens dans les alentours. J'irai sans doute chasser cet après-midi. Je dis « sans doute », parce que j'ai, moi aussi, succombé à l'atmosphère somnolente et bucolique de notre agréable campement.

Ceux qui savent écrire rédigent des lettres. Les autres ont entamé des parties de cartes, dont certaines ne s'arrêteront pas avant que nous reprenions la route. Les musiciens s'occupent à nettoyer ou accorder leurs instruments, et des morceaux impromptus éclatent parfois, comme si l'air lui-même était chargé de notes. La plupart des hommes sont allés se laver, et laver leur linge, dans l'eau claire et froide, et je viens juste d'ordonner aux autres de se familiariser avec les merveilleuses qualités hygiéniques de l'eau et du savon.

Ce mois de juin étant devenu particulièrement chaud, nombre d'hommes plongent dans l'eau vivifiante à toute heure du jour. A l'instant, l'un d'entre eux vient d'attacher une longueur de chanvre à une branche basse et une compétition s'est ouverte pour déterminer qui sera capable de franchir le cours d'eau d'un bond. A en juger par les cris et les éclaboussures, je devine que la plupart atterrissent un peu court.

Dans cette région, où l'eau est abondante, on trouve des truites et, depuis notre arrivée, les poêlons du camp sont souvent remplis des tendres filets de ces poissons.

Je suis assis à l'écart, à côté de la rivière, sur une belle étendue d'herbe. J'ai coupé une branche de saule pour me faire une canne, John Burkman m'a procuré une longue ficelle, un hameçon convenable et des morceaux de viande, et je paresse, métamorphosé.

Je ne suis plus Autie, le général combattant qui devrait chevaucher Dandy vers quelque sommet pour scruter la vaste plaine. Non, celui-là n'existe plus. Je suis désormais Autie le pêcheur bienheureux, qui coule de temps en temps un œil vers sa canne en espérant voir un frétillement l'agiter.

Toutefois, la pêche exige bien plus de patience que je n'en possède. Je ne me rappelle pas m'y être exercé depuis l'été 1868, un souvenir qui fait ressurgir des fragments poignants de mon passé.

Libbie et moi restâmes à Fort Leavenworth jusqu'à la fin du mois de mai 1868. Comment fis-je pour y demeurer si longtemps, voilà un exploit que je ne m'explique pas. L'hiver avait été agréable à l'extrême, l'étourdissement des mondanités avait fait beaucoup pour atténuer la malencontreuse conclusion de mon passage en cour martiale.

Mais l'arrivée du printemps et l'agitation inhérente qu'elle déclenchait dans les rangs militaires m'avaient mis de plus en plus mal à l'aise. Malgré les nombreux sacrifices sur l'autel de la paix, des rumeurs de nouvelles déprédations perpétrées par les Indiens commencèrent à filtrer aux premiers signes du dégel.

Je savais qu'en tant que général combattant Sheridan ne tolérerait pas ces outrages mais ferait au contraire tout ce qui était en son pouvoir pour châtier les coupables et, dès que le printemps atteignit son apogée, je remarquai une certaine lueur dans ses yeux, qui se matérialisa dans le réveil des troupes. Dès lors, chaque jour qui passait vit de nouveaux préparatifs pour la campagne estivale.

Etre suspendu était déjà pénible, mais rester sur place était plus que je ne pouvais supporter, car le rôle de spectateur est le plus frustrant que j'aie jamais pu concevoir. Si on me poussait dans mes retranchements, j'avouerais volontiers que je préfère mourir au champ d'honneur que d'assister à une bataille les bras croisés.

Vivre à côté du purgatoire devenant impossible, nous nous retrouvâmes dans le train pour l'est, en route pour un long été doux-amer dans notre ville natale de Monroe, dans le Michigan.

Ce devait être pour notre couple le premier été désagréable. Libbie continuait d'afficher une humeur enjouée et pleine d'entrain, mais je n'arrivais pas à la suivre sur ce terrain.

Il n'y avait qu'une voie pour retrouver la vie que j'aimais, mais cette voie était bouchée par des puissances que je ne contrôlais ni ne comprenais. On m'avait dénié le droit de risquer ma vie, de courir le risque d'une victoire ou d'une défaite, et je ne pouvais tout simplement pas envisager la vie sans ce droit.

Je ne songeais pas au suicide, mais j'étais profondément déprimé, je languissais dans une sorte de marasme psychologique où tout espoir d'issue semblait futile. Bien sûr, Libbie était consciente de mon état et faisait tout pour m'en sortir. Je lui savais gré de ses efforts, aussi vains fussent-ils.

Nous eûmes parfois des querelles pendant cet été interminable, mais cette période difficile ne fit que renforcer les liens qui nous unissaient.

Libbie affûtait son art et avant la fin de l'été elle arrivait à déterminer avec précision les moments où elle pouvait m'aborder et ceux où il fallait me laisser seul.

De mon côté, je découvris que mes problèmes et l'égocentrisme qui les accompagnait avaient des limites.

Aucune épouse ne pouvait aimer davantage son mari, aucune ne pouvait être plus dévouée, et pourtant Libbie, à un certain moment, m'informa qu'elle était fatiguée de mes problèmes et de l'effet qu'ils avaient sur notre vie. Elle me déclara que je ferais un premier pas vers la guérison le jour où je cesserais de ne penser qu'à moi. « Pense à ce que tu veux, sauf à toi » est, je crois, le conseil qu'elle me donna.

Tandis que nous maintenions, Libbie et moi, un lien ténu, je faisais de mon mieux avec le monde extérieur. Je trouvais agréable de voir tant de vieux amis et de parents, mais je m'aperçus rapidement que les gens avaient deux sortes de réaction envers moi. L'une était de montrer sa solidarité en prenant un air consterné devant les torts que j'avais subis. Cette consternation s'affichait avec une grandiloquence que je trouvais excessive. L'autre réaction consistait à éviter le sujet.

Il m'arrivait de discourir longuement avec un ami ou un parent, exposant chaque détail pour mieux le disséquer. Mais j'étais le plus souvent mal à l'aise avec ceux qui s'empressaient d'aborder mes problèmes comme avec ceux qui s'empressaient de les éluder. Je finis par comprendre que le seul antidote était de prendre de la distance avec les événements de mon passé récent. Sans abandonner tout à fait la vie sociale, je m'en tenais le plus possible à l'écart.

Ce besoin de détachement m'amenait souvent sur les rives de la rivière Raisin, un agréable et paresseux cours d'eau qui serpentait près de la ville. Plusieurs fois par semaine, je partais de bon matin, emmenant avec moi les chiens pour me tenir compagnie.

Outre le matériel de pêche requis, j'emportais un crayon, du papier et de l'encre, et je me mis en devoir d'écrire mes mémoires. Alors que je me révélais un piètre pêcheur, je fis beaucoup d'efforts et des progrès considérables dans la transcription noir sur blanc de mes pensées.

Etant un néophyte dans cette voie, je manquais de confiance et n'écrivais pas tant l'œil fixé sur la vérité ou sur la beauté, mais plutôt avec le désir de divertir le lecteur, stratégie dont j'espérais qu'elle impressionnerait un éditeur ou qu'elle valoriserait mon statut aux yeux du public, ou du moins qu'elle le maintiendrait vivace. Par la suite, je devais réussir au-delà de mes espérances, publiant une tonne d'articles et un livre en rapport avec les événements de mes premières années de service sur la frontière.

Mais ces tentatives paraissent bien pâles à côté de ce que j'écris aujourd'hui. Car maintenant, sur les rives de la petite Mizpah, à huit cents kilomètres de tout, j'écris sans souci des récompenses. Je n'ai pas d'autre but que de me soulager de tout ce qui virevolte dans ma tête. J'écris pour me libérer.

Suis-je en train de rédiger une confession? de proposer une philosophie de la vie? Est-ce uniquement pour me distraire? Autrefois, les raisons auraient été d'une importance capitale, mais désormais les réponses m'importent peu. Je me contente de plus en plus de laisser les mystères irrésolus. Comme jamais auparavant, le moment est décisif. Comme jamais auparavant, il est clair que je ne contrôle pratiquement rien. Comme tout être sur terre, je ne suis qu'un acteur qui réagit à tel ou tel stimulus. Fonctionnant sur ce mode élémentaire, que ce soit avec une feuille blanche que je remplis de signes ou sur un champ de bataille, au milieu de la clameur des combats, je suis satisfait et je comprends que tout ce que j'ai recherché dans mon existence s'est résumé à respirer, encore et encore.

Au Michigan, les étés sont invariablement chauds et humides, et vers midi je rentrais avec les chiens. Les seuls trophées que j'aie jamais rapportés de ces expéditions n'étaient pas le fruit de mes prouesses à la canne, mais plutôt celui du hasard, qui accrochait un poisson au bout de ma ligne au moment du départ.

Bien que connaissant Monroe par cœur, je ne pouvais passer devant l'église où nous nous étions mariés sans ressentir un pincement au cœur. Quel jour ce fut! Quelle gloire pour nous, en tant que couple et en tant qu'individus! Chaque fois que je contemplais l'église, tout me revenait.

Ce mariage tenait du miracle car pendant bien longtemps il nous parut inaccessible.

Lorsque je retournai à la Grande Guerre après ma rencontre avec le juge Bacon, je n'avais toujours pas le droit d'écrire à Libbie. A chaque moment libre, j'écrivais à un tiers, une amie commune dont je savais qu'elle partagerait chaque mot avec ma bien-aimée. Bien que je l'ignorasse à l'époque, plus d'un an allait passer avant que nous puissions nous marier et, pendant cette période, notre union, ou notre absence d'union, connut des hauts et des bas.

Il y eut des périodes où je mettais en cause le bien-fondé de notre futur mariage. Et il y eut des périodes où je me lassais de ses épuisantes complications. Sherman se plaît à répéter que toute bataille qui ne fait pas l'objet d'une lutte acharnée ne vaut pas la peine d'être menée, et avec le recul, il est clair que les épreuves auxquelles notre cour fut soumise furent indispensables à l'élaboration d'un lien durable.

Je me souviens en particulier d'un moment. En fait, il est tellement éloquent qu'il approche, je crois, une forme d'art. J'ai souvent pensé que, si j'avais su peindre, j'aurais essayé de peindre ce moment. Mais si j'avais été capable de reproduire une telle chose sur une toile, les clients auraient fui la galerie en hurlant.

Avec une franchise toute juvénile, j'avais raconté à Libbie presque tout de mon passé. Je lui avais librement avoué que j'avais toujours aimé les femmes et que cet amour avait souvent été réciproque. Certaines de mes anciennes liaisons étaient des filles de Monroe et, bien que je me fusse efforcé de survoler rapidement mon passé amoureux, une fois le rideau levé les dés étaient jetés.

Au début, Libbie ne dit rien et je crus naïvement que l'affaire était close. Mais il était clair d'après ses lettres que mes aveux l'avaient irritée à l'extrême. Par-delà les centaines de kilomètres, malgré une poste incertaine, j'essayai d'influencer ses pensées de manière positive, mais aucune lettre ni explication ne paraissait capable de suivre les événements.

Les rumeurs allaient bon train — comme d'habitude — et pour chaque rumeur ou remarque désobligeante que j'arrivais à éteindre, d'autres surgissaient pour prendre leur place. Je guerroyais sur deux fronts, avec mon sabre sur l'un et mon crayon sur l'autre.

Le moment dont je me souviens avec une clarté douloureuse se déroula par une journée si peu clémente que la lumière qui marque l'heure du réveil resta aussi sombre que l'ardoise. J'étais encore capitaine, mais le général Pleasanton m'avait confié le commandement d'une importante unité de reconnaissance. La rapidité était une exigence pour ce genre d'unité, et dans le cas en question nous nous hâtions de terminer notre mission de routine dans l'espoir de devancer la pluie qui promettait de transformer chaque route en bourbier.

Nous venions juste d'arriver au camp pour le repas de midi quand le manteau de nuages gris qui cachait le ciel se mit à bouillonner et vira au noir. Les cieux s'ouvrirent presque avec douceur. Assis sous une tente fraîchement dressée sous un arbre gigantesque, je m'émerveillais de la beauté élémentaire de la pluie qui tombait uniformément.

Depuis vingt-quatre heures, je gardais sans l'ouvrir une lettre de Libbie. Parfois, je dévorais ses lettres dès leur arrivée, parfois je testais ma volonté en essayant de voir combien de temps je supporterais la torture insoutenable d'en conserver une cachetée sur mon cœur. Cette fois, j'attendais le moment que j'estimerais parfait. Il y avait eu de grandes tensions entre nous et j'attendais une lettre d'amour. La tente sous le grand arbre me parut un endroit prometteur et je fus heureux quand mon ordonnance déposa un plat froid devant moi, puis disparut aussi vite qu'il était venu en me laissant seul avec ma lettre.

Je l'avais déjà portée bien des fois à mon nez et, bien que je susse que son parfum s'était évaporé, je ne pus résister à l'envie de la humer encore.

J'étais toujours précautionneux avec les enveloppes, je prenais soin de ne pas les déchirer plus que nécessaire. Si j'en déchirais un fragment, je le récupérais précieusement. Je gardais tout.

L'orage qui éclata cet après-midi-là était dévastateur, le genre de manifestation qui rend toute chose modeste et tout homme humble. En quelques minutes, la pluie était passée d'un léger crachin à un déluge assourdissant. En tirant la lettre de l'enveloppe, je remarquai qu'assez d'eau s'était accumulée pour transformer les alentours en une gigantesque mare. On pouvait lire la marque de chaque goutte qui frappait la surface de l'eau.

J'abaissai mes yeux sur la première page et mon cœur se brisa. Il n'y avait pas de mots d'amour désespérés ni de désir. La lettre commençait ainsi : « J'ai rencontré une certaine Mary Kelly et après avoir quelque peu discuté avec elle, je peux dire sans hésiter que si je dois un jour la revoir, ce jour arrivera toujours trop tôt. »

Hélas, je ne savais que trop bien ce qui allait suivre. Mary Kelly était une jolie jeune fille, dotée d'un caractère plutôt énergique, que je connaissais depuis West Point. Lorsque j'étais encore à l'académie, notre liaison avait pris une allure assez intime pendant mes permissions et pendant les grandes vacances.

J'avais donné à Mary un médaillon avec une photo ovale de moi, et elle le portait fréquemment autour du cou. Notre relation ne s'était jamais réellement enflammée, mais Mary aimait me rappeler qu'elle avait un droit sur mon cœur, et que ce qu'elle portait au cou en était la preuve.

Bien sûr, elle en avait informé Libbie. J'abandonnai la lecture, certain que la lettre ne contiendrait pas les sentiments romantiques que je brûlais de lire.

Il est probable que j'aurais de toute façon fait une pause, car il devenait impossible d'ignorer la puissance tumultueuse de la pluie. L'eau tombait du ciel en cascades et on ne voyait rien à plus de quelques pieds de la tente. On n'entendait que le rugissement incessant des trombes d'eau.

Tandis que je me demandais comment la toile qui m'abritait pouvait supporter cette punition divine, mes yeux furent attirés par une irrégularité qui était apparue sur le sol alentour. A travers les rideaux de l'averse, je distinguai une chose qui émergeait du sol détrempé. Je laissai mon regard errer et découvris que la pluie, en balayant la terre, dégageait d'autres objets, proches eux aussi.

Il fallait que je voie ce qui avait été dégagé et, posant la lettre de Libbie sous l'assiette de viande froide à moitié entamée, je laissai mes pas me porter sous l'averse.

Le martèlement de la pluie rendait ma vision floue. Je dus m'accroupir près d'un des objets et, protégeant mon front de mon bras, je collai mon visage près du sol. Et je me retrouvai en train de fixer le crâne souriant à demi exhumé d'un soldat dont la pluie avait balayé la tombe superficielle. Les restes d'une veste d'uniforme prouvaient qu'il avait combattu dans les rangs ennemis. Trempé jusqu'aux os, je restai néanmoins sous la pluie, à détailler les autres cadavres de confédérés qu'on avait hâtivement enterrés après une bataille de l'année précédente.

Je revins m'asseoir sous la tente en pataugeant, et je me perdis dans la contemplation du spectacle ironique qui s'offrait à moi. La lettre de ma bien-aimée ne parlait pas d'amour; mon assiette était remplie de viande froide destinée à m'alimenter afin que je puisse retourner au combat et changer d'autres vivants en morts. J'étais perché sur un gisement d'os. Faudrait-il tuer tous les confédérés pour mettre fin à la guerre? Peut-être que tout le monde devrait mourir pour que revienne la paix.

Et tout cela pendant que la pluie redoublait comme si elle ne devait pas cesser avant de mettre au jour les ossements de la terre elle-même.

Je songeai à la mélancolie du prince danois et à son dilemme. L'espace d'un instant, je compris exactement pourquoi Hamlet se sentait accablé. A quoi bon agir dans un monde en folie?

Un cavalier apparut soudain entre les gouttes. Il se dirigeait droit vers ma tente et, voyant qu'il baissait la tête, je compris qu'il avait remarqué les squelettes qui fleurissaient dans ma cour.

C'était une jeune estafette et il entra sous ma tente avec le visage blême de celui qui vient de voir la mort. Sans un mot, il me tendit une dépêche que j'ouvris sur-le-champ.

Le général Pleasanton ordonnait à mes troupes de se rendre immédiatement dans un secteur distant de trente kilomètres.

En relevant les yeux, je croisai ceux de l'estafette qui me regardait bouche bée comme si j'étais moi aussi l'un des morts. Je ne crois pas qu'un seul muscle de mon visage remua quand je lui dis : « Merci, soldat... vous pouvez disposer. Et prenez garde de ne pas marcher sur un de nos amis en partant. »

Il repartit sous la pluie avec son cheval et, tandis qu'ils disparaissaient, je me levai de mon tabouret afin d'étirer mes membres raidis.

Le prince Hamlet s'était retrouvé dans l'impossibilité d'agir. Je comprenais son dilemme et je connaissais l'antidote idéal. Je plongeai sous la pluie, appelai mon ordonnance et sifflai mon cheval.

Ce n'était qu'un des nombreux souvenirs qui défilaient comme des nuages dans ma tête durant ces chaudes journées d'été quand je m'arrêtais avec les chiens devant l'église blanchie à la chaux de Monroe.

Avec mes amis canins, je m'abritais à l'ombre d'un vieil orme et ne pouvais contempler la majestueuse bâtisse ni entendre la cloche qui avait carillonné le jour de mes noces sans être émerveillé par la succession de miracles, œuvres du destin sans nul doute, qui nous avait conduits à nous marier, le 9 février 1864.

Je crois que si on l'interrogeait, Libbie admettrait sans peine qu'elle n'avait nullement l'intention de m'épouser, principalement à cause de l'opposition farouche de son père. Même après que j'eus été nommé général, l'idée du mariage ne l'effleura pas un instant. Pour Libbie, ce n'était pas seulement hors de question, c'était au-delà de son imagination.

Pas de la mienne. Je savais que le juge ne manquerait pas de tenir compte de mon rapide avancement. Et je savais qu'il avait appris ma nomination au niveau national, ce qui l'avait certainement impressionné.

Atteindre le rang de général fut probablement, et

demeure, l'événement clé de ma carrière militaire. Le jour de ma nomination semble porter tout le reste sur sa tête. Quels que fussent la confiance ou le privilège dont je manquais dans la vie, je les obtins quand on cousit l'étoile d'argent sur ma chemise bleu marine. J'acquis l'audace, malgré tous les signes défavorables, de briguer la main de Libbie.

L'envie de la posséder n'était fondée sur rien, sinon sur un besoin aveugle et irrésistible. Il fallait qu'Elizabeth Bacon devînt ma femme, et ceci en dépit du fait que je pouvais discourir pendant des heures sur les qualités de notre amour, de notre cour et de notre mariage, sans avancer une raison précise qui aurait expliqué pourquoi il en était ainsi.

Plusieurs mois après avoir reçu mon étoile, un autre cheval fut tué sous moi par un obus dont un éclat me blessa à la cuisse. La blessure était légère, mais située à un endroit qui m'empêchait de monter à cheval. Profitant d'une permission de quinze jours, je rentrai vivement à Monroe.

Ce qui suivit fut à l'époque un supplice, mais ne me paraît, rétrospectivement, qu'une série de scènes plus comiques les unes que les autres. Au moins, si je n'obtins pas ce que je voulais, je fis un grand pas pour rendre mon mariage avec Libbie inévitable.

Je m'efforçais à la patience pendant les réunions obligatoires avec ma famille et le cercle des vieux amis, mais intérieurement je ne pensais qu'au moment où je pourrais voir Libbie.

Le lendemain de mon retour, je pris contact avec notre intermédiaire et découvris, à mon grand désespoir, que Libbie et sa famille n'étaient même pas en ville, mais en visite chez des parents dans le nord de l'Etat. Tout aussi rapidement, j'appris que les Bacon reviendraient le jour suivant, mais pour mon malheur deux autres jours passèrent avant que je puisse voir ma bien-aimée, une occasion que je forçai en prenant la décision extraordinaire et désespérée d'assister à l'office du dimanche.

Je retardai mon arrivée le plus possible et réussis à faire une entrée spectaculaire qui fit se retourner toute l'assistance, y compris Libbie, son père et sa belle-mère. Rejetant toute prudence, je fis un signe de tête à Libbie et la regardai si longuement dans les yeux qu'elle devint écarlate et détourna la tête.

Je trouvai un siège de l'autre côté de l'allée — chacun était désireux de faire de la place à un général en uniforme qui avait grandi dans la ville —, à peu près sur la même rangée que les Bacon. L'office commença et je dus me tenir coi pendant un sermon d'une heure et demie sur les vertus du bon voisinage qui plongea mon voisin immédiat, un monsieur aux cheveux blancs d'un âge avancé, dans un profond sommeil.

Tandis que les mots du prêcheur se déversaient de la chaire dans un ronronnement monotone, je surveillais la famille Bacon du coin de l'œil. Le juge était le plus proche de moi et, chaque fois que nos regards se croisaient, il détournait vivement les yeux, comme effrayé. Je ne réussis à voir Libbie qu'une ou deux fois; son visage était pâle et elle regardait droit devant elle, comme en transe.

Lorsqu'on entonna les hymnes, je remarquai que le juge s'était plongé dans la contemplation soudaine de sa montre de gousset. Après avoir parlé à sa femme et à sa fille, il se leva précipitamment et sortit. Je songeai à le suivre, mais comme je voyais enfin clairement le profil de Libbie, je résolus de rester assis.

La messe se termina enfin, tous ceux qui étaient entassés dans l'église se levèrent et, oubliant les règles de courtoisie habituelles, chacun se rua vers la sortie.

Le hasard voulut que Libbie et sa belle-mère atteignissent l'allée centrale juste avant moi, et je faillis écraser le pied d'une vieille femme en tentant de les rattraper. J'entraînai la vieille avec moi tout en débitant des excuses à profusion, une tactique qui me valut de me retrouver à portée de voix de Libbie.

— Il faut que je vous voie, murmurai-je à son oreille.

Bien qu'elle m'eût entendu, Libbie continua de regarder droit devant elle.

— Je suis venu exprès du front pour vous voir.

Elle rougit de nouveau, puis poussa un soupir de colère résigné.

Elle s'arrêta près de la sortie, dit à sa belle-mère quelques mots que je ne saisis pas, bifurqua soudain et suivit d'autres membres de la congrégation dans un vestiaire adjacent. Après une hésitation que je meublai en acceptant les félicitations des paroissiens qui passaient devant moi, je la suivis.

Il y avait là deux ou trois quidams en train de récupérer leurs manteau et chapeau, mais Libbie était introuvable. Saluant évasivement les quidams, je m'approchai de l'extrémité de l'étroit vestiaire; arrivé au bout, je fus surpris de voir émerger des vêtements pendus le long du mur une main féminine qui me tira par la manche.

Comme dans un rêve d'enfant, je fus happé, je traversai les vêtements et me retrouvai dans une antichambre dissimulée. La petite pièce était éclairée par des rayons de soleil qui tombaient d'une haute fenêtre.

— Je veux vous épouser, m'empressai-je.

Libbie fit la moue, mais ne dit rien.

— Voulez-vous m'épouser? demandai-je.

— Oh, je n'en sais rien!

— Vous ne savez pas?

— La question n'est pas là, Autie. En fait, je ne peux même pas songer à vous épouser tant que mon père s'y oppose.

— Que dit-il?

— Il dit... (elle soupira) qu'il ne veut pas que sa fille mène une vie de soldat.

— Ce n'est plus seulement une vie de soldat, c'est une vie de général. Cela ne l'impressionne donc pas?

— Oh, il est très impressionné.

— Eh bien?

— Eh bien, c'est à lui qu'il faut parler, Autie, pas à moi.

Je compris soudain que mon aimée était une jeune fille déboussolée qui subissait une pression terrible. Comment pouvait-elle connaître ses véritables sentiments si son avenir était bouché? Ses yeux humides reflétaient sa détresse.

— Il faut que je vous embrasse, dis-je.

— Alors, faites vite.

Elle avait disparu avant que la magie de son baiser ne s'efface. Désormais, c'était moi qui étais déboussolé. Je restai pantelant dans la lumière hivernale et me demandai comment une chose aussi simple et naturelle que l'amour pouvait être aussi embarrassante et complexe.

Pendant la semaine qui suivit, le juge Bacon fut la proie la plus insaisissable qu'il me fût donné de pourchasser. J'attendis chaque après-midi devant le Club du Gouverneur, mais le très estimé juge n'y entra ni n'en sortit jamais, à ma connaissance. J'épiai son cabinet, mais ne vis aucun signe de lui. Je sonnai deux fois chez lui, mais ses domestiques m'annoncèrent que le juge n'était pas là et qu'on ignorait à quelle heure il rentrerait.

Après mon second passage, je m'éloignais quand, en jetant un coup d'œil entre les maisons, je crus voir une silhouette, qui lui ressemblait, je l'aurais juré, quitter l'allée dans un cabriolet.

Les frustrations de ces journées folles débouchaient sur des nuits blanches et, à mesure que mon départ pour le front approchait, mon avenir s'assombrissait et mon humeur déclinait.

Finalement, je débarquai dans le cabinet du juge où un clerc m'assura que le juge avait quitté la ville.

Bien que prêt à n'exiger rien de moins qu'un tête-à-tête avec mon futur beau-père, je compris qu'il me fallait en rabattre. D'une écriture brouillonne et hâtive, je griffonnai un mot que je laissai entre les mains du clerc. Il me promit de le remettre personnellement au juge. Le mot n'était qu'une requête en vue d'un rendez-vous, mais il me semblait puéril de laisser un simple morceau de papier se battre pour moi.

Au moment où je partais, le clerc m'implora de lui signer un autographe. Je faillis refuser pour me venger du juge, mais je m'exécutai néanmoins et fus finalement content de l'avoir fait. Servir l'Union avait été le rêve du jeune homme, mais, boiteux de naissance, il avait été réformé. Sa joie d'avoir acquis mon autographe était telle que je quittai le cabinet de bonne humeur, pour la première fois depuis des jours.

Et pourtant, je n'avais aucune raison d'espérer. Tel un ciel morose, un voile funèbre enveloppa les quarante-huit dernières heures de mon séjour. A part camper, prostré, dans le couloir du juge, j'avais épuisé tous les moyens imaginables de faire aboutir ma cour. Mon moral avait sombré si bas que je voulus chasser Libbie de mes pensées, mais même en cela j'échouai.

Toujours enveloppé dans mon nuage sombre, je me retrouvai sur le quai en train d'attendre le train qui devait me ramener dans l'Est, espérant et rêvant que Libbie allait apparaître comme elle l'avait fait à l'église.

Etant donné la tristesse du moment, on peut aisément imaginer ma surprise lorsque je vis le juge Bacon surgir sur le quai et marcher vers moi la main tendue, un semblant de sourire aux lèvres.

— Je ne suis rentré que cet après-midi, dit-il de son ton le plus cordial. J'aurais préféré vous rencontrer dans un endroit plus approprié, mais il faudra s'en contenter.

J'étais trop abasourdi pour répondre. J'étais si sûr que le juge m'évitait, et voilà que... pas l'ombre d'une dérobade.

— Permettez que je joigne mes félicitations à celles de tout un chacun pour votre promotion, ajouta-t-il gaiement.

— Je vous remercie, monsieur, répondis-je plutôt bêtement.

Le train était entré en gare avec l'apparition du juge et nous fûmes emportés par les allées et venues des passagers.

— Y avait-il une urgence? s'enquit le juge.

L'heure de vérité avait enfin sonné. Le visage ferme, je regardai résolument le juge Bacon dans les yeux.

— J'aimerais avoir l'honneur d'écrire à votre fille, monsieur.

Le juge leva un sourcil, écarquilla les yeux et hocha plaisamment la tête.

— Ma foi, c'est une excellente idée, général Custer, une excellente idée.

Nous nous fîmes nos adieux et je montai dans le train au moment où il s'ébranlait.

Pendant la première heure du trajet, je restai figé dans la contemplation du paysage. Comment avais-je pu me tromper à ce point en croyant que le juge m'évitait? Quelque événement ou l'intervention d'un tiers lui avait-il fait changer d'avis? Libbie avait-elle proféré quelques sombres remarques ou agité des menaces désespérées? Un pan du ciel était-il tombé sur la tête du juge?

En fait, je ne demandai jamais au juge ce qui l'avait décidé et il ne me proposa pas d'explication de lui-même. Il emporta son mystère dans la tombe. De toute façon, j'étais trop excité pour y penser et lorsque le train arriva à Washington, j'avais déjà trois lettres à poster.

Dans les mois qui suivirent, nous entretînmes, Libbie et moi, une correspondance surabondante. De nombreuses lettres ont survécu, mais elles ne rendent pas, ni en intensité ni en qualité, la profondeur de nos sentiments. Plus nous nous écrivions, plus l'amour nous consumait, et ce alors que la guerre battait son plein.

Les combats continuaient pratiquement sans interruption. Les victimes se comptaient par dizaines de milliers et aucune unité de cavalerie ne souffrit davantage que la 3e division, que je commandais dorénavant. Etre si complètement amoureux dans une telle atmosphère avait quelque chose de bouleversant. Il arrivait que l'angoisse de la séparation et la possibilité de ne plus se revoir me donnent envie de hurler.

J'écrivis au juge pour lui demander la main de sa fille et, après avoir attendu en vain une réponse, je ne pus résister à l'envie de lui écrire une seconde lettre. J'écrivis aussi à tous ceux dont je pensais qu'ils pourraient me donner des nouvelles du juge.

Je reçus enfin une réponse. La lettre du juge était pleine de références à sa défunte épouse et à ses vœux concernant l'éducation de Libbie — qui, dans mon esprit, était parfaite. Il poursuivait en citant mes vertus et m'assurait de la confiance qu'il plaçait en moi en tant que soldat et en tant qu'homme. Mais je ne trouvai nulle part une réponse claire à ma demande en mariage. La seule mention fugitive était une phrase sibylline disant qu'il parlerait bientôt à Libbie d'une affaire nous concernant tous.

Je saisis la première feuille de papier qui me tomba sous la main et réitérai ma demande, usant cette fois des termes les plus audacieux que je trouvai : « Puis-je avoir l'honneur d'épouser votre fille et de devenir votre gendre ? » Je signai la courte lettre, la remis entre les mains d'un homme de confiance et lui demandai de la déposer lui-même à la poste la plus proche, dût-il aller jusqu'à Washington.

Il fallait que la réponse du juge soit affirmative et, n'imaginant que le succès, j'allai trouver le général Pleasanton pour lui demander une permission afin de me marier.

Ma requête le fit rire; il m'annonça que si je lui amenais Jeb Stuart en personne il me signerait toutes les permissions que je voulais. J'insistai et, bien qu'il comprît le sérieux de ma demande, il signala deux faits incontournables qui douchèrent mon enthousiasme.

Un, la 3e division était pleine de recrues qui avaient besoin d'être entraînées; deux, le général Pleasanton avait prévu de s'absenter une grande partie de l'hiver. Je devais donc rester puisque nous ne pouvions nous absenter en même temps.

Mes projets de mariage, si j'en avais, ne pourraient être envisagés qu'à son retour, au début du mois de février. En outre, je devrais faire vite, car la campagne du printemps arriverait presque aussitôt après. Si je devais me marier, j'avais intérêt à jouer serré.

Cet hiver-là, la frustration accompagna chacun de mes pas. Nous nous écrivions presque tous les jours, Libbie et moi, mais Noël 1863 et le Nouvel An 1864 se passèrent sans contact physique. Ma vieille inquiétude s'insinua de nouveau dans mon cœur : Libbie risquait de me glisser entre les doigts et je me persuadai que si nous ne nous marions pas bientôt, notre mariage n'aurait jamais lieu. On dirait que chez les jeunes amoureux le doute doit forcément peser d'un poids égal à la foi. En tout cas, c'était ainsi que cela se passait pour moi.

En janvier 1864, je reçus enfin l'assentiment du juge Bacon, une nouvelle qui me jeta dans un état d'excitation sans égal et me poussa à l'action, car la route était enfin dégagée et je n'avais qu'une envie : foncer. C'est exactement ce que je fis, et les résultats furent surprenants.

Nous avions depuis longtemps imaginé une cérémonie dépourvue du style et de l'hystérie qui noient le doux et simple but du rituel dans un maelström de détails sans fin. Mais notre envie sincère d'éviter cela fut rapidement balayée par l'intérêt colossal que notre mariage provoqua.

Les courriers se bousculaient à mon quartier général et, d'après ce que je pouvais en juger, ce phénomène s'était propagé par vagues successives du cercle de la famille et des amis jusqu'au moindre quidam avec qui nous étions entrés un jour en contact.

J'étais inondé de lettres, de même que Libbie, et nous nous aperçûmes qu'une fois enclenchée la mécanique qui devait engendrer notre mariage s'était emballée et menait sa propre vie. Ma réputation avait, semblait-il, agi comme un paratonnerre pour l'intérêt national qui se portait sur notre mariage. Avant, je n'avais pas compris à quel point l'imagination populaire s'était emparée de la légende du « général enfant aux boucles blondes ».

Cela ne veut pas dire que tout le monde en Amérique vint à notre mariage, mais à mesure que le jour fatidique approchait, ce fut comme si tout le monde en Amérique voulait être invité.

La famille Bacon était beaucoup plus prolifique que je ne l'avais imaginé. Des membres éloignés, presque inconnus, de la tribu Bacon, certains vivant dans des lieux distants de plusieurs Etats, réclamèrent des invitations.

Dans ma propre famille, des parents dont j'ignorais jusqu'à l'existence se firent connaître. Certains vinrent en personne sonner à ma porte un jour ou deux avant la cérémonie.

La pauvre Libbie en pâtissait plus que moi. J'avais

l'excuse fort acceptable d'être engagé dans une guerre et je m'appuyais dessus pour justifier ma maigre et tardive participation aux tentatives chaotiques d'exercer un contrôle, même modeste, sur les préparatifs.

Je partis pour Monroe, chargé de l'unique responsabilité de me munir de l'uniforme de gala que Libbie m'avait demandé de porter dans un état impeccable. Mes seules autres obligations étaient de planifier notre fuite — ce que j'avais fait — et d'être ponctuel à l'église.

Le temps manquait pour assembler un contingent militaire, mais je réussis à amener mon adjudant-major, le capitaine Jacob Greene, qui était aussi un natif de Monroe. Aimable et efficace, comme toujours, il me procura ce dont j'avais besoin et se retira à l'arrière du train dès que cela fut possible pour y jouer des airs mélancoliques sur sa flûte, me laissant ainsi méditer sur ce qui m'attendait.

Et pour méditer, je méditai, car je n'avais jamais été aussi excité de ma vie. Comme il en va sans doute pour tout futur marié, j'essayais de prévoir chaque détail de ce qui allait se passer, mais je ne pouvais pas imaginer ce qui se passerait vraiment.

Nous atteignîmes Monroe tard le soir du 8 février 1864. Le quai était très éclairé et noir de monde. J'avais une certaine habitude de la foule, et je mentirais en disant que je n'aimais pas être le centre d'intérêt, mais j'étais déjà absorbé par l'émotion pure de la veille de mon mariage et je ne pensais pas pouvoir supporter les exigences d'une foule, aussi bien intentionnée fût-elle, et nécessairement constituée en majorité d'étrangers.

Un porteur compatissant nous fit sortir par une porte du train opposée au quai, et nous nous glissâmes dans la nuit comme des fugitifs, traînant nos bagages derrière nous.

Les vingt-quatre heures suivantes sont encore opaques dans mon souvenir. Elles défilent en fragments colorés, tel un rêve opiacé fait de bruits et de visions. Les gémissements incessants de ma mère. Tom, chez qui l'envie le disputait à l'adulation. Mon père, surgissant de l'ombre et disparaissant aussi vite, avec des questions étranges et des déclarations puériles : « J'ai été marié deux fois... » Ma sœur Lydia et ses amies furetant partout comme des oiseaux affolés. Le petit Autie Reed, mon neveu, perpétuellement accroché à mon uniforme. Et moi... Le Vieux Bouclé, vingt-quatre ans, impatient dans la folie ambiante, qui voulait se marier et rien d'autre.

On était venu en masse des villages voisins. Je ne comprenais pas — je ne comprends toujours pas — pourquoi tant de gens voulaient participer à un événement qui n'avait que si peu de rapport avec eux. Je sais que le citoyen le plus ordinaire brûle parfois d'une envie bizarre pour les éclaboussures de la célébrité, mais bien que je puisse énumérer les raisons individuelles d'un tel comportement, je ne m'explique pas le phénomène lui-même.

La ville grouillant d'étrangers, j'avais quelques réticences à me montrer en public. Mais l'après-midi du mariage, comme je ne supportais plus de rester enfermé, Tom attela un petit cabriolet et nous partîmes pour une longue promenade. Je restai caché sous une couverture jusqu'à la sortie des faubourgs.

Tom connaît mes besoins mieux que personne, et ce jour-là il perçut fort justement que je mourais d'envie d'un bol d'oxygène et de grands espaces. Nous parlâmes peu, et quand nous parlâmes ce fut pour aborder des sujets superficiels. Malgré cela, je détectai un courant sous-jacent dans les propos de Tom, révélateur de son attitude ambivalente à mon égard qui perdure jusqu'à ce jour.

Tom donnerait sa vie pour protéger la mienne. Il le ferait sans arrière-pensées. En même temps, il est convaincu que je suis « le veinard », celui dont l'étoile brille d'un éclat plus grand, celui qu'on ne peut dépasser. Cette attitude semble empreinte, à part égale, d'amour et de haine. Son amour a toujours dominé sa haine, mais le mélange de ces deux sentiments produit une sorte de confusion qui m'attriste.

Par exemple, à propos de mon mariage, il me dit :

— C'est toujours toi qui as la plus belle et la plus intelligente, Autie. Je ne sais pas comment tu fais ton compte...

J'avais de la peine pour mon frère, mais je ne pouvais rien pour lui.

— Je ne sais pas non plus, Tom, fut la meilleure réponse que je pus lui fournir.

Jamais je n'avais voulu qu'une chose se termine plus vite que ce mariage. Les bizarreries qu'il provoquait dans ma famille étaient presque incroyables et, à cause de l'énorme intérêt public dont j'avais été la cible depuis mon arrivée, je vivais comme un criminel en fuite.

Le plus étrange était Libbie elle-même. Je ne l'avais pas revue depuis des mois. Je n'avais plus entendu sa voix. J'épousais quelqu'un que je ne connaissais pas. Le mariage était fondé presque exclusivement sur des idéaux, non sur des faits. Il était impossible qu'une telle chose ait lieu et pourtant elle avait lieu. A mesure que les heures s'écoulaient lentement, toute ma concentration s'appliquait à faire en sorte que le mariage commence pour qu'on en finisse.

Quand vint l'heure de me laver et de m'habiller, je me préparai dans un état second. Je boutonnai ma veste, me brossai les cheveux, suspendis mon sabre à mon flanc, et je fis tout cela machinalement, comme dans un rêve.

Tom et le capitaine Greene me conduisirent à l'église. Arrivé à un pâté de maisons de la paroisse, je distinguai les lumières des dizaines de lampes qui éclairaient les centaines de spectateurs amassés devant l'entrée. Tom guida l'équipage dans une ruelle qui nous amena finalement à l'arrière de l'église.

Nous sautâmes du cabriolet et fonçâmes à l'intérieur par une porte dérobée. La pièce dans laquelle je me retrouvai était pleine de gens que je ne connaissais pas, et un silence irréel s'abattit quand ils interrompirent tous en même temps ce qu'ils étaient en train de faire pour dévisager le célèbre futur marié. Combien de temps dura cet étrange intermède avant que l'animation reprenne, je ne m'en souviens plus.

Peu après, je me retrouvai en train de serrer la main du pasteur, un certain docteur Boyd. Je lui présentai Tom et

Jacob Greene, mes témoins, et Boyd mentionna, je crois, que ma présence l'honorait — un commentaire que je jugeai étrangement inadéquat —, puis je vis mon père s'avancer à ma rencontre, sa longue barbe blanche recouvrant comme un plastron son costume noir tout neuf.

Il me tendit la main, cligna de l'œil d'un air mystérieux et déclara :

— Bonne chance, Autie.

La seule chose qui me vint à l'esprit fut :

— Que fais-tu ici, Père?

Tom m'empoigna subitement par la main.

— Il faut que tu voies ça, Autie, me dit-il en m'attirant vers la fente des rideaux.

J'y collai mon œil et vis que l'église était surpeuplée. Le balcon croulait de monde et il n'y avait pas une place de libre sur les bancs. Des gens étaient debout sur deux rangées contre le mur du fond. Le bruit que faisait cette foule n'était ni trop fort ni trop doux, juste ce qu'on était en droit d'attendre d'une importante réunion impatiente que l'événement commence.

Que je dusse paraître devant cette assemblée me semblait grotesque.

Le pasteur envoya quelqu'un prévenir que tout était prêt et que je ne tarderais pas à me montrer.

Quelque part au fond de mon cœur, une voix étouffée me souffla de m'enfuir, mais même si ce conseil téméraire avait été impérieux, je n'aurais pu le suivre. En fait, je tremblais trop pour pouvoir courir. Marcher était déjà un problème. Mes jambes étaient molles comme de la gelée et quand je pénétrai dans l'église proprement dite avec mon frère et le capitaine Greene, je sentis mon cœur battre à tout rompre.

Les cierges qui brûlaient autour de la chaire m'hypnotisèrent jusqu'à ce que la musique de la Marche nuptiale me sorte de ma torpeur. Comme tout le monde, je tournai alors la tête vers l'allée centrale où la mariée s'avançait.

Elle marchait lentement, à pas mesurés, solennels, entourée des demoiselles d'honneur brandissant des cierges qui l'enveloppaient dans la douce lueur de leurs flammes.

Libbie était vêtue de soie blanche immaculée, qui, jointe à la lueur des cierges, lui dessinait une silhouette éthérée, vision angélique entêtante venue du fond des âges. Des points lumineux brillaient dans ses yeux noirs et sa petite bouche était figée en un sourire ambigu. Un diadème de fleurs d'orangers ornait ses cheveux, image de gloire couronnée qui arrêta mon cœur et me coupa le souffle. Jamais je n'avais rien vu d'aussi beau.

Même lorsque je détournai les yeux, la vision ne me quitta pas. Elle scintillait comme un signe divin, dont je savais qu'il me soutiendrait toute ma vie.

Quand Libbie prit place à côté de moi, son rayonnement éteignit tout le reste. Pendant toute la cérémonie, je fus vaguement conscient du visage satisfait du prêtre, moins du torrent de mots qu'il débita.

Je n'attendais que la question : « Voulez-vous prendre pour épouse... ? » Ne pouvant plus me retenir, je commençai à couler des regards vers Libbie, et à chaque fois les mêmes mots surgissaient dans ma tête : « Ma promise, ma femme, mon amour, ma vie... » Je les répétai à l'infini, jusqu'à ce que j'entende le pasteur déclarer : « Vous pouvez embrasser la mariée. » Je plongeai alors mes yeux dans ceux de Libbie, dis tout haut les mots qui me passèrent par la tête, et l'embrassai. Ce fut un long et tendre baiser qui en précéda des centaines d'autres et, quand nos lèvres se séparèrent, je me réveillai, comme d'un long sommeil, prêt à commencer une autre vie.

Combien de personnes assistèrent à la réception chez les Bacon, on n'en fit pas le calcul, mais il y en avait des centaines et je n'ai pas souvenir d'une réunion plus heureuse.

Nous croulâmes littéralement sous les cadeaux, et bien que ni Libbie ni moi ne fussions des « collectionneurs » cet amoncellement de vœux de bonheur sous forme d'objets matériels nous alla droit au cœur. Je fus profondément ému par l'argenterie que m'offrirent les hommes de mon ancienne compagnie et ceux de la nouvelle.

Je ne connaissais pas un tiers des gens dont je serrai la main ce soir-là, et même si la bousculade était fort joyeuse je voulus m'enfuir avec mon épouse dès que la fête commença, ou presque.

L'image stupéfiante que Libbie avait projetée à la cérémonie s'estompa à la réception, bien qu'elle fût restée en robe de mariée, pour faire place à une vision plus matérielle, et mes désirs suivirent cette pente... du spirituel au terrestre. Je pouvais voir le même changement dans les yeux de Libbie. Il n'y avait plus rien qui nous retînt.

A minuit, notre petite troupe monta dans le train pour Cleveland et, même si nous pûmes grappiller quelques baisers fiévreux, nous étions huit en tout, ce qui, ajouté à l'excitation du voyage, tint tout le monde éveillé.

Ce ne fut pas avant le lendemain matin que je pus enfin prendre Libbie dans mes bras pour lui faire franchir le seuil d'une suite d'hôtel. Ni elle ni moi n'avions beaucoup dormi les jours précédents, mais la fatigue que nous ressentions dans chaque goutte de notre sang fut aisément balayée par notre joie d'être enfin seuls.

Par pudeur, je tournai le dos quand Libbie se déshabilla et se glissa dans le lit. J'étais intimidé, moi aussi, mais je résolus d'affronter la situation et je me dévêtis face au lit.

Quelqu'un avait apparemment anticipé ce moment critique car, lorsque j'en arrivai à mon pantalon, je m'aperçus que je ne pouvais le déboutonner. Par un habile tour de passe-passe, Tom avait collé ma braguette. La taille était trop étroite pour glisser sur mes hanches, et j'eus beau tirer sur mon pantalon, il refusa de descendre. Libbie enfouit sa tête sous les draps en pouffant. Il y avait gros à parier que, quelque part dans l'hôtel, Tom était aussi en train de ricaner. Je fus obligé de rire à mon tour quand, n'ayant pas le choix, je dus découper mon pantalon à coups de sabre avant de pouvoir me mettre au lit avec ma femme.

Nous nous embrassâmes, nous rîmes, nous bavardâmes quelques minutes, puis les baisers et la chaleur de nos caresses nous entraînèrent irrésistiblement dans des jeux érotiques d'une pureté et d'une beauté sans pareilles qui nous transportèrent dans un monde encore inconnu.

Nos corps intimement emmêlés, nous sombrâmes dans

le sommeil. Quand nous nous réveillâmes, nous reprîmes nos jeux où nous les avions laissés. Puis nous nous rendormîmes.

Dans l'après-midi, des coups frappés à la porte suivis par des voix étouffées nous rappelèrent qu'un dîner en notre honneur allait être servi. Cet intermède détermina le schéma de notre voyage de lune de miel. Nous fûmes interrompus à Buffalo, à West Point, à New York et à Washington. Nous fîmes l'amour le plus souvent possible, mais on nous tirait constamment du lit, où nous aurions pu passer notre vie, pour nous obliger à assumer les mondanités de la société.

C'était pour Libbie un monde totalement inconnu, auquel personne n'aurait pu s'habituer aussi vite. Elle s'appliqua à en connaître les ficelles avec un esprit ouvert et entreprenant. A chaque arrêt dans une ville inconnue, à chaque nouvelle rencontre, elle s'acquittait de son rang avec une bonne humeur toujours égale. J'étais fier que mon épouse s'impliquât autant dans les affaires de son mari.

Au début, sa confiance était naturellement balbutiante, mais je fus surpris de la voir croître rapidement, en dépit du fait qu'elle était une jeune mariée de peu d'expérience qui avait à peine quitté son Etat natal. Elle devait jouer son rôle d'épouse sous l'œil critique du grand public. Désormais mariée à un général de l'Union, son statut se faisait sentir à chaque instant.

Bien qu'ayant toujours fait montre d'une grande indépendance, et bien qu'elle n'hésitât jamais à affirmer sa volonté, pendant notre premier voyage elle assuma le rôle de l'élève, moi celui du maître, et s'appliqua si bien à retenir les leçons qu'à notre arrivée à Washington elle était devenue experte dans l'art de dissimuler sa naïveté devant les prédateurs qui encombraient cette ville.

Les politiciens rendus dangereux par une duplicité et une hypocrisie inaltérables, elle les manœuvra avec talent et diplomatie. Elle mesura le degré de nuisance des vieux grigous comme des jeunes loups avec une acuité égale, et je m'aperçus tout de suite que je n'avais pas seulement épousé une femme dévouée, j'avais aussi trouvé une alliée redoutable.

Nous ne voulions pas nous séparer, pour quelque raison que ce fût, mais les événements nous forcèrent à prendre un appartement en ville pour Libbie alors que je repartais au front. Néanmoins, l'année suivante, elle me suivit chaque fois qu'elle le put et se soumit sans se plaindre à la vie d'une femme de soldat en guerre. Elle fit tout cela sans altérer ces qualités qui lui étaient propres et faisaient d'elle ma Libbie. Son adaptation fut la plus surprenante qu'il m'ait été donné de voir.

Les moments décisifs qui précédèrent la capitulation du général Lee à Appomattox se déroulèrent au milieu d'une intense activité. Ce fut une période pendant laquelle Libbie ne pouvait être avec moi. Même Eliza dut rester en arrière quand l'armée fonça vers la victoire finale. Nous avions cru si souvent la tenir à notre portée que le dénouement arriva presque comme un choc.

Libbie fut remerciée de son rôle par le général Sheridan en personne. Dès que les papiers de la capitulation furent signés, il acheta la petite table sur laquelle le général Grant en avait rédigé les termes, et me la donna pour que je la remette à Libbie.

Ce fut, je crois, la plus merveilleuse journée de ma vie, et de celle de milliers d'autres. Je dévalai en trébuchant l'escalier de cette maison d'Appomattox comme si j'allais exploser de bonheur à chaque marche. Il n'y a pas de plus grande joie que lorsqu'on met un terme à une guerre, surtout pour ceux qui s'y sont battus avec succès.

La table de Libbie en équilibre sur mon épaule, je chevauchais, ravi que l'Union fût saine et sauve. Moi aussi j'étais sain et sauf. Et je m'étais admirablement comporté pendant quatre années de labeur sanglant.

Tels étaient les souvenirs qui me revenaient pendant cet été de 1868, l'été de mon pitoyable exil à Monroe.

Mes promenades matinales avec les chiens et mes méditations sous le gros arbre devant l'église m'apportaient bien des souvenirs agréables, mais, hélas, ne faisaient rien pour alléger mon fardeau. L'incertitude de mon avenir s'accrochait à moi comme une souillure.

A mesure que l'été avançait, j'allais de moins en moins à la rivière. Il devenait évident que je ne pouvais pas continuer à attendre durant le restant de mes jours, je devais envisager une alternative.

Nous savions, Libbie et moi, que notre résolution de ne pas nous quitter était un idéal noble mais inaccessible; nous décidâmes donc à la fin de l'été que je partirais seul à New York afin d'y explorer les possibilités de travail. Sans le dire, je crois que nous savions tous deux qu'après plus de quatre ans de vie commune, une séparation de quelques semaines améliorerait sans doute la santé de notre mariage, et nous n'avions pas tort. Peu importe qu'un couple soit dévoué et bien assorti, le vieux dicton « L'éloignement raffermit les cœurs » reste vrai.

Ce fut un stimulant de me retrouver dans les rues de cette grande ville, d'être entraîné par son énergie pure, de me sentir anonyme et pourtant vital dans le flot impétueux de ses avenues.

Toutefois j'admets que, pendant les premiers jours de ma visite, une crise de confiance me secoua. Tout en demeurant le général bien connu du public, je ne faisais techniquement plus partie de l'armée et cela risquait fort d'être définitif. Je me retrouvais coincé dans un no man's land et cette situation précaire me donnait souvent une sensation de malaise.

Je m'étais procuré un certain nombre d'introductions auprès d'hommes d'affaires, mais j'avoue que j'abordai chacun sans enthousiasme. J'avais passé ma vie en soldat et je n'avais aucune expérience des affaires.

En définitive, il n'y avait pas de raison de se tourmenter. Je rendis visite à la société que j'avais contactée pour la publication de mes mémoires. Les éditeurs venaient de recevoir les cinquante premières pages, que j'avais pondues pendant l'été, et à ma grande satisfaction ils avaient été sincèrement impressionnés par ce que j'avais écrit. Ils me poussèrent à écrire, écrire, et écrire encore.

Les encouragements de la maison d'édition durent briser la glace, car après ma visite la ville entière me tendit les bras.

J'allais au théâtre le plus souvent possible et j'y retrouvais de vieux amis qui furent enchantés de me revoir et avec qui je passai bien des heures agréables dans les plus beaux restaurants de la ville.

Je me fis aussi de nouveaux amis, surtout dans les milieux artistiques. J'ai toujours été attiré par les acteurs, sans doute parce que le monde dans lequel ils évoluent est si différent du mien. Plus certainement parce que nous partageons la même soif de vivre notre vie le plus pleinement possible, avec un brio inconnu dans bien des milieux. Au théâtre, où un acteur adopte l'identité d'un autre, je trouve une exubérance magique qui me fascine. J'adore le noir, le lever du rideau, le récit qui se déroule. J'observe chaque geste, j'écoute chaque intonation, je savoure chaque moment, petit ou grand, avec une plénitude que je ne trouve nulle part ailleurs.

La nouvelle de ma présence en ville semblait précéder chacun de mes pas et, partout où j'allais, les portes qui gardaient les sanctuaires des riches et des puissants s'ouvraient comme celle de la caverne d'Ali Baba et des Quarante Voleurs. En fait, je n'avais même pas besoin de prononcer le fameux « Sésame, ouvre-toi », car on m'invitait presque toujours.

Mes entretiens avec ces géants des affaires de l'époque étaient étrangement déroutants. Ils me recevaient avec un grand intérêt et, apprenant que j'envisageais une carrière dans les affaires, ils m'encourageaient chaudement dans cette voie. Presque tous me disaient que c'était une excellente idée, et aucun ne doutait de ma réussite, mais ils reprenaient invariablement le cours de leurs occupations et je repartais bredouille.

Par la suite, je devais m'impliquer dans un certain nombre d'entreprises, dont aucune ne rapporta grand-chose. J'espère encore que certaines de mes initiatives dans les affaires se révéleront lucratives, mais il semble que mon flirt avec le commerce a manqué de cette étincelle qui assure l'amour éternel.

Je rentrai à Monroe revigoré, la confiance restaurée, mais je ne savais toujours pas quoi faire de ma vie. Au fond de mon cœur, ce que je souhaitais par-dessus tout, c'était retourner dans l'armée.

Dans la ville où j'avais grandi, je m'efforçai de me tenir au courant du déroulement des opérations sur la frontière, surtout dans la région occupée par le général Sheridan. Je glanais tout ce que je pouvais dans les journaux et les rapports des militaires que je lisais occasionnellement, mais ces contacts ne faisaient qu'accroître mon désir de participer aux activités.

La politique de paix avait créé davantage de frictions que de paix : le ministère de l'Intérieur poursuivait essentiellement un programme de pots-de-vin, procurant aux sauvages toutes sortes de provisions, y compris des armes et des munitions, tandis que le ministère de la Guerre tenait bon et se demandait quand l'armée devrait entrer en campagne contre un ennemi armé par notre propre gouvernement.

Vers la fin de l'été, il advint que le général Sully reçut l'ordre de poursuivre avec le gros du 7e de cavalerie les guerriers qui ne pouvaient pas s'empêcher de mener des raids dans la région du général Sheridan.

La campagne ne fut pas une réussite, mais, comme les autres corps de l'Etat, l'armée présenta ses interventions sous le meilleur jour possible. Je ne crois pas avoir jamais lu un rapport public qui reflétât les faits. Etant absent de l'action, il me fallait lire entre les lignes des articles de journaux pour dénicher une parcelle de vérité. Ce ne fut que de cette manière que je pus me faire une idée de ce qui se passait.

Les rapports sur la campagne de l'été 1868 contre les Cheyennes, les Sioux, les Arapahos et les Kiowas comportaient bien des références aux « efforts vigoureux », à la

« vigilance renforcée » et à la « poursuite déterminée ». On ne citait pas les pertes, ni dans un camp ni dans l'autre, et quand je lus que le général Sully avait passé la plupart de son temps à parcourir les plaines dans une diligence, je compris que la campagne avait été un échec.

Le dernier jour de septembre 1868, nous dînions chez des amis quand nous parvint un télégramme du général Sheridan. Bizarrement, je n'en fus pas le moins du monde surpris mais cela ne diminua pas le plaisir que j'éprouvai à lire son contenu. Ce télégramme fait partie des documents que j'ai précieusement conservés et je peux le citer de mémoire :

« Les généraux Sully, Sherman et moi-même avons réclamé votre réintégration, de même pour tous les officiers de votre régiment. J'espère que notre demande sera entendue. Pouvez-vous venir immédiatement? Le 1er octobre, onze compagnies de votre régiment marcheront contre les Indiens hostiles... »

Le télégramme du général Sheridan me procura un profond sentiment de justice et créa en moi une telle excitation que je dus m'excuser auprès de mes hôtes en plein milieu du dîner; je rentrai aussitôt à la maison avec Libbie.

Il y avait un train de minuit pour l'Ouest, et comme je n'avais pas l'intention d'attendre les ordres de Washington, je remplis deux valises de vêtements et de choses essentielles, pris deux des chiens, et j'étais à la gare à onze heures trente, ayant déjà télégraphié au général Sheridan pour le prévenir de mon arrivée.

Ce fut pour Libbie et moi une séparation confuse, désagréable. D'un côté, nous n'avions pas le temps de nous organiser pour qu'elle m'accompagne, de l'autre, nous savions tous deux sans avoir besoin d'en parler que notre dévouement mutuel avait été la cause de ma suspension. Cela n'entamait pas notre envie d'être ensemble, cela signifiait simplement qu'il nous fallait nous montrer plus prudents si je devais continuer ma carrière dans l'armée. Il nous faudrait désormais choisir nos points de rencontre avec plus de discernement.

Nous ne nous dîmes rien de tout cela quand je partis ce soir-là, car dans de tels moments la question non exprimée de savoir si nous allions un jour nous revoir hantait l'esprit de chacun de nous.

16-17 juin 1876

Nous avons repris la route et atteint les sources de la Powder, là où elle rejoint la puissante Yellowstone.

Le capitaine Marsh, pilote du *Far West*, m'a appris que le général Terry avait ordonné au camp de ravitaillement de déménager plus à l'ouest, à la source de la Rosebud. J'ai aussi appris, à ma grande déception, que Libbie, n'ayant pu se trouver une place sur le vapeur, était restée à Fort Lincoln.

Pas de nouvelles de Crook, pas de nouvelles de Reno, et presque rien du général Terry. Tout ce que je sais, c'est que je dois poursuivre vers l'ouest jusqu'à notre rendez-vous, fixé de longue date à la source de la Rosebud.

Plus nous avançons, plus je suis déconcerté par les éléments disparates de cette campagne. Les multiples colonnes et les groupes d'éclaireurs qui sillonnent le pays pourraient facilement mettre notre ennemi en déroute. Dans mon esprit, cela accroît dangereusement les chances des Indiens de s'échapper. S'il ne tenait qu'à moi, je foncerais vers l'ouest à marche forcée et j'en terminerais avec eux. Tous ces atermoiements ne servent qu'à alimenter l'indécision, et l'indécision est la mère de la catastrophe.

Rater ma part d'action ne m'inquiète guère, car tout le monde sait que c'est pour cela que je suis là. Sauf en cas d'engagement purement accidentel, il est de notoriété publique que Custer conduira la charge.

Cette perspective m'excite, car aussi lourde et maladroite qu'ait été cette campagne, je devine qu'elle approche de son dénouement — ce n'est plus qu'une question de jours. L'ennemi doit sentir l'étau se resserrer : nous sommes si nombreux à l'encercler par l'est, le nord et le sud. Plus nous approchons, plus grandes sont mes craintes qu'il ne trouve un moyen de s'échapper. Or c'est sa fuite que je redoute pardessus tout.

Si cette campagne s'était déroulée comme prévu, je n'aurais pas ces appréhensions car ce devait être une campagne d'hiver. Nous avons été retardés entre autres à cause du Missouri dont les eaux restées gelées tard dans le printemps ont empêché les ravitaillements de nous rejoindre. Et bien sûr, quand ils sont arrivés, ils étaient en mauvais état, et cela à cause de la corruption qui a si complètement contaminé le présent gouvernement.

En fait, ces conditions pathétiques m'ont obligé à me rendre à Washington, pour témoigner devant le Congrès. Ce furent des audiences interminables qui ont retardé d'autant le commencement de la campagne et ont probablement ruiné ma carrière.

Je ne pourrai plus me fier à mes anciens alliés du gouvernement, et dans l'armée les rares qui me soutiennent n'auront aucun pouvoir si ce n'est celui de m'aider moralement. Il ne reste qu'une voie par laquelle je peux encore progresser dans la carrière militaire, c'est en me distinguant sur le champ de bataille. Et même ce que je serais ou non capable d'accomplir ne suffira peut-être pas à m'obtenir un avancement.

Je ne doute pas de ma volonté, de ma disposition au combat ni de celle de mes hommes, mais la campagne d'hiver sur laquelle nous comptions tous est désormais une campagne d'été. Si nos chevaux ont le ventre plein, les poneys de l'ennemi aussi.

Le général Terry est sans doute le plus apte de nos officiers, mais il lui manque la pugnacité du général Sheridan. Si Sheridan était le commandant en chef de cette campagne, je suis certain qu'elle serait déjà terminée. Son dénouement aurait peut-être eu lieu en hiver, comme ce fut le cas pour la campagne Washita.

La campagne Washita fut un succès depuis le début. On peut dire que je quittai Michigan avec la conviction que, dût-on me donner une seconde chance, on ne me priverait pas de la victoire.

Pendant la traversée du Kansas, chaque fois que le train s'arrêtait à une gare, je découvrais du nouveau. Des changements majeurs s'étaient produits pendant mon absence. Tout avait grandi. Les colonies avaient doublé de volume et de nouvelles semblaient avoir poussé du jour au lendemain.

Bien que tous les villages possédassent cet aspect rudimentaire qu'on trouvait d'ordinaire à la frontière, je ne pouvais pas ne pas remarquer l'ajout d'églises, d'écoles, de banques et autres signes de stabilité qu'apporte la civilisation.

Comme l'Ouest devient de plus en plus policé, les razzias indiennes ne sont plus tolérables. Les belles paroles des citoyens de l'Est, aussi bienveillantes soient-elles, ne pourront étouffer les inquiétudes de l'Ouest qui demande qu'on agisse. Le Congrès et le président peuvent bien légiférer et dire ce qu'ils veulent, à moins que les razzias ne soient stoppées, il y aura toujours une incitation à la guerre.

J'ai eu confirmation de ces impressions en descendant du train à Ellsworth, au Kansas. J'étais resté dans le compartiment à toutes les gares, car la nouvelle de ma venue m'avait précédé et, à chaque arrêt, une foule s'attroupait sur le quai, or mon humeur ne m'inclinait guère alors à affronter les effusions du public.

Ellsworth étant le terminus, je descendis du train pour saluer l'escorte qui devait me conduire à Fort Hays ; soudain, une foule de civils se pressa autour de moi et des voix s'élevèrent, réclamant une prompte action contre la menace indienne. Les propos étaient si véhéments que je ne doutai pas que les colons qui s'installaient sur la frontière obtiennent un jour la vengeance et la sécurité durable qu'ils exigeaient.

Des paroles d'encouragement m'étaient adressées personnellement et il était bien naturel que je les trouvasse profondément agréables après mon année d'exil. Les tapes dans le dos de ces civils représentaient, à ma grande satisfaction, un préambule à l'enthousiasme qui devait m'accueillir à Fort Hays.

Le général Sheridan et son état-major m'attendaient dehors et je n'avais jamais vu de sourires aussi sincèrement chaleureux sur des visages d'officiers. Avec le temps qui passe, il devient chaque jour plus facile de distinguer le vrai du faux; bien qu'étant âgé tout juste de trente ans, j'en ai assez vu pour faire la différence. L'accueil était sincère, et il me donna une confiance qui dura toute la campagne Washita. Même le capitaine West, qui avait suffisamment tempéré son alcoolisme pour rester dans l'armée, me tendit la main de l'amitié... je le saluai d'un signe de tête mais refusai de lui serrer la main.

Je ne fus pas long à comprendre que cette réception chaleureuse — pour ne pas dire joyeuse — provenait de l'état lamentable du 7e de cavalerie. La morne campagne de l'année précédente avait ôté toute fierté aux troupes et mon arrivée fut saluée comme un signe de délivrance par une unité qui avait perdu l'espoir.

Une inspection hâtive me permit de voir à quel point les hommes étaient malheureux. Ma présence semblait réjouir jusqu'aux simples soldats, mais au-delà de leur accueil aimable je perçus une singulière humilité, une sorte d'embarras attristé.

Le 7e de cavalerie avait perdu son esprit combatif. Le général Sheridan l'admit lors de notre première réunion de travail, au cours de laquelle il passa en revue les raisons de l'échec de la campagne de l'été précédent et dévoila sa stratégie pour mettre un terme aux déprédations causées par nos ennemis indiens.

Il m'expliqua que nous avions désormais les pleins pouvoirs pour châtier les assassins, les ravisseurs et les voleurs qui se cachaient parmi les Indiens. Les autres façons de traiter le problème ayant échoué, il était convaincu que seule une guerre à outrance y parviendrait.

Le général Sheridan proposa d'attaquer l'ennemi pendant qu'il était regroupé dans ses camps d'hiver : ses poneys étaient trop maigres pour de longues marches ; le froid, la neige et la glace rendaient toute fuite difficile, sinon impossible. Il proposa de traquer l'ennemi jusqu'à son repaire et de le surprendre pendant son sommeil. Il s'agissait de donner une leçon à toutes les tribus, de bien faire comprendre aux Indiens qu'ils ne seraient en sécurité nulle part et qu'ils devraient se soumettre s'ils tenaient à la vie.

J'approuvai tous les aspects du plan du général Sheridan et le lui dis sans équivoque. Il s'adossa dans son fauteuil et, comme il le faisait souvent, lissa les deux pointes de sa moustache en me fixant intensément de ses petits yeux noirs. Puis il déclara platement que ma présence et mes capacités lui avaient manqué. Il sortit ensuite un cigare, qu'il contempla amoureusement en le roulant entre ses doigts.

— Je vais fumer ce cigare, dit-il, et je vais le déguster tranquillement en sachant que j'ai enfin un commandant qui ne m'a jamais déçu.

Il restait peu de temps pour préparer une campagne d'hiver de guerre à outrance. Des centaines d'hommes avaient été démobilisés à la fin de l'été et remplacés par de jeunes recrues dont la plupart n'avaient jamais manié d'armes à feu.

Le régiment allait à vau-l'eau ; je me mis aussitôt en demeure de le reconstruire.

Décidé à remonter le moral de mes troupes, j'ordonnai à chaque unité de chevaucher des montures de même couleur et demandai au lieutenant Cooke d'organiser une unité de tireurs d'élite.

Bientôt, les hommes furent tellement accaparés par leur tâche qu'ils n'eurent pas le temps de céder à l'abattement. Le froid s'intensifiait de jour en jour et, à mesure que l'hiver s'installait, les jambes du 7e de cavalerie — celles des hommes comme des chevaux — suivaient de mieux en mieux la cadence. A mesure que le régiment prenait forme je fus, comme tout le monde, contaminé par la certitude que personne ne nous dénierait notre victoire.

Les problèmes ordinaires — et lamentablement prévisibles — du ravitaillement entravaient le moindre progrès de notre organisation. Même l'arrivée des munitions fut retardée au point que je dus suspendre les tirs d'entraînement pendant plus d'une semaine.

Pendant que nous nous débattions avec ces problèmes, un élément nouveau compliqua nos projets : une force civile devait se joindre à nous.

Le Kansas avait essuyé le gros des attaques indiennes l'été précédent, cent cinquante personnes avaient été assassinées et plus de trente femmes et enfants faits prisonniers. Fort logiquement, les citoyens avaient exigé des autorités fédérales le droit de se défendre eux-mêmes et, après bien des chicaneries, avaient obtenu l'autorisation de lever un régiment de volontaires qui devait être dirigé par le gouverneur de l'Etat.

Je comprenais la position des habitants du Kansas, mais je doutais que la compétence militaire des fermiers et des marchands pût tenir la comparaison avec la nôtre. Néanmoins, il avait été décidé que nous combattrions ensemble et le 7e de cavalerie avait reçu l'ordre d'attendre l'arrivée des volontaires avant de se mettre en campagne. Pour des tas de raisons, dont la plupart m'étaient inconnues, la 19e compagnie de volontaires du Kansas mit une éternité à arriver.

Mes hommes étaient prêts, je pestai contre les contraintes bureaucratiques et réussis finalement à convaincre le général Sheridan de nous laisser renoncer provisoirement aux volontaires du Kansas et de nous autoriser à partir pour Fort Dodge, bien plus proche de l'ennemi. En fait, il était situé aux confins de son territoire.

Cela se confirma quand le poste fut attaqué, quasiment à notre arrivée, par quelques Indiens qui, agissant comme leurres, espéraient attirer des naïfs dans la prairie. Nous dirigeâmes contre eux un feu suffisamment nourri pour les chasser et repousser plusieurs attaques ultérieures. En réalité, nous ne leur attachâmes pas plus d'importance que s'il s'agissait d'une poignée de moustiques. Si tout se déroulait comme prévu, nous reviendrions plus tard les attaquer en force.

Nous étions à Fort Dodge depuis quinze jours quand les premiers flocons de neige apparurent. Ce n'était qu'un léger saupoudrage mais les soldats s'en émurent, car l'arrivée de l'hiver devait marquer le début de notre campagne.

Au départ, il y eut quelques disputes pour savoir qui commanderait. Le général Sheridan m'avait dit en privé que je serais le chef sur le terrain — et je crois que tous les hommes l'avaient officieusement compris ainsi.

Mais le général Sully faisait aussi partie de l'expédition. Ses qualités de soldat étaient reconnues car il s'était glorieusement distingué pendant la Grande Guerre. Il s'était également battu contre les Indiens des plaines du Nord et, bien que n'ayant jamais remporté de victoires probantes, il n'avait pas non plus subi de défaites décisives. Malgré cela, la campagne d'été qu'il venait de conduire s'était soldée par un échec lamentable, une réalité qu'il refusait d'accepter, et il continuait à se comporter comme s'il était toujours aux commandes.

Pour dire les choses sans détours, le général Sully espérait qu'on oublierait son manque d'efficacité passé. Je lui fis l'honneur de jouer le jeu, sans être pour autant convaincu que son manège tiendrait longtemps.

Nos éclaireurs nous avaient prévenus qu'on trouverait probablement cet hiver des camps d'Indiens hostiles sur les berges d'une rivière appelée la Washita, et il fut décidé que le meilleur endroit d'où lancer les attaques serait un lieu que nous baptisâmes « camp de ravitaillement », à peu près à égale distance de Fort Dodge et des villages indiens.

Les volontaires du Kansas ne s'étaient pas encore montrés, mais, pressés d'établir un camp de base, nous demandâmes, le général Sully et moi-même, la permission de partir pour Fort Dodge afin de rejoindre le camp de ravitaillement.

En chemin, nous croisâmes la piste d'une troupe de guerriers, forte d'environ soixante-quinze hommes, qui se dirigeait vers le nord, sans doute dans le but de terroriser une dernière fois le Kansas avant de se retirer dans ses quartiers d'hiver.

Du fait de son grade légèrement plus élevé dans l'armée régulière, le général Sully était techniquement le commandant de notre unité; je suggérai donc respectueusement de détacher une partie de notre groupe, que je conduirais, afin d'attaquer les soixante-quinze Indiens.

Pour des raisons que j'ignore, le général Sully insista bêtement pour attendre les volontaires du Kansas avant de prendre l'offensive.

Je fus révolté. Pourquoi attendre? A quoi avait servi un mois et demi d'entraînement sinon à attaquer l'ennemi? Le général Sheridan avait déclaré lui-même à tout le monde que c'était une campagne de guerre à outrance. Nous devions attaquer et battre l'ennemi à chaque fois que nous le trouverions, quelle que fût la manière employée. Or nous étions en train de laisser passer une occasion.

Je retins ma langue jusqu'au camp de ravitaillement. Alors, au cours d'un entretien à peine courtois, je dis au général Sully qu'il ne pouvait plus commander parce qu'il était en dehors de son district et qu'en conséquence le grade obtenu par brevet l'emportait. J'avais le brevet de général de division, lui de général de brigade.

Sully répliqua qu'à son arrivée le gouverneur Crawford nous supplanterait tous les deux, et après une discussion acharnée il fut décidé de laisser au général Sheridan le soin de régler le problème du commandement. Ce qu'il fit quelques jours plus tard quand il arriva au camp de ravitaillement avec les volontaires du Kansas et leur commandant, le gouverneur Crawford.

Le général prit sa décision prestement. Il renvoya le général Sully au quartier général de la division et ordonna au gouverneur Crawford et à son régiment de rester au camp de ravitaillement pendant que le 7e de cavalerie partirait en reconnaissance.

Le général Sheridan et son état-major m'offrirent une paire de surchaussures en peau de bison et une casquette de fourrure avec des oreillettes. J'avais déjà acquis une excellente tenue en daim, une grande amélioration par rapport aux uniformes en laine classiques que j'avais portés pendant la campagne Hancock. Il ne me manquait plus qu'un cheval de qualité supérieure pour compléter mon équipement.

La veille de notre départ, une activité fiévreuse régnait dans le camp de ravitaillement ; on terminait à la hâte les préparatifs pour la campagne de huit cents hommes, un nombre égal de chevaux, et environ quarante chariots remplis de munitions, de rations et de fourrage.

Le temps était resté froid et clair, mais de grandes bandes de nuages gris et neigeux s'accumulèrent dans l'après-midi pendant que j'examinais les chevaux pour me choisir une monture adéquate.

Le candidat le plus probable se tenait à l'écart dans le coin opposé du pré : c'était un grand alezan clair qui paraissait se satisfaire de son isolement. Il leva la tête en m'entendant approcher, pointa les oreilles, me dévisagea avec curiosité, puis, mis en confiance, il fit un ou deux pas vers moi.

Je demandai au palefrenier le nom du cheval ; il m'apprit qu'il s'appelait Dandy, et ajouta que j'avais choisi le meilleur du lot.

Cela se confirma quand Dandy fut sellé et que nous galopâmes à travers la prairie sous les premiers flocons de la tempête de neige qui allait s'abattre sur le camp. Nous débusquâmes quelques antilopes, et la sûreté des aplombs de Dandy, sa façon de prendre le vent et son caractère intrépide mais franc m'impressionnèrent vivement.

Quand je trouve un cheval hors pair, mon enthousiasme est tempéré par la crainte de le perdre — j'ai perdu tant de superbes destriers ! Cette crainte m'incite à ne pas trop m'y attacher, au risque d'une souffrance dévastatrice. Je dois avouer néanmoins que ces tentatives pour conserver un certain détachement n'ont connu que des succès mitigés.

Je me jurai de ne pas trop m'attacher à cette merveilleuse bête. Cela fait bientôt huit ans et, heureusement, Dandy est encore avec moi aujourd'hui, il broute à quelques pas de ma tente en compagnie de son ami Vic. Que Dandy ait traversé toutes ces campagnes est peut-être le plus sûr témoignage de sa grandeur. Penser qu'il est toujours en vie et qu'il vivra encore plusieurs années me donne la plus grande des joies.

A minuit, j'étais en train d'écrire à Libbie quand John Burkman entra et me conseilla de jeter un œil dehors. Il y avait bien trente centimètres de neige. Cela ne me dérangea pas. En fait, la rigueur du climat m'excitait.

Peu avant le réveil, à trois heures du matin, je me rendis, par une visibilité presque nulle, aux quartiers du général Sheridan. Le vent soufflait fort, et d'énormes flocons de neige voltigeaient tel des confettis.

Le général avait l'air maussade et abattu.

— Eh bien, dit-il, voilà un sacré blizzard, vous ne trouvez pas ?

— Oui, mon général. Je n'aurais pu rêver mieux.

— Vous avez l'intention de faire sortir la colonne par ce temps ?

— Oui, mon général... venez voir.

Je relevai le battant de la tente et nous observâmes la tempête de neige. A quelques pas de là, les hommes et les chevaux avaient l'air de fantômes.

— Même le Peau-Rouge le plus rusé ne pourra remarquer notre départ un matin pareil. En partant maintenant, nous augmentons considérablement l'effet de surprise... et nos chances de victoire.

— Comment trouverez-vous votre chemin?

— J'ai une boussole, mon général.

Sheridan contempla d'un œil morne la boussole que je lui montrai, puis hocha la tête et reporta son attention sur la tempête.

— On dit que les insensés sont les meilleurs, remarqua-t-il. (Et il ajouta, en me gratifiant d'un regard amicalement ironique :) J'imagine que vous faites partie de ceux-là.

— C'est à vous de le dire, mon général.

Il ne répondit rien et contempla de nouveau le maelström de vent, de neige et de froid.

— Si je peux me permettre, mon général, je pense que si

nous devons faire une campagne de guerre à outrance, nous devons être prêts aux plus grands sacrifices. Pour moi, ce blizzard est un don du ciel... si vous...

— Oui, oui, oui, coupa-t-il. Partez, partez quand vous voulez.

Moins d'une heure plus tard, la colonne s'était formée comme prévu et nous quittions le camp de ravitaillement. Lorsque je revis le général Sheridan, il me dit que notre départ lui avait causé un certain malaise, car nous n'avions pas fait plus de quelques pas que les ténèbres nous avaient déjà avalés.

C'était une description fidèle, mais à l'époque je n'avais pas le temps de m'attarder à ce genre d'images. Toutefois, l'ironie de ma situation personnelle me traversa plus d'une fois l'esprit. A son retour d'exil, un glorieux général se voit confier le commandement de l'expédition la plus intrépide depuis la fin de la Grande Guerre. Son étoile ternie brillera-t-elle de nouveau ou souffrira-t-elle d'autres souillures ? A l'époque, la réponse m'importait peu. En fait, la question elle-même me faisait rire. Ce qui comptait, c'était que j'avais de nouveau l'occasion de tout risquer pour remporter la victoire. Je rêvais depuis si longtemps d'avoir cette chance que je ne me préoccupais pas du dénouement. Il y aurait tant de décisions critiques à prendre, des centaines et des centaines pendant la durée de la campagne, bien trop en tout cas pour faire place aux rêves de gloire personnelle.

Par nécessité, je m'étais placé dès le départ en tête de la colonne. Normalement, les éclaireurs Osages auraient dû occuper cette position, mais l'impossibilité de voir à plus de trois mètres rendait leur science inutile.

Dandy avançait dans la neige, près d'un millier d'âmes invisibles derrière nous. Je me souviens que je jetais des coups d'œil à la petite boussole nichée au creux de ma main gantée en me disant combien notre marge était infime, pensant qu'au moindre faux mouvement la boussole risquait de tomber dans la neige, et qu'alors nous serions tous perdus. Je nous imaginais tournant en rond dans un blizzard qui ne s'arrêterait pas avant plusieurs jours. J'envisageais le désastre comme un divertissement amusant, car je savais, bien sûr, que je ne laisserais jamais tomber la boussole.

Nous parcourûmes vingt-cinq kilomètres ce jour-là, et installâmes notre campement dans une petite vallée jonchée d'arbres abattus. Depuis la fin de la matinée, la tempête s'était apaisée. Tandis que les nuages défilaient, les flocons tombaient comme de grosses plumes mouillées, trempant hommes, chevaux et matériel.

En début d'après-midi, les rayons du soleil inondèrent le linceul blanc d'une lumière éblouissante et nombre de soldats furent aussitôt frappés de cécité.

Le camp grouillait de lapins et le ragoût de cet animal paisible constitua le menu de chacun. Les chiens de la colonne s'en donnèrent à cœur joie, et aucun n'abandonna la chasse avant d'avoir attrapé sa proie; quelques-uns, épuisés, s'affalèrent dans la neige froide, prostrés et haletants.

J'avais dépêché notre contingent d'Osages en reconnaissance; ils revinrent en affirmant que la voie était libre à des kilomètres à la ronde.

Il faisait encore assez jour pour que je puisse mettre sur pied une équipe de chasseurs, composée de moi-même, de deux de mes chiens, de plusieurs Indiens et de trois tireurs d'élite du lieutenant Cooke. Nous ne pouvions nous absenter longtemps car les chevaux étaient fatigués d'avoir marché toute la journée, des paquets de neige collés aux sabots — Dandy, dont la résistance était sans égale, étant l'exception manifeste. Nous eûmes la chance de tuer plusieurs daims et nous retournions au campement, contents de notre chasse, quand les chiens reniflèrent une piste et partirent en courant vers une ravine.

Les chiens sur ses talons, un bison d'un an déboucha soudain de la ravine et fonça dans la prairie. Avec quarante centimètres de neige, son poids travaillait contre lui, et les chiens eurent tôt fait de dépasser leur proie. Bluecher, le plus téméraire des chiens que j'aie jamais eus — et le plus obéissant —, sauta immédiatement à la gorge de l'énorme bête. Maida le suivit et s'accrocha à l'arrière-train du bison.

Pendant un temps, ce ne fut que grognements et grondements, le bison tournoya et recula dans la neige, essayant de faire lâcher prise aux chiens. Mais, bien que secoués dans tous les sens comme des marionnettes, les crocs fermement plantés, ils tinrent bon.

Le jeune bison allait finir par les piétiner ou les éventrer. Je ne pouvais tirer, de peur de toucher un des chiens. Un Osage épaula son fusil, mais je lui hurlai aussitôt d'arrêter.

Je descendis vivement de cheval, empruntai le couteau à scalper du même Osage, et, contournant les trois combattants, j'arrivai derrière le bison. En un éclair, je lui cisaillai les tendons des deux jarrets, et le bougre s'effondra. Ce fut ensuite un jeu d'enfant de dégainer mon pistolet et de loger une balle dans la tête de l'animal, mettant ainsi fin au combat.

La façon dont je tuai le bison impressionna profondément les Osages, qui me servirent le restant de la campagne avec enthousiasme et respect. Ce fut particulièrement vrai de leurs chefs, Corde-Raide et Petit-Castor, qui, depuis ce jour, ne voulurent remettre leur rapport qu'à moi-même. On peut dire que pendant le reste de notre expédition — et même après — je fus le chef des Osages.

Le lendemain, nous continuâmes vers l'ouest. Le soleil brillait et, malgré la neige fondue et la boue, nous réussîmes à parcourir trente kilomètres. Je fis déployer les ailes, et les éclaireurs, moi compris, caracolèrent loin devant la colonne. Je pris toutes les précautions dans l'espoir suprême que nous découvririons l'ennemi les premiers, et non l'inverse.

Notre second campement fourmilla lui aussi de lapins, et les chiens firent une telle razzia que je dus ordonner qu'on les égorge tous, sauf les plus obéissants. Deux de mes propres chiens furent ainsi tués.

Nous avions pénétré profondément en territoire ennemi, mais nous étions encore au nord de notre objectif supposé, et le matin du troisième jour j'ordonnai d'obliquer vers le sud. En même temps, j'envoyai le major Elliot plus à l'ouest avec un détachement d'éclaireurs, Blancs et Indiens, dans l'espoir qu'ils auraient la bonne fortune de croiser la piste de quelques groupes de guerriers sur le chemin du retour, qui nous conduiraient directement à leur camp d'hiver.

Le temps changea encore quand la colonne s'approcha de la rivière Canadian. Le soleil perçait parfois les nuages qui défilaient dans le ciel. Hormis le cri isolé d'un faucon et le cliquetis de la colonne, tout était silencieux, l'épaisse couche de neige étouffait les bruits.

C'était un étrange pays, dépourvu d'arbres, parsemé de ravines cachées et de marécages; il s'étendait à l'infini, de sorte qu'on avait l'impression de pouvoir marcher éternellement sans jamais parvenir au bout. De temps en temps, une protubérance informe brisait le paysage désolé. Cela commençait par une lente pente qui se terminait par une crête culminant à une centaine de mètres. Chaque fois que nous pensions que le pays était aussi plat qu'une table, une crête, une mesa déchiquetée ou une sorte de cône imparfait nous surprenait, et je ne pouvais m'empêcher de penser que seule la main de Dieu avait pu dessiner des formes aussi invraisemblables sur une plaine aussi magnifique.

En arrivant dans les sous-bois qui bordaient la Canadian, la colonne dut s'arrêter le temps que les éclaireurs cherchent un gué. La rivière est plate, large, et le voyageur a l'impression qu'elle n'est faite que de sables mouvants. Après avoir cherché le meilleur passage pendant près de deux heures, nous trouvâmes un gué difficile mais praticable, et la colonne se prépara à la tâche ardue de le franchir.

Ceux qui étaient à cheval traversèrent l'étendue de gadoue et de fange au galop pour éviter de s'embourber. Pour les chariots, bien sûr, ce fut une autre histoire. On forma des attelages de quatre chevaux pour tirer les lourds véhicules à la vitesse requise.

Il n'y avait pas moyen d'éviter la perte de temps et l'embarras d'une telle opération, et pendant que la traversée des chariots s'effectuait, je me rendis à cheval avec un petit groupe vers une colline avoisinante, d'une centaine de mètres de haut, pour scruter l'horizon.

En atteignant le sommet, un brouillard givrant nous enveloppa soudain, ce qui produisit un phénomène optique d'une étonnante rareté. Suspendus dans le ciel, non pas un mais trois arcs-en-ciel nous enjambaient. Bien que nous pussions les distinguer clairement, ceux qui bivouaquaient provisoirement à une centaine de mètres en contrebas ignoraient complètement le spectacle divin. Les Osages qui m'avaient accompagné en haut de la colline considéraient ces manifestations comme annonciatrices de mauvais temps et parfois de mauvaise fortune. De toute façon, comme je comptais sur le mauvais temps, je ne prêtai pas attention à leurs prédictions.

De la colline, je commençai à scruter les environs avec un télescope de campagne et repérai presque aussitôt une tache sombre qui avançait dans notre direction sur le manteau blanc. L'œil rivé à la lunette, j'entendis les cris d'alarme venus du camp prouvant qu'on avait aussi aperçu le cavalier solitaire d'en bas.

C'était Jack Corbin, une jeune éclaireur blanc parti vers l'ouest avec le major Elliot. Les nouvelles qu'il rapporta électrisèrent les troupes. Les éclaireurs avaient découvert les traces récentes d'environ cent cinquante guerriers près d'un gué de la Canadian, à vingt kilomètres à l'ouest. Les empreintes de poneys étaient vieilles de vingt-quatre heures, au plus, et se dirigeaient vers le sud. Le major Elliot, qui avait déjà franchi la Canadian, suivait la piste.

J'ordonnai à Corbin de se trouver un cheval frais et de retourner au plus vite auprès du major Elliot pour lui demander de suivre les traces des Indiens jusqu'à la tombée de la nuit, puis de nous attendre.

On fit traverser les derniers chariots aussi vite que possible. Je détachai quatre-vingts hommes et leur demandai de rester avec le gros du convoi pendant que la colonne rattraperait le major Elliot à marche forcée. Chaque homme reçut cent cartouches, et la troupe s'ébranla.

Suivant les traces de Corbin, nous atteignîmes le camp d'Elliot à vingt et une heures pour découvrir que tout allait bien. Les éclaireurs m'apprirent que nous n'avions guère plus de quelques heures de retard sur les Indiens, lesquels devaient déjà avoir regagné la rivière Washita et leur village.

On dessella les chevaux, on les nourrit, et les hommes firent chauffer du café sur les derniers feux qui seraient autorisés avant longtemps, pendant que je convoquais mes officiers pour une ultime réunion. Je les informai que personne ne devrait parler pendant la prochaine phase de la marche, que je ne tolérerais aucun coup de feu ni aucune lumière d'aucune sorte. Les adeptes du tabac devraient se contenter de le chiquer et nous n'emporterions aucun ustensile, uniquement les havresacs et les manteaux.

Le soir à vingt-deux heures, nous étions de nouveau sur la piste. Petit-Castor et Corde-Raide marchaient devant à pied, je suivais à huit cents mètres avec les autres éclaireurs, la colonne à quelques pas derrière.

Je me souviens que c'était une nuit bizarre et inquiétante. Il ne neigeait pas, mais l'atmosphère paraissait suspendue. La lune s'était levée, mais d'épais nuages obscurcissaient son éclat. La température était tombée bien en dessous de zéro et la neige crissait sous nos pas, un bruit qui me mit les nerfs à vif. La surprise était notre arme la plus puissante, mais aussi la plus hasardeuse.

A minuit, Petit-Castor et Corde-Raide émergèrent de l'obscurité dans un état de grande agitation. Ils avaient reniflé un feu de bois et pensaient qu'il provenait d'un village ennemi.

Je réitérai les ordres émis précédemment — pas un mot, pas de feu, et cætera — et, prenant un interprète avec moi, je me glissai dans la nuit avec Petit-Castor et Corde-Raide pour voir ce qu'ils avaient découvert.

Nous marchâmes avec prudence sur la neige gelée pendant une vingtaine de minutes avant d'atteindre l'endroit où les Osages avaient senti le feu de bois. Quelques mètres plus loin, nous tombâmes sur un feu qui avait probablement été allumé par de jeunes Indiens qui gardaient un troupeau de poneys.

Nous avançâmes à croupetons, mais bien que la lune fût encore levée, la visibilité était médiocre. Les nuages se déchirèrent et le clair de lune nous éclaboussa à l'instant précis où Petit-Castor et Corde-Raide se jetaient à plat ventre.

Pendant quelques secondes, je pus distinguer une proéminence à quelques pas de nous, laquelle, imaginai-je, surplombait une étendue... peut-être la vallée de la Washita.

Nous rampâmes, l'interprète et moi, jusqu'aux Osages. Petit-Castor m'encouragea à jeter un œil dans la vallée, mais j'eus beau plisser les yeux, je ne vis rien. Les nuages se déchirèrent de nouveau, et j'eus le temps de distinguer un serpent argenté, sans doute la Washita, et au-delà un groupe d'objets indistincts dans différents tons de gris, qui auraient pu être des tipis, des arbres, des chevaux ou des bisons, pour ce que je pouvais en juger. Petit Castor m'affirma que « beaucoup Indiens » campaient de l'autre côté de la rivière et, bien que je n'eusse pas de raison de douter de la véracité de ses propos, je ne pouvais alerter la colonne avant d'être sûr de ce que nous allions trouver en contrebas.

Nous restâmes assis en silence et, au bout de dix minutes, nous entendîmes tous distinctement un chien aboyer et peu après le tintement cristallin d'une cloche, sans doute portée par la jument dominante du troupeau.

Nous tendîmes l'oreille, à l'affût du moindre bruit, quand un son étrangement familier monta jusqu'à nous. Il était si distinct que j'aurais juré que le bébé indien avait crié à quelques pas de nous.

Je rampai jusqu'à la colonne et, après avoir demandé aux officiers de dégainer leur sabre, je les conduisis jusqu'à la crête qui dominait la vallée. Nous écoutâmes quelque temps les bruits qui provenaient du village et du troupeau de poneys.

Avec de la patience et de la concentration, c'est incroyable ce qu'on peut « voir avec les oreilles », comme disent les Indiens. Vingt minutes d'écoute intensive permirent de se faire une opinion assez claire de la cible, et dans l'obscurité glacée j'exposai ma stratégie d'attaque aux officiers sur qui je comptais pour remporter la victoire.

La colonne se scinderait en quatre groupes. Deux attaqueraient par la rivière tandis que les deux autres traverseraient le cours d'eau sous couvert de la nuit et prendraient le camp à revers.

A mon signal, qui viendrait juste après les premières lueurs de l'aube, les quatre groupes devraient converger simultanément vers le village depuis quatre directions différentes.

Suivant les instructions du général Sheridan, je réitérai les ordres de guerre à outrance. Tous les combattants devaient périr; les femmes et les enfants seraient faits prisonniers chaque fois que c'était possible. Le village lui-même, une fois nettoyé des guerriers, devrait être détruit, et la destruction incluait les biens des habitants. « Si vous avez un doute, déclarai-je, ne faites pas de quartier. La compassion ne guide pas nos pas. »

Nous patientâmes et, une heure avant l'aube, je déployai les hommes, leur recommandant d'abord d'empiler leurs havresacs et leurs manteaux derrière nos lignes.

Pour moi, la bataille est d'une certaine manière plus facile que l'attente et, tandis que je regardais les trois autres groupes disparaître dans le noir, je commençai à compter les minutes en espérant que rien de fâcheux n'arriverait avant l'heure de l'attaque.

J'avais été jusqu'à donner des ordres stricts afin que les hommes se retinssent de taper du pied pour se réchauffer et je sais que le froid mordant rendit l'attente insupportable pour tous. Mais je n'étais pas revenu d'exil et je n'avais pas fait pénétrer profondément en territoire ennemi près d'un millier de soldats pour être découvert au moment où la victoire nous tendait les bras. Les ordres étaient fermes et ils furent respectés.

Je comptais atteindre le village le premier, ne fût-ce qu'à cause de Dandy qui, comme tous les nobles chevaux, sentait mon excitation lui parcourir l'échine. Il devint plus difficile à retenir à mesure que les minutes s'écoulaient et je devinai qu'il était aussi impatient que moi de dévaler la colline et d'investir le camp ennemi.

J'ordonnai au lieutenant Cooke d'amener ses tireurs d'élite. Je les disposai en colonne par quatre juste derrière moi et ordonnai aux musiciens de se regrouper derrière eux. Ils devaient jouer *Garry Owen* à mon signal et aux premières notes toutes les unités devaient charger.

Ce plan soigneusement élaboré ne fut jamais appliqué. Peu après que les premières traînées de couleur eurent fait leur apparition à l'est, un coup de feu en provenance du village retentit. Instinctivement, j'éperonnai les flancs de Dandy qui bondit tel un pur-sang. Je sentais les tireurs d'élite sur nos talons et les notes d'ouverture de *Garry Owen* fusèrent et planèrent au-dessus de nos têtes avant que la musique ne gèle littéralement dans l'air.

La petite vallée s'emplit des cris de la bataille tandis que les diverses unités fondaient sur le village. Tous les sons portaient ce matin-là, et je me souviens particulièrement du martèlement des sabots, grondant aux quatre coins; on aurait dit quatre énormes trains fonçant vers un même objectif.

Comme nous dévalions la pente qui menait à la vallée, j'aperçus le ruban de la Washita dans la demi-clarté. De hautes berges se dressaient sur la rive opposée, mais avisant en un clin d'œil une piste de poneys qui entaillait la muraille, je guidai Dandy vers cette issue.

Nous franchîmes la rivière prise dans les glaces en deux bonds et remontâmes d'un seul élan la piste de poneys. En débouchant dans le village, je jetai un coup d'œil par-dessus mon épaule et vis que le lieutenant Cooke et ses tireurs d'élite me suivaient de près.

Devant moi s'étendaient des dizaines de tipis éparpillés sous des arbres sans feuilles. Des guerriers en sortaient, et la plupart prirent position derrière leur tente ou des troncs d'arbre, tandis que d'autres se glissaient dans la plus petite faille qu'offrait la terre gelée.

Soudain Dandy renversa un Indien qui s'était jeté aveuglément sur notre route. L'homme disparut sous les sabots de Dandy qui bondit pour l'éviter. En retombant, il trébucha légèrement et je me retrouvai nez à nez avec le canon d'un fusil qui pointait par le battant d'une tente. Je tirai deux coups de revolver et un guerrier bascula par l'ouverture du tipi.

Lorsque nous atteignîmes le centre du village cheyenne, la fusillade sembla éclater aux quatre coins. Dandy pivota plusieurs fois sur lui-même, et je déchargeai mon revolver en direction des tipis d'où provenaient des coups de feu. Cela délogea des femmes, des enfants ainsi que plusieurs guerriers qui se mirent à fuir désespérément. Je poursuivis un des Indiens et l'abattis d'une balle dans le dos.

Une accalmie se produisit à l'endroit que je venais de quitter et, comme des fusillades retentissaient du côté de la rivière, nous galopâmes vers la Washita en tirant de tous côtés.

Partout des femmes et des enfants détalaient ou se cachaient derrière des buissons. Et on se battait partout. Des Indiens avaient réussi à enfourcher leur poney et, dans le tumulte des combats, des cris et des coups de feu, ils opposaient une farouche résistance, essayant de gagner du temps pour que leurs femmes, leurs enfants et leurs vieillards s'échappent.

Il y avait de multiples scènes de combat le long de la rivière et j'eus la malchance d'assister à la plus pénible d'entre elles. Une squaw avait traversé la rivière en tirant derrière elle un jeune Blanc émacié à demi nu. Il ne devait pas avoir plus de dix ans. Plusieurs soldats à cheval fonçaient vers elle afin de libérer le garçon, mais, comme ils approchaient, un couteau de boucher scintilla dans la main de la squaw et, sous nos yeux impuissants, elle éventra le malheureux.

Puis elle pointa son couteau vers ses agresseurs, mais avant qu'elle ait eu le temps de s'en servir une rafale de balles la faucha. Elle tomba à genoux, bascula tête la première et s'effondra, raide. Son captif gisait à côté d'elle, retenant ses tripes, éberlué de voir la vie s'échapper par ses boyaux.

Je regagnai le village, qui s'était déjà vidé, hormis quelques Indiens trop vieux pour combattre, tassés dans plusieurs tipis.

Sur une hauteur, à une centaine de mètres du village, j'établis un poste de commandement d'où je pouvais diriger les opérations. Ce point culminant me donnait une excellente vue du village, de la rivière et de la vallée. Partout perduraient des poches de résistance, enveloppées d'un étrange brouillard tourbillonnant, sans doute le résultat combiné du réchauffement par le soleil et des combats qui se déroulaient partout où je posais les yeux.

Bien qu'assailli par les rapports, je ne pus m'empêcher d'observer un curieux combat que se livraient près de la rivière le capitaine Benteen et un Indien qui n'était encore qu'un enfant — on apprit par la suite qu'il était le fils d'un chef. Trois fois le garçon chargea avec son poney, et trois fois Benteen para ses attaques de manière purement défensive. A ses gestes, je jugeai que Benteen essayait d'arrêter le jeune Indien et de l'obliger à se rendre. Mais, à la quatrième charge, Benteen leva son revolver et fit feu, désarçonnant le cavalier.

Bien que quelques guerriers pris au piège livrassent encore une résistance acharnée, j'étais assuré de la victoire à peine une heure après le début de l'attaque. Mais il restait encore pléthore de tâches à accomplir afin de sceller la victoire.

Tandis que les chirurgiens se hâtaient de dresser un hôpital de campagne près de mon poste de commandement, je m'inquiétai du sort du lieutenant Bell, le jeune officier chargé de ramener les chariots de munitions aux premiers échos de la bataille.

Au moment où je commençais à recevoir des rapports me signalant l'épuisement des munitions, je scrutais l'autre versant de la rivière et la colline d'où nous avions mené la charge contre le village.

J'aperçus le lieutenant Bell et les précieux chariots, entourés d'un détachement de cavaliers, eux-mêmes cernés par une bande de Cheyennes qui tiraient sur eux en dévalant la colline. Dans leur fuite, le lieutenant Bell et ses hommes retournaient le feu, offrant ainsi une vision romanesque digne des plus belles rêveries d'écolier.

Le lieutenant Bell avait commis l'erreur de tenter de

récupérer les manteaux et les havresacs dont nous nous étions débarrassés avant la charge. Bien que partant d'un bon sentiment, cette imprudence avait failli lui coûter la vie ainsi que celles de beaucoup d'autres. Mais je ne pouvais me fâcher étant donné son arrivée ponctuelle et sans perte d'hommes.

Nos pertes n'étaient pas élevées en nombre. Dans toute la bataille, nous eûmes moins de quarante tués ou blessés. Mais chaque perte est ressentie alors plus durement et je fus profondément abattu de voir le cadavre du capitaine Louis Hamilton, le visage blanc comme de la chaux, étendu à moins de trois mètres de l'endroit où je me trouvais. Le plus jeune et, d'après moi, le plus prometteur des capitaines de l'armée avait reçu une balle en plein cœur lors de la charge initiale.

On amena un autre capitaine, Alfred Barnitz, gravement blessé au cours d'un corps à corps. On le recouvrit de plusieurs peaux de bison afin qu'il soit au chaud le peu de temps qui lui restait à vivre.

On apporta aussi un certain nombre d'hommes de troupe, dont trois moururent peu après.

Dieu merci, la plupart de nos hommes étaient à peine blessés — Tom avait eu la main éraflée par une flèche.

Lorsqu'il devint évident que les seules activités en cours étaient des combats de pur nettoyage, je sautai sur Dandy et regagnai le village où j'ordonnai qu'on fît un inventaire des biens pris à l'ennemi. J'interdis strictement tout pillage. Lorsqu'on aurait fait une liste exhaustive des biens du village, ils seraient tous détruits.

Je rendis visite à nos blessés et rencontrai un des clairons, qui n'était encore qu'un enfant, assis sur une pile de peaux de bison tandis qu'un chirurgien soignait ses blessures. Il avait été touché à la tête par la pointe métallique d'une flèche et, bien que le projectile n'eût pas pénétré dans son crâne, il lui avait fendu la peau du front à l'oreille, recouvrant son visage d'une couche de sang.

Je demandai au garçon comment son adversaire s'en était tiré.

— Voilà comment il s'en est tiré ! répondit-il.

Il plongea une main dans sa poche et exhiba une large bande de peau, maculée de sang coagulé, d'où pendait une longue chevelure noire.

Personnellement, je trouve que scalper ou prendre un trophée humain est une pratique répugnante à l'extrême, et j'ai largement réussi à dissuader mes hommes de mutiler ou de démembrer l'ennemi. Toutefois, on ne peut empêcher un soldat de se livrer à la pratique du scalp, surtout dans le feu du combat. En revanche, j'ai connu peu d'hommes qui aient conservé longtemps ces souvenirs morbides. Dans le cas du clairon, on m'apprit qu'il s'était débarrassé du scalp sitôt sa colère dissipée.

Je reportai mon attention sur les femmes et les enfants que nous avions faits prisonniers. Nous entassâmes ces survivants dans quelques tipis, au bout du village, où ils furent attentivement surveillés. Ils étaient sûrs d'être exécutés, et aucun argument ne put les convaincre du contraire.

Pendant que les tireurs d'élite du lieutenant Cooke éliminaient les derniers résistants, je remarquai des cavaliers sur une petite colline voisine et, à l'aide de mes jumelles, je vis avec surprise un certain nombre d'Indiens en grande tenue de combat. Je savais que des Cheyennes étaient parvenus à s'enfuir, mais ils n'avaient pas eu le temps d'emporter d'armes ni de vêtements. Qui étaient donc ces guerriers et d'où venaient-ils ?

J'eus la réponse à cette question quand le lieutenant Godfrey revint avec la majorité du troupeau de poneys et un rapport surprenant. Des Indiens, apparemment venus d'autres villages avoisinants, remontaient la vallée en nombre. Il ne les avait pas comptés, mais il estimait que des hommes frais affluaient par centaines.

Aussitôt, j'interrogeai plusieurs prisonniers, qui confirmèrent le rapport de Godfrey. En aval de la rivière se trouvaient d'importants villages de Kiowas, de Sioux et d'Arapahos.

Nous apprîmes également certaines choses sur le village que nous avions envahi. Un groupe de guerriers était rentré la nuit précédente et les festivités en l'honneur de leur retour avaient grandement aidé à masquer notre arrivée.

A la fin de l'interrogatoire, dont la plus grande partie se déroula auprès d'une seule personne, un étrange événement eut lieu qui parut incongru à la lumière du carnage environnant. La personne que j'interrogeais, une femme de haut rang, me présenta une jeune fille d'à peine vingt ans qu'elle semblait vouloir me donner. Après quelques malentendus, je compris qu'on m'offrait la fille en mariage.

Cette offre m'était proposée bien que je ne fusse pas dans les meilleures dispositions physiques. Un cheval que j'essayais la semaine précédente avait soudain rué et sa tête avait heurté violemment la mienne sous l'œil gauche. La contusion, qui venait juste de désenfler, me donnait l'apparence d'un vampire et je soupçonnai aussitôt que cette proposition, qui tombait à un bien curieux moment, était davantage motivée par des considérations politiques que par un amour véritable.

Il fallut de longues explications pour faire comprendre aux prisonniers que, d'après la loi de l'homme blanc, une proposition aussi séduisante était inacceptable. J'étais déjà marié et je n'avais pas le droit de prendre une seconde épouse.

En sortant du tipi où avait eu lieu l'interrogatoire, je m'aperçus que d'autres guerriers occupaient les collines environnantes. Nous formâmes deux troupes de cavalerie près de la rivière, dont la charge dispersa les guerriers. Mais comme des oiseaux qui s'éparpillent pour revenir dès l'alerte passée, les Indiens reprirent leurs positions et il apparut que des troupes fraîches les rejoignaient de minute en minute.

J'ordonnai qu'on rassemble les prisonniers en plein air afin que les spectateurs indésirables y réfléchissent à deux fois avant d'ouvrir le feu sur nous.

En milieu d'après-midi, l'inventaire du village était terminé. Outre divers objets, il y avait plus de mille peaux de bison, deux cents kilos de poudre, cinq cents kilos de plomb, quatre mille flèches et des tonnes de vivres. Tout ceci, plus des équipements hétéroclites et des biens personnels, fut brûlé selon mes ordres.

Le troupeau de poneys posa un problème urgent. La plupart des neuf cents bêtes qui avaient été regroupées étaient trop sauvages pour être utiles, surtout si nous devions être menacés de tous côtés par les Indiens. Pour autant, nous ne pouvions les laisser retomber entre les mains de l'ennemi.

Nous autorisâmes nos cinquante-trois prisonniers à se choisir chacun une monture pour le trajet jusqu'au camp de ravitaillement. Les officiers purent sélectionner deux poneys chacun comme prise de guerre, et les éclaireurs osages reçurent le même privilège. J'ordonnai qu'on abatte les poneys restants.

Il eût été préférable de leur trancher la gorge, mais ils ne supportaient pas l'odeur de nos hommes et ne se laissèrent pas approcher. Finalement, j'empoignai un fusil et ordonnai au peloton d'exécution qui encerclait le troupeau de suivre mon exemple. Je recommandai de viser juste afin d'abréger les souffrances des poneys.

Dès les premiers coups de feu, des gémissements presque humains s'élevèrent du troupeau. Il fallut des heures pour les abattre tous, ce qui affligea profondément nos hommes et provoqua le désespoir des Indiens qui nous observaient depuis les collines. La destruction du troupeau répondait, hélas, aux dures nécessités de la guerre à outrance.

Après avoir tué bon nombre de braves poneys, je me retirai, écœuré, du carnage.

Une heure avant le coucher du soleil, j'ordonnai l'incendie du village et quasiment chaque parcelle de biens indigènes fut réduite en cendres dans un gigantesque brasier.

Les centaines de guerriers qui nous encerclaient désormais furent profondément ébranlés, mais ils n'attaquèrent ni ne se retirèrent.

J'espérais que le massacre des poneys et l'incendie du village feraient fuir les Indiens qui nous encerclaient, mais néanmoins je ne fus guère surpris de les voir rester, car ils avaient désormais des avantages stratégiques.

Nous ayant observés tout l'après-midi, ils étaient bien informés sur nos forces. Nous étions, à leur insu, coupés de nos chariots de ravitaillement et je craignais constamment que leurs éclaireurs ne découvrent le convoi, protégé par seulement quatre-vingts hommes, et ne le détruisent. S'ils nous privaient de notre ravitaillement, nos chances de quitter le territoire ennemi seraient considérablement réduites.

Pour l'instant, le régiment entier était encerclé et, même si l'ennemi ne semblait pas disposé à nous attaquer, il allait forcément essayer de libérer les prisonniers.

Pour tout compliquer, le major Elliot et dix-huit hommes manquaient. Ils avaient été vus pour la dernière fois plusieurs heures auparavant, en train de poursuivre une bande d'Indiens à cheval en aval de la rivière. Les rechercher aurait mis en péril le reste de la troupe et j'étais, sans l'avouer, convaincu qu'ils étaient déjà morts.

Confronté à des choix multiples, j'optai pour celui qui, selon moi, nous offrait la meilleure chance d'échapper aux Indiens. Si ma ruse ne fonctionnait pas, nous risquions d'être anéantis et son succès dépendait de la réaction de l'ennemi.

Au lieu de nous retirer, nous fîmes semblant d'occuper de nouveau le terrain. J'ordonnai à la colonne de se former et de descendre la vallée, vers les villages de nos persécuteurs.

Les hommes avancèrent en colonne par quatre, drapeaux au vent, et la fanfare entonna *Ain't I Glad to Get Out of the Wilderness*. Nos francs-tireurs étaient déployés et nos prisonniers marchaient à l'arrière, sous bonne garde.

Les centaines de guerriers indiens nous suivirent quelque temps avec, sans doute, une certaine curiosité. Ils durent sûrement trouver étonnante notre manœuvre.

Au crépuscule, la colonne atteignit une série de collines et, avec une forte escorte, le lieutenant Godfrey et moi-même poussâmes nos chevaux jusqu'à une crête afin d'avoir une vue d'ensemble de la vallée. La lumière était mauvaise, mais je distinguai néanmoins dans le lointain des groupes de tentes coniques, disséminés un peu partout le long de la rivière.

Nous voir si près de leurs villages déclencha une effervescence chez les Indiens qui nous suivaient. Ils s'éparpillèrent et regagnèrent leurs foyers, convaincus que d'autres attaques étaient imminentes.

Nous fîmes revenir nos francs-tireurs en silence, et la colonne rebroussa chemin. En atteignant les coteaux au-dessus du village incendié, nous découvrîmes pour notre malheur que l'ennemi avait volé nos manteaux et nos havre-sacs.

Les hommes marchèrent en bras de chemise par une température glaciale et nous ne bivouaquâmes pas avant deux heures du matin. Nous dressâmes de grands feux et les troupes purent faire du café, manger ce qui restait et se reposer pour la première fois depuis près de vingt-quatre heures.

Nous repartîmes à l'aube, espérant retrouver le convoi de ravitaillement — chose qui, à la grande joie de tous, se réalisa en fin de matinée. On distribua des rations fraîches, des vêtements chauds, et je ne me souviens pas d'avoir vu troupe plus heureuse. Même le temps avait changé favorablement de manière spectaculaire.

Le camp dressé, le mess terminé, j'appelai les officiers et écoutai les rapports de chacun avant de rédiger mon compte rendu officiel. Après de minutieuses vérifications, nous arrivâmes à un chiffre de cent trois tués chez l'ennemi, que l'on inscrivit sous la rubrique « guerriers abattus » bien que ce chiffre inclût des femmes, des enfants et des vieillards.

Bien sûr, on ne pouvait pas dire que le 7e de cavalerie avait tiré sur des squaws et des enfants de douze ans. Je n'ai jamais demandé à mes hommes de tuer des non-combattants, bien qu'à la guerre il est inévitable que cela arrive. Ce que le public ne comprend pas — ou préfère éluder —, c'est que dans un combat une femme ou un enfant résolus peuvent tuer aussi efficacement qu'un guerrier expérimenté. On a déjà beaucoup glosé sur la bataille de Washita, cela ne m'empêchera pas d'être fier de ce que nous avons accompli ce jour-là. Les cent trois Cheyennes qui moururent tombèrent au combat, de même que les vingt-trois hommes du 7e de cavalerie tués le même jour.

Je remis mon rapport à nos deux meilleurs éclaireurs

blancs qui le portèrent au général Sheridan, resté au camp de ravitaillement.

Pour notre retour, le soleil parut plus brillant et plus chaud à chaque kilomètre parcouru. Les troupes avaient connu la privation, s'étaient battues avec superbe, et que la nature elle-même semblât leur sourire était, selon moi, largement mérité.

Le dernier jour de notre marche, lorsque nous nous réveillâmes, le temps était presque printanier et, à midi, nous rencontrâmes les deux éclaireurs que j'avais envoyés au camp de ravitaillement. Ils étaient porteurs des chaleureuses félicitations du général Sheridan que je m'empressai de lire à haute voix au régiment.

Non loin du camp de ravitaillement, nous fîmes une halte afin de former la colonne pour une revue de victoire. Je devais conduire la colonne, suivi, dans l'ordre, par les éclaireurs osages, les éclaireurs blancs, les captifs, la fanfare, les tireurs d'élite du lieutenant Cooke, le régiment en colonne par sections et le convoi de chariots.

Pour l'observateur neutre, une telle démonstration pourrait paraître excessive. Nous n'étions pas des légions antiques prêtes à franchir les portes de Rome, pas plus que je n'étais Napoléon retournant sur son trône impérial. Nous étions simplement un régiment qui avait mené une campagne de quelques jours sur la frontière et rentrait victorieux, non vers une capitale étincelante, grouillante de citoyens reconnaissants, mais vers un rude avant-poste peuplé de militaires, d'un régiment de volontaires, de fourriers, de muletiers et d'éclaireurs, qui se recrutaient surtout parmi des frontaliers grossiers.

Je tenais à la revue triomphale parce qu'elle fournirait aux hommes les seuls remerciements qu'ils recevraient. La Washita était la première victoire d'une armée engagée dans les plaines depuis près de deux ans. Longtemps avant cette campagne, j'avais prédit — en présence du général Sheridan et de son état-major — que, victorieuse ou pas, la campagne d'hiver déclencherait une controverse nationale. Il n'y aurait pas de parade dans la capitale, pas d'articles louangeurs dans les journaux des grandes villes, pas de citoyens aux fenêtres pour agiter des drapeaux.

Le moment était venu de nous abreuver à la source limpide, d'une douceur inimitable, de la victoire, et je voulais que les hommes s'y désaltèrent pleinement. Nous entrâmes donc dans le camp de ravitaillement ce jour-là comme si nous franchissions les portes de Rome.

Dandy, qui avait un flair singulier pour ces occasions, caracolait gaiement. Les Osages chantaient et tiraient en l'air. Les prisonniers, sortis d'un autre temps, ouvraient grands les yeux et les oreilles. La fanfare joua le *Garry Owen* avec une fougue réservée aux grandes occasions. Plus majestueux encore, les sous-officiers et les hommes de troupe défilèrent arme à l'épaule, recevant le salut ému et profondément sincère de leur chef, le général Sheridan, et je sais qu'aucun d'eux ne devait oublier que leur commandant en chef s'était déplacé pour les accueillir.

Ce même après-midi, vers le crépuscule, nous portâmes le jeune capitaine Hamilton en terre. Le général Sheridan, Tom et moi tenions les cordons du poêle.

18 juin 1876

Nous avons atteint l'embranchement de la Tongue et nous descendons la Yellowstone pour rejoindre les généraux Terry et Gibbon à l'embouchure de la Rosebud.

La nuit dernière, j'ai passé des heures agréables en compagnie de Grant Marsh, le capitaine du vapeur *Far West*. C'est un homme de grande expérience, éloquent, courtois et, fort heureusement pour moi, doté d'un esprit mordant et d'un humour froid qui m'ont fait bien souvent mourir de rire.

Il était dans une forme particulière, cette nuit, et m'a aidé à surmonter la déception que j'éprouvai en apprenant que Libbie n'était pas à bord du vapeur. Il n'y avait qu'une chance sur cent qu'elle y fût, mais son absence m'anéantit littéralement. Pour des raisons que je ne comprends pas moi-même, mon cœur sombra quand on m'informa qu'elle n'avait pas entrepris le voyage, et cela en dépit de la solidité de notre union, en dépit de tout ce que nous avions vécu et enduré au cours de nos douze années de mariage.

J'étais tellement secoué que je dus m'excuser auprès de mes compagnons. Je marchai jusqu'à la proue et contemplai les tourbillons sombres de la Yellowstone en attendant de recouvrer mes esprits. Je n'étais pas dans mon assiette ce soir-là et, sans la présence lumineuse du capitaine Marsh, j'aurais cédé à l'amertume.

Peut-être me languis-je de Libbie parce que je ressens une étrange solitude. J'ai l'impression d'être coupé de tout.

Même la présence de presque toute ma famille dans cette campagne ne parvient pas à adoucir le sentiment d'isolement qui grandit en moi de jour en jour. Il y a les lettres de Libbie, mais c'est elle que je veux. J'ai besoin de son contact. Je tiens peut-être à la voir et à sentir sa présence parce que j'ai beaucoup écrit sur Washita ces derniers jours et que c'est un sujet qui réveille d'autres souvenirs qui, bien qu'anciens, font partie de ces conflits que je n'ai pas encore résolus, que je ne résoudrai sans doute jamais.

Je crois que Libbie sut ce qui se passa pendant les mois qui suivirent Washita. Sans tout lui révéler, je lui avais parlé de Monahsetah. J'imagine que je l'avais fait dans l'espoir flou qu'elle me poserait des questions, ce qui m'obligerait à tout lui raconter, me soulageant ainsi de la culpabilité que je ressens encore.

Mais elle ne me posa pas de questions, et je crois que c'était une décision réfléchie de sa part car elle devait brûler de curiosité. Tout ce que je sais c'est qu'en laissant les choses en l'état, Libbie sut mieux que moi négocier le tournant de notre mariage. Cela fait désormais partie de notre histoire — je devrais dire de notre non-histoire — car l'hiver 1868-1869 est une période dont nous ne parlons jamais. Ce sont des mois blancs, irréels, complètement sortis de notre vie.

Pourquoi est-ce si difficile ? Suis-je amoureux d'une autre ? Ai-je jamais été amoureux d'une autre ? Me suis-je à ce point oublié ? Avait-elle sur moi un pouvoir mystérieux ? Je ne connais pas les réponses à ces questions.

Dans les jours qui suivirent notre retour au camp de ravitaillement, il fut décidé que nous devrions pousser l'avantage considérable obtenu à Washita. La rapidité, la surprise et la perfection de notre victoire avaient profondément secoué les tribus des plaines. Elles avaient longtemps affiché un air supérieur s'agissant des affaires militaires, et le formidable revers qu'elles venaient de subir leur causa un grand trouble et beaucoup de soucis.

Nous détenions désormais cinquante-trois femmes et enfants cheyennes, ce qui émut tous les Indiens. Les otages furent, plus que tout le reste, directement responsables des succès que nous connûmes cet hiver-là.

Deux semaines après notre retour, nous reprîmes la campagne, cette fois en compagnie du général Sheridan et du régiment de volontaires du Kansas, commandé par le gouverneur Crawford. Notre but avoué était de profiter des rudes conditions climatiques de l'hiver pour frapper de nouveau l'ennemi.

Nous retournâmes au bord de la Washita et, plusieurs kilomètres en aval, nous découvrîmes le major Elliot et son détachement. Ils gisaient en cercle, sans doute la position qu'ils avaient adoptée pour défendre vainement leur peau. Les corps étaient dans un état de décomposition avancée, mais la plupart présentaient encore d'affreuses traces de mutilation. Selon une croyance largement répandue chez les guerriers des plaines, un ennemi découpé en morceaux aura du mal à trouver son chemin dans l'au-delà. Si cela est vrai, le major et les membres de sa petite troupe erreront dans les limbes pour l'éternité. Nous enterrâmes les corps, sauf celui du major que nous rapportâmes au camp de ravitaillement.

Peu après, la campagne fut suspendue. Les différentes tribus s'étaient éparpillées et le climat était tel qu'il eût été impossible de retrouver leurs pistes. Au lieu de regagner le camp de ravitaillement, nous nous rendîmes à Fort Cobb, sur la Washita, où le général Sheridan avait décidé d'installer son quartier général pour le reste de la campagne. Fort Cobb était également mieux agencé pour abriter nos prisonniers. Nous y échafaudâmes une nouvelle stratégie. Notre victoire avait provoqué, comme je l'avais prévu, une tempête de polémiques dans l'Est, ce qui nous obligea à manœuvrer avec davantage de prudence. Avant le départ du général Sheridan pour le quartier général d'état-major, nous décidâmes de modifier le but de la mission. Nous ne rechercherions plus la guerre à outrance. Au contraire, nous poursuivrions résolument une politique irréprochable : obtenir la libération de tous les otages blancs.

Aucun membre du Congrès n'oserait s'opposer à une telle

mission. En même temps, cela nous mettrait en contact avec les groupes hostiles, ce qui les maintiendrait sous pression.

Nos captifs allaient jouer un rôle central dans cette nouvelle campagne. Non seulement ils représentaient un excellent levier dans les négociations futures, mais, en tant qu'intermédiaires, ils se révélèrent d'une considérable utilité dans nos rapports avec les tribus sauvages.

La campagne connut de grands succès. Nous réussîmes à libérer plusieurs Blancs, des femmes et des enfants, et je garde en mémoire des souvenirs enivrants. Arriver à cheval, quasiment seul, dans des villages hostiles. Parlementer avec des chefs extraordinaires comme Satanta, Flèche-Ensorcelée et Petit-Loup. Parcourir à cheval des centaines de kilomètres dans une région inexplorée. Aiguiser son esprit et ses nerfs au contact d'adversaires farouches et les vaincre. En un hiver, j'en appris davantage sur les Indiens et sur le pays qu'un colon dans toute sa vie, et cette expérience m'a été depuis d'une utilité incomparable.

Mais tout cela paraît bien pâle à côté de l'aventure originale qui m'arriva cet hiver-là. Je veux parler de celle pour qui le terme d'« unique » semble avoir été créé, celle à laquelle aucun homme ne résisterait. Son nom se traduirait à peu près par « jeune pousse qui surgit au printemps », mais je ne l'appelais pas ainsi. Je ne me souviens pas de l'avoir jamais appelée, ni moi ni personne, autrement que par son nom indien... Monahsetah.

Je l'ai déjà dépeinte dans mes écrits, mais d'une manière superficielle. En ce moment, ma plume hésite, intimidée à l'idée de formuler une description appropriée.

Bien que de chair et d'os, elle n'était pas de ce monde, pas du monde civilisé, gouverné par le protocole, l'étiquette ou les modes.

Elle vivait dans un univers à elle. Avec son indépendance d'esprit et son amour de la liberté, elle se distinguait même des membres de sa race, pourtant avides d'indépendance. On ne pouvait rien imposer à Monahsetah, ni pensée ni acte, et quiconque s'y aventurait prenait le risque d'encourir son courroux magistral.

Son père était un important chef cheyenne, et cela lui allait bien de descendre d'une famille royale. Elle était seule au monde puisque nous avions tué son père à Washita et que les autres membres de sa famille s'étaient enfuis.

Je ne doute pas que Monahsetah se fût échappée elle aussi si elle n'avait été désarçonnée pendant la bataille et ne s'était cogné la tête sur une pierre dans sa chute. Si elle ne s'était pas évanouie, je suis sûr qu'elle se serait battue jusqu'à la mort.

Je fis la connaissance de Monahsetah à Fort Cobb alors que je recherchais des intermédiaires potentiels. Trois femmes avaient été désignées pour cette tâche; sélectionner Monahsetah fut l'une des décisions les plus faciles qu'il m'ait été donné de prendre. Après trente secondes de conversation, je m'aperçus qu'elle était dotée d'une intelligence supérieure, parfaitement assortie à son absence de crainte, des qualités idéales pour un intermédiaire.

Sa beauté unique surpassait son extraordinaire intelligence. Qu'elle fût enceinte de presque neuf mois paraissait rehausser ses attraits, qui émerveillaient tous ceux qui la voyaient.

Ses cheveux étaient les plus longs, les plus riches et les plus noirs qu'il me fût donné de voir et, quelles que fussent les conditions dans lesquelles nous nous retrouvâmes, ils brillaient toujours d'un éclat particulier. Ses mains et ses pieds étaient élégants, son corps délicat et admirablement proportionné. Sa peau était sans taches et soyeuse au toucher.

Son visage était étonnamment expressif. La mélancolie, la douceur féminine, l'agressivité s'y reflétaient en même temps à des degrés divers et toutes ses expressions étaient agréables au possible. Quand elle s'animait, elle faisait une sorte de moue, à mi-chemin entre le ricanement et le sourire contraint.

Sa qualité principale était sans doute qu'on ne pouvait l'ignorer, quelles que fussent les circonstances. Peu importait l'audience, la gravité ou la légèreté de la situation,

Monahsetah ne manquait jamais de captiver ceux avec qui elle entrait en relation... moi compris.

Les multiples aspects de sa beauté me fascinèrent tellement pendant notre premier entretien que je me surpris à rêvasser et bredouillai je ne sais quoi à propos de sa grossesse, une question à laquelle elle ne daigna pas répondre.

— Votre mari vit-il? poursuivis-je.

— Je ne suis pas mariée, répondit-elle, stoïque. Je suis divorcée.

Ce n'était pas un sujet sur lequel elle désirait s'étendre, mais je finis par apprendre son histoire, laquelle était déjà bien connue parmi les tribus sauvages de la région. Monahsetah était aussi marginale parmi son peuple qu'elle l'était parmi nous. Tout le monde la connaissait ou avait entendu parler d'elle.

Son mariage s'était décidé sans elle et, comme c'était prévisible, ce fut là que les ennuis commencèrent. Quand un ou deux chevaux suffisent pour obtenir une épouse, Monahsetah, là encore comme c'était prévisible, très convoitée par les Cheyennes jeunes ou vieux, était d'un prix autrement plus élevé.

Le jour où un jeune, aux qualités guerrières appréciées de tous, offrit onze poneys pour sa main, son père ne résista pas. Momentanément aveuglé par la munificence de la proposition, il commit l'erreur de penser que les choses finiraient par s'arranger entre les futurs époux, accepta les poneys du prétendant et ordonna que le mariage ait lieu.

Monahsetah refusa de remplir ses devoirs d'épouse. Elle refusa de faire la cuisine, de coudre, refusa le travail qui incombait aux Indiennes. Elle refusa aussi de partager la couche nuptiale. Naturellement, cela irrita et embarrassa son infortuné mari, mais des heures de discussions et d'argumentations ne parvinrent pas à modifier l'attitude de Monahsetah.

Bien souvent, me dit-on, un Indien considère qu'il est plus important de sauver la face que de sauver son mariage. Dans ce cas, néanmoins, sa femme le hantait tellement que le jeune homme demanda réparation auprès d'un conseil composé de sa famille, de la famille de la mariée et des anciens de la tribu. Comme l'Indien répugne à forcer un membre de son groupe à faire une chose qui lui déplaît, le jeune homme éperdu ne réussit pas, malgré ses efforts, à rendre le mariage effectif.

Dans une crise de rage, il voulut forcer physiquement Monahsetah à se plier à ses volontés; elle empoigna un pistolet et logea une balle dans la rotule du malheureux, l'estropiant à vie.

Ce drame eut pour effet le remboursement instantané des onze poneys et la rapide dissolution du mariage maudit.

Je ne sus jamais qui était le père de l'enfant qu'elle mit au monde au début du mois de janvier 1869 à Fort Cobb, mais je parierais que c'était elle qui l'avait choisi et non l'inverse. Monahsetah était ainsi. C'était elle qui décidait et que Dieu prenne en pitié les insensés qui s'imagineraient le contraire.

Lors de notre premier entretien, je lui demandai pourquoi elle s'était proposée; elle me répondit sans hésitation :

— Je veux rentrer chez moi. Vous avez le pouvoir de rendre cela possible. Je ne crois pas que personne d'autre puisse nous aider, ici.

— Non, acquiesçai-je, personne. Et vous ne pourrez pas rentrer chez les vôtres tant qu'ils n'accepteront pas de vivre en paix avec l'homme blanc.

— Est-ce que l'homme blanc veut la paix? demanda-t-elle avec sa moue mi-sourire, mi-ricanement.

— Nous sommes là pour la paix, lui assurai-je. C'est tout ce que nous voulons.

— S'il y a la paix, nous serons libres de rentrer chez nous?

— Je vous le promets.

— Dans ce cas, je ferai tout mon possible pour vous aider. (Elle me fixa d'un air entendu et ajouta :) Est-ce que j'ai le choix?

Un petit rire s'échappa de ses lèvres. Je pouffai, moi aussi, et depuis ce jour de la mi-printemps nous fûmes tout le temps ensemble, une situation qui rendit inévitable un attachement plus profond.

Au début, je n'étais pas conscient de ces liens privilégiés.

Je respectais Monahsetah comme quelqu'un dont la jeunesse et la beauté m'inspiraient et dont le pragmatisme inébranlable facilitait nos relations de travail.

Cet hiver-là, de nombreux officiers et certains hommes de troupe se choisirent une compagne dans le lot de captifs. J'aurais choisi Monahsetah si je l'avais pu, mais cela ne se passa pas ainsi... c'est elle qui me choisit.

Nous passâmes une grande partie de l'hiver en campagne et, à chaque fois que nous quittions Fort Cobb, Monahsetah confiait son bébé à la garde d'une nourrice captive. Dès son retour, son premier souci était de s'occuper de son nourrisson et, quand nous étions à la caserne, je ne la vis jamais sans lui. Comme toutes les mères indiennes que j'ai pu observer, Monahsetah élevait son enfant sans les manifestations de joie ni les déclarations de fierté des Blanches. Son dévouement était discret mais total. Un instinct maternel aiguisé semblait la guider. Aucune race sur terre n'attache plus de prix à ses rejetons que celle des Indiens d'Amérique du Nord.

Je ne fus pas long à m'apercevoir que ses talents étaient indispensables sur le terrain, et ils furent pour moi une bénédiction car notre mission devait être exécutée avec la plus grande délicatesse.

L'administration du président Grant, qui avait rapidement abandonné toute idée de guerre à outrance, promouvait au contraire une politique de paix à outrance. Néanmoins, nous étions toujours chargés de libérer les otages et de convaincre les tribus hostiles, par des dons ou par l'intimidation, d'accepter le système des réserves. La force ne devait être utilisée qu'en dernier recours, et tout affrontement armé devait être appuyé par une montagne de justifications.

La politique était toujours aussi embrouillée, mais j'avais désormais dans mon arsenal le bénéfice de l'expérience et les répercussions positives de la Washita. Toutefois, cela restait une entreprise hasardeuse; il fallait conduire par monts et par vaux un régiment de cavalerie régulière et un autre d'infanterie de volontaires, pour essayer d'obtenir sans se battre des concessions de la part de factions hostiles d'Indiens farouchement indépendants. Au mieux, le succès de notre campagne consisterait à obtenir un équilibre des plus fragiles.

Sans la présence de Monahsetah, je crois que cet équilibre n'aurait jamais pu être atteint, encore moins se maintenir. Elle était toujours à mes côtés, arme magique qui permit de conclure positivement bien des situations difficiles.

Monahsetah savait quand voyager et quand rester au camp. Elle savait quand parler et quand se taire, et elle m'apprit à agir de même. Là où nos éclaireurs passaient des heures à pister et à lire des signes, Monahsetah n'avait qu'à jeter un coup d'œil à des empreintes embrouillées de poneys pour donner une claire indication de la tribu, du nombre de guerriers, de leur destination et même de leur disposition d'esprit. Comment elle réussissait ce tour de force reste un mystère, mais nous pûmes grâce à elle suivre plusieurs groupes à la fois, ce qui ne manqua pas d'irriter et de dérouter les Indiens qui faisaient tout pour nous éviter.

Après la Washita, les Indiens me vouèrent un certain respect. Les femmes et les enfants captifs firent preuve à mon égard de la bonne disposition due à un conquérant, ce que j'étais certainement à leurs yeux. Dans les plaines, je m'aperçus que ma réputation me précédait partout où j'allais, et m'ouvrait des portes qui, sinon, seraient restées fermées. J'appris même que j'avais acquis un surnom : j'étais devenu pour les Indiens « Panthère-Rampante ».

Mais aucun de nos avantages n'aurait compté sans Monahsetah. Elle me racontait en détail l'histoire de chaque homme que je devais rencontrer. Je suivis ses avis dans bien des négociations, évitant les innombrables pièges mortels qui semblaient s'ouvrir sous chacun de nos pas. Que ce fût pendant les marches ou les conseils autour du feu, elle changeait tout.

Nous nous fâchâmes deux fois, la première quand j'entrai dans le village de Flèche-Ensorcelée sans escorte et la seconde quand je pris en otage une délégation de paix et menaçai de pendre ses membres dans les vingt-quatre heures si mes termes n'étaient pas acceptés. Dans les deux cas, les résultats nous furent favorables et, bien qu'elle ne l'admît jamais, mes succès firent sur elle une bonne et durable impression.

Il m'arrive parfois de ne pas m'empêcher d'être faible, et en écrivant ces événements je me suis complu dans la faiblesse, car j'ai évité d'aborder l'essentiel. Je n'ai pas écrit ce que j'ai sur le cœur, en partie parce que le souvenir charrie une douleur douce-amère. Mais je n'ai pas de raison de cacher la vérité. J'ai épousé la vérité jusqu'ici, je dois continuer dans cette voie.

Pendant longtemps, il n'y eut rien entre nous. Battre la campagne, s'occuper des troupes, échafauder des stratégies pour négocier avec les tribus sauvages, tout cela demandait davantage d'heures que n'en comptait une journée. Mais à mesure que la campagne progressait et que Monahsetah s'y intégrait, il s'instaura entre nous une entente, signe d'un duo complémentaire et réussi.

Nous commençâmes peu à peu à partager les petites choses de la vie commune : les repas, les conversations, la chaleur d'un feu après une journée de marche ou de fastidieuses négociations, ou les deux. Jamais je n'avais tant dépendu des conseils de quelqu'un et je m'aperçus que je dépendais aussi d'elle pour la compagnie.

Mon code de conduite personnel avait toujours été inflexible. Entre autres principes, il exigeait une fidélité absolue à la femme que j'aimais, celle à qui je m'étais voué corps et âme. D'aucuns disent posséder un code de conduite ou prétendent le suivre, mais n'y adhèrent que rarement. D'autres encore quittent le droit chemin, mais Autie Custer était resté fidèle à ses plus hautes convictions, et qu'il l'eût fait malgré les tentations était une source d'immense fierté. Cependant, je savais que j'étais en train de sombrer.

Je me retrouvai en train de penser sans arrêt à Monahsetah. Quand elle n'était pas là, j'étais incapable de me concentrer sur quoi que ce fût avant son retour. Je me mis à penser à ce que je ressentirais en l'embrassant, à la pression de ses lèvres contre les miennes, de son corps contre le mien.

Je n'avais pas le temps de méditer sur le bien ou le mal de tels fantasmes car, lorsqu'ils me hantaient — et ils me hantaient constamment —, je ne pouvais penser à rien d'autre.

J'écrivais des chapelets de lettres à Libbie et accomplissais tous mes devoirs, mais chaque seconde libre était vouée à Monahsetah et je n'étais pleinement satisfait que lorsque nous étions ensemble.

A certains moments, en la regardant, je me convainquais que la satisfaction de mon désir était inéluctable. A d'autres, j'étais persuadé que nos relations resteraient chastes.

Les femmes cheyennes sont connues pour leur pudeur, et Monahsetah, en particulier, ne paraissait pas avoir un appétit déclaré pour la chair. Elle était étonnamment peu consciente de son éclatante beauté et menait sa vie sans montrer la moindre vanité. Cela, bien sûr, ne faisait que rehausser ses qualités et la rendait encore plus désirable.

Je m'imaginais sans cesse des échanges de regards, des baisers, ou une étreinte. J'étais capable de les imaginer mais je ne voyais pas comment les réaliser. Il eût été impossible de forcer Monahsetah à éprouver quelque affection que ce fût, et bien que nous fussions devenus assez proches, rien chez elle ne montrait qu'elle désirait approfondir notre relation.

Finalement, l'occasion se présenta. Cela se passa un soir de février. Après presque deux semaines sur le terrain, nous avions regagné Fort Cobb alors que la tempête faisait rage. Le temps rendait toute activité impossible et les hommes attendaient, tapis dans leurs quartiers, la fin du blizzard.

Monahsetah était, comme toujours, partie à la recherche de son fils tandis que j'essayais de rendre mon austère cabane en rondins douillette et confortable. En fait, je n'eus pas grand-chose à faire. John Burkman avait non seulement allumé un feu dans l'âtre, mais il avait aussi préparé une marmite de ragoût de bison qui mijotait tranquillement à mon arrivée. Je m'étais mis à table et j'allais entamer le ragoût quand Monahsetah entra avec son bébé dans les bras.

Par elle, j'avais appris quelques mots de cheyenne et je compris aisément qu'elle pensait m'emprunter un vêtement pour que son bébé ait chaud pendant la nuit glaciale.

Je lui dis de choisir ce qui lui serait utile, et l'invitai par la même occasion à rester manger un morceau. Nous avions déjà partagé de nombreux repas et l'invitation n'avait rien d'extraordinaire, pas plus que son acceptation.

Pendant dix minutes, elle donna des cuillerées du riche bouillon à son bébé, ne s'arrêtant que lorsqu'il s'endormit. Elle le coucha sur une peau de bison, prit un bol et nous mangeâmes sans un mot en regardant les flammes danser et en écoutant le vent qui hurlait dehors.

Après avoir mangé notre content, nous passâmes en revue les événements de la journée avant de replonger dans le silence. A un certain moment, nos regards se croisèrent, animés d'une étincelle amicale, et je faillis l'embrasser. Mais le courage me manqua.

Finalement, elle bâilla et se retourna pour prendre son bébé dans ses bras. Je posai une main sur son bras; elle s'arrêta et me considéra d'un air étonné. Cela se comprenait, car un désir ardent devait se lire sur mon visage.

— J'ai tellement envie de t'embrasser, murmurai-je en anglais.

Monahsetah comprit exactement ce que je lui disais, et sa réaction fut si frappante que je me la rappelle encore aujourd'hui. Une expression chaleureuse d'une douceur incomparable se dessina sur son visage, elle esquissa le sourire le plus charmant que j'eusse jamais vu sur ses lèvres et colla soudain sa bouche à la mienne.

Ce qui suivit reste à jamais gravé dans un merveilleux souvenir embrumé. Nous fîmes l'amour, mais je me souviens à peine de l'aspect physique de la chose. Je me souviens seulement que c'était d'une simplicité exquise, que la douceur et l'éclat de l'acte paraissaient transcender tout ce qu'on lui associe généralement.

Monahsetah s'en alla avec son bébé avant l'aube et notre séparation fut aussi douce que l'avaient été nos étreintes amoureuses. Elle fut aussi empreinte d'un caractère subtil mais définitif. J'aurais voulu continuer mais Monahsetah me fit clairement savoir, avec une merveilleuse délicatesse, que notre nuit d'amour était la dernière que nous partagerions en amants.

Curieusement, cette idée ne m'attrista ni ne me tourmenta. En fait, ce fut un grand soulagement. Tout ce qui s'était passé entre nous l'avait été sans la tension qui accompagne ce genre de relation.

Cela ne fut possible que grâce à la sagesse primitive de Monahsetah. Je n'ai jamais rencontré qui que ce soit d'une sensibilité aussi développée pour toutes les choses de la vie. Monahsetah savait aussi sûrement où placer son cœur qu'elle savait où poser son pied. Elle m'insuffla la simple inspiration de son être et, par je ne sais quel miracle, son inspiration resta en moi quand elle quitta ma vie.

D'une certaine manière, ce don est une malédiction. La sagesse des Indiens est liée directement à la vie libre qu'ils mènent. Monahsetah était, en ce sens, la perfection incarnée, mais tandis que je salue, que j'admire, que je vénère, même, la vision qu'elle avait de la vie, elle est pour moi inapplicable. Il m'est arrivé de m'imaginer être un enfant de la nature, mais les pièges de cette vie ne sont pas pour moi. Je suis un général de l'armée des Etats-Unis et, comme tel, ma vie est indissociable de toutes les complications, des enchevêtrements et des excès qu'offre la civilisation blanche.

Je suis mal placé pour savoir qui je suis ou ce que j'étais à ma naissance. Je m'estime seulement heureux d'avoir échappé à une vie entre quatre murs, parmi d'innombrables bureaux, dont l'un, identique aux autres, m'aurait été attribué comme l'aurait indiqué une plaque portant mon nom.

Libbie arriva en avril. Nous avions vécu cinq années de bonheur conjugal, nous étions comme toujours dévoués et fidèles l'un à l'autre et, malgré ce qui s'était passé, mon cœur bondit de joie en pensant à sa venue. Mais cette joie était mêlée de culpabilité, cette même culpabilité qui faisait désormais partie intégrante de mon âme. Ni les circonstances ni la raison n'avaient d'emprise sur mon infidélité. J'ignorais ce qui allait advenir. Ma femme devinerait-elle ce qui s'était passé? Lui raconterais-je? Pourrais-je le lui dire? Et que deviendrions-nous si je le lui disais?

Deux semaines avant son arrivée, je découvris en urinant que j'avais de nouveau contracté la maladie que je croyais guérie depuis des années.

Pendant la Grande Guerre, comme beaucoup de jeunes soldats, je m'étais laissé aller à fréquenter les lieux de débauche de Washington. Je m'étais soigné et tout paraissait rentré dans l'ordre. Bien que Libbie connût certains de mes écarts passés, elle ignorait que j'avais été infecté. Que Monahsetah eût pu être impure paraissait impossible, et je ne pus qu'imaginer que nos ébats amoureux avaient réveillé une affection latente.

Certains officiers, dont Tom, qui avaient sans discernement échangé leurs maîtresses indiennes pendant l'hiver, souffraient eux aussi de la chaude-pisse. Nous séjournâmes tous à Fort Sill pour y recevoir un traitement et, même si mon corps réagit bien aux médicaments, je passai les derniers jours précédant l'arrivée de Libbie plongé dans un profond malaise.

Comme si cela ne suffisait pas, je devais accomplir la terrible corvée d'annoncer à Libbie la mort de Custis Lee. C'était le seul cheval qu'elle eût jamais aimé. Pendant la Grande Guerre, il lui avait fait traverser saine et sauve les rivières en crue de Virginie et les routes boueuses du Maryland. Elle l'adorait et ne manquait jamais de le mentionner dans ses lettres du Michigan. Le pauvre était mort et c'est à moi qu'il échut de lui annoncer qu'il avait péri dans un accident de chasse insolite dont j'étais entièrement responsable.

Je ne voyais plus Monahsetah. De nombreux groupes hostiles avaient commencé à affluer dans les réserves et il semblait que tous les prisonniers de la Washita rentreraient bientôt auprès des leurs. Elle n'avait plus rien à faire, sinon s'occuper de son bébé en attendant sa libération prochaine.

Il plut tous les jours pendant la semaine qui précéda la venue de Libbie, et Fort Cobb n'était plus qu'un marécage quand elle arriva enfin. Jusqu'au dernier moment, je priai pour être délivré de mes supplices.

Derrière les sourires et les baisers de nos retrouvailles, je devinai à son visage défait qu'elle souffrait de quelque état dépressif. Durant la nuit, elle m'apprit que son médecin de Monroe avait diagnostiqué chez elle une maladie qui ne pouvait provenir que de moi. C'était, bien sûr, la même que celle dont je venais d'être soigné à Fort Sill.

Elle me demanda si j'avais été avec d'autres femmes depuis notre mariage. Je lui jurai que non, ajoutant que ce devait être une résurgence de mes années de jeunesse.

Je ne lui parlai pas, alors, de Monahsetah. Les dégâts étaient faits et il n'y avait aucune raison d'agrandir la blessure, même s'il m'est arrivé de penser qu'elle ne me crut pas. Bizarrement, j'ai envie de lui dire aujourd'hui la vérité, mais certainement pas par lettre.

Je crois que la chose la plus difficile que nous ayons jamais accomplie fut de réconcilier la magie de notre mariage avec les conditions répugnantes de la réalité. Chez les militaires, d'autres couples ont connu des situations conflictuelles de ce genre, mais que cela pût arriver à un couple privilégié, à Autie et Libbie, j'ai encore du mal à l'accepter. Pendant longtemps, une menace pesa sur notre couple.

Finalement, nous avons pu reprendre notre vie sexuelle, et en même temps accepter l'inacceptable : la quasi-impossibilité d'avoir des enfants. Nous avons compris à temps que notre seule façon de continuer était de redoubler d'amour. C'est ce que nous avons fait et, bien que nous portions tous deux des cicatrices, je ne vois pas comment nous pourrions être plus heureux.

Néanmoins, ces semaines dans la boue de Fort Cobb ne furent pas très heureuses. Ce n'était qu'angoisse et torture, le pire étant que nous étions trop affligés pour nous aimer.

Pendant ce temps, le monde continuait de tourner. Appliquant sa politique de paix, le président Grant avait fait le pari audacieux de remplacer les commissaires aux affaires indiennes corrompus par des Quakers, qui, bien qu'enclins à la crédulité, n'étaient certes pas des tricheurs. Leur présence réduisit aussitôt les tensions et, bien que de sérieux conflits dussent avoir lieu dans les années à venir, ce fut le début de la fin de la liberté pour les tribus des plaines du Sud.

La veille de leur rapatriement, je rendis une dernière visite aux captifs cheyennes. Accroupie dans un coin, Monahsetah allaitait son nourrisson. Elle leva les yeux et, en me voyant, me gratifia de son drôle de petit sourire proche du ricanement. Ce fut la dernière fois que je la vis.

Plusieurs jours après, nous passâmes par Fort Sill lors de la première étape de notre voyage vers l'est, où nous devions jouir d'une permission illimitée, un cadeau de l'armée en récompense de mes loyaux services.

Un vaste groupe de Cheyennes campait près de la caserne afin de recevoir des rations et, tandis que je les observais, je remarquai des enfants qui jouaient dans la poussière. L'un d'eux dessinait dans la terre avec la pointe de son couteau de poche. C'était Milton, de retour dans l'univers des Blancs. Il ne leva pas la tête et je n'eus pas le cœur de lui dire bonjour. Je ne revis jamais Milton.

19 juin 1876

Le major Reno est rentré avec ses éclaireurs et, comme toujours avec cet officier, les nouvelles sont mitigées. Il a terminé sa reconnaissance des alentours de la rivière Powder, mais ensuite, au lieu de rentrer directement à notre campement au bord de la Tongue, il a traversé la Powder pour rejoindre la Rosebud, en totale contradiction avec les ordres qui lui interdisaient précisément une telle entreprise.

C'étaient les ordres — dont j'étais le principal instigateur — du général Terry et nous sommes tous deux furieux contre Reno. Si cela avait été possible, nous aurions porté des accusations contre lui, car si sa présence avait été détectée par l'ennemi, cela aurait compromis la campagne tout entière. Mais nous n'avons pas de temps à perdre.

L'excuse bancale de Reno pour avoir désobéi aux ordres fut que des empreintes fraîches l'avaient incité à pousser jusqu'à la Rosebud. En remontant cette rivière, il était tombé sur un camp de nomades récemment abandonné. C'est la seule bonne nouvelle qui découla de sa reconnaissance malavisée. Nous les avons enfin trouvés et il semble qu'ils se dirigent vers la vallée de la Little Bighorn.

Nous venons juste de dresser le camp à l'embouchure de la Rosebud. Le général Terry nous y attendait, le *Far West* est amarré sur la Yellowstone et, avec le retour de Reno, cela donne un camp réellement imposant. Il le sera encore plus quand les forces de Gibbon arriveront enfin, demain matin je l'espère. Si la colonne de Crook était là, cela ferait un bivouac gigantesque, mais nous n'avons aucune nouvelle ni de lui ni de ses hommes, lesquels doivent encore errer quelque part au sud. J'espère qu'ils ne nous ont pas fait faux bond !

Les vingt-quatre prochaines heures devraient déboucher sur un plan d'action. Maintenant que le loup est sorti du bois, je suis sûr que nous serons tous d'accord pour engager la bataille le plus tôt possible. Il ne fait aucun doute que la hantise unanime qui tenaille tous les commandants est que l'ennemi, surtout s'il a découvert notre présence, puisse s'échapper avant que nous lui tombions dessus. Ce que chaque homme redoute, c'est d'être venu si loin pour rentrer bredouille.

Le camp est exceptionnellement calme ce soir, car tous les hommes savent que le combat est imminent et la plupart se sont retirés sous leur tente pour écrire hâtivement une dernière lettre aux êtres chers qu'ils ont laissés derrière eux. Demain, le temps manquera peut-être, car tous les commandants et tous les hommes de troupe feront les préparatifs pour ce qui sera sans doute une poursuite frénétique et une bataille farouche avec les meilleurs guerriers que les Sioux ont à nous opposer.

Hélas, cela signifie que je dois moi aussi me hâter de terminer ce testament qui m'a tant stimulé et procuré tant de satisfactions pendant notre longue marche.

Je regretterai de ne plus occuper chaque jour à noircir autant de papier, mais je serai malgré tout soulagé. Je suis né pour faire la guerre et, comme je serai toujours meilleur guerrier qu'écrivain — du moins tant que je ne serai pas trop vieux pour combattre —, il ne m'est pas désagréable de retourner sur le champ de bataille. Tous mes sens seront en éveil et le sang bouillonnera dans mes veines jusqu'au combat final, jusqu'à la victoire.

Pour l'instant, je suis de nouveau sous ma tente. La retraite vient juste de sonner, mais ici, à l'embranchement de la Rosebud et de la puissante Yellowstone, la sérénité manque, car les eaux tumultueuses des deux rivières créent une cacophonie qui égale le fracas d'une tempête en mer.

J'ai moi aussi connu des nuits agitées ces derniers jours, je dors par bribes chaotiques. Je revis sans doute trop intensément le passé car j'ai l'impression que mes nuits blanches reproduisent les turbulences de notre vie conjugale des deux ou trois années qui suivirent Fort Cobb. Ah, si seulement je pouvais réécrire le passé!

Lorsque j'étais en service actif, nous vivions dans l'Ouest, la plupart du temps au Kansas, à Fort Leavenworth, qui fut le théâtre de réjouissances continuelles car nous y recevions un flot toujours plus important de visiteurs de l'Est.

Nous voyagions souvent, surtout pour nous rendre à New York où nous allions le soir au théâtre — j'adore le théâtre, au point que j'ai réellement pensé y faire carrière — et où nous assistions à toutes les pièces qui se jouaient. Aux comédies, je riais si fort que j'attirais, bien malgré moi, l'attention des spectateurs. Les tragédies nous faisaient pleurer. Le mouchoir de Libbie ne lui suffisait jamais et quand elle voulait m'emprunter le mien, elle découvrait invariablement qu'il était déjà trempé.

Le juge Bacon est mort, encore un terrible choc pour Libbie qui se retrouve seule au monde, si l'on excepte bien sûr son cher traître et sa famille.

Bien que toujours chancelante, la politique de paix a réussi à tenir, bon gré mal gré, laissant le 7e de cavalerie se rouiller dans l'ennui et l'inactivité. J'ai fait quelques tentatives dans le monde des affaires, avec les résultats prévisibles.

En tant que couple, nous avons traversé, Libbie et moi, ces années comme des somnambules; tout en présentant extérieurement l'image du couple idéal, nous avons enduré intérieurement une sorte d'hiver sentimental.

Libbie n'est pas devenue différente du jour au lendemain. Son esprit indomptable est resté invaincu et elle a continué de s'occuper de son époux, de sa famille et de notre cercle d'amis toujours plus grand avec le même enthousiasme infatigable. Mais intérieurement, elle s'est endurcie et cette calcification n'était pas sans rapport avec la famille, ou devrais-je dire le manque de famille. Je crois qu'il a fallu un an avant que nous refassions l'amour et, bien que la passion ait toujours été présente, un rêve irremplaçable avait été détruit. Et je m'en veux. C'est moi qui ai fait croire à l'écolière naïve du Midwest que tout nous réussirait, que nous pourrions atteindre les étoiles si nous le voulions, et c'est moi qui l'ai dépouillée de ce rêve merveilleux.

Nous résolûmes de faire une dernière tentative, mais après avoir tout essayé nous fûmes incapables de concevoir un enfant, et notre déception ne pouvait pas manquer de nous rappeler la cause de cet échec. Comment atteindre les étoiles si nous ne pouvions fonder une famille?

Au cours des années, j'ai essayé d'exalter les vertus d'une vie sans enfant, mais à chaque fois que ces paroles sortaient de ma bouche, je les regrettais. Et pourtant je ne peux m'en empêcher. J'ai mentionné le sujet à Libbie dans une lettre il y a une semaine à peine. Je voulais effacer les obstacles, mais c'est impossible.

Malgré ces tribulations, je ne crois pas qu'un seul couple sur terre ait tiré davantage de la vie. Aujourd'hui, nous sommes plus des amis fidèles que des amants enfiévrés, mais notre attachement mutuel ne saurait être plus profond. J'aime Libbie plus que tout au monde et je pense qu'elle éprouve la même chose pour moi. Nous vivons l'un pour l'autre.

L'armée ayant enfin décidé de morceler le 7e de cavalerie et d'envoyer ses divers composants superviser la reconstruction de l'Union dans le Sud profond, Je ne sus refuser l'affectation, et nous nous retrouvâmes dans un nouveau casernement, à Elizabethtown, dans le Kentucky.

Rien ne m'aurait plu davantage que de rester à New York afin d'y poursuivre ma carrière d'écrivain, mais les revenus que je tirais de ma plume auraient à peine couvert mes dépenses. Par des messages subtils, l'armée m'avait fait savoir qu'elle se lassait de payer de pleins gages à un commandant en permission; nous devions donc obtempérer, ne fût-ce que pour des considérations financières.

Ah, comme nous avons aimé New York! Une ville toujours pleine de vie, qui nous traita comme des enfants du pays et où nous jouîmes de la célébrité comme nulle part.

En 1871, néanmoins, les débits égalaient les crédits. Je n'étais plus le « général enfant aux boucles blondes ». Les controverses sur la question indienne avaient divisé le pays et nombreux étaient ceux qui élevaient la voix pour protester avec véhémence contre le rôle de l'armée en général, et le mien en particulier.

Un soir, au Delmonico, une cliente distinguée s'arrêta à ma table alors que je coupais mon steak et me demanda à haute voix : « C'est comme ça que vous avez taillé dans la viande à la Washita ? » Elle ajouta vivement que le moins que je pusse faire serait d'avoir l'humilité de ne pas dîner en public.

Là-dessus, elle tourna les talons. Je regardai mes compagnons de table, penaud, et un silence enveloppa un instant notre petit groupe. Mes amis me consolèrent; ils me déclarèrent, entre autres, qu'ils étaient désolés que je sois la cible de la frustration d'autrui et m'assurèrent qu'ils compatissaient à mes déboires. Cela nous mena dans une longue discussion sur les complexités de la célébrité, un sujet brûlant auquel je participai du bout des lèvres. Les paroles de la femme m'avaient ébranlé et je rentrai seul chez moi ce soir-là, en faisant volontairement des détours par les rues pluvieuses afin de mettre de l'ordre dans mes pensées.

Ce soir encore, des années plus tard, le souvenir de l'incident du Delmonico continue de m'inciter à la méditation. Tout le monde cherche à bien faire, mais à de rares exceptions près un dictateur se cache au fond de chacun de nous, prêt à se réveiller dès que l'occasion se présente. C'est la bénédiction et la malédiction de la race humaine, qui nous pousse en avant tout en nous retenant.

En tant que soldat, j'ai passé ma vie à lutter contre mes semblables qui voulaient me dominer, corps et âme. Si j'étais philosophe, je rechercherais peut-être des voies meilleures, mais la lutte pour savoir qui dominera l'autre a accaparé toutes mes forces.

Je ne peux pas dire que j'aie des regrets. En fait, il y a peu de choses que je changerais si j'en avais l'occasion. Dans ma vie, la récompense a toujours été présente, récompense sous la forme du triomphe, qui pour moi est l'enfant de la domination. Chaque triomphe est une fête délicieuse, un moment d'amour, un étrange élixir qui, une fois qu'on y a goûté, donne une envie irrépressible d'en reprendre. Et plus l'enjeu est important, plus grand est le triomphe. La victoire arrachée dans la poussière, la sueur, la chair et le sang engendre la célébrité, et la célébrité est le bouquet le plus capiteux de tous, car elle n'est jamais ni réelle ni irréelle mais plutôt un état en soi que seuls ceux qui l'ont connue peuvent apprécier. Et lorsqu'on parvient à la célébrité, on s'aperçoit que ce statut unique ne peut non plus être apprécié dès la première expérience.

Ceux qui se plaignent d'anonymat rêvent d'être connus, mais oublient trop facilement les inconvénients de la renommée. Je ne suis pas différent des autres célébrités. C'est parfois une position réellement inconfortable, mais j'en connais beaucoup qui feraient n'importe quoi pour conserver leur notoriété et peut-être dois-je me compter parmi eux.

Les avantages dépassent largement les inconvénients, c'est sans doute pourquoi d'aucuns se consacrent si entièrement à leurs rêves de gloire et de reconnaissance. Si l'humilité était authentiquement vénérée, le monde serait différent mais, bien qu'une des qualités les plus louées, elle est rarement pratiquée. Certainement pas par moi, en tout cas. Un général humble, cela n'existe pas.

Le Kentucky fut une sorte de purgatoire, ni vraiment agréable, ni vraiment désagréable. A part le mariage de ma sœur Maggie avec Jimmy Calhoun, le seul événement notoire des dix-huit mois que nous passâmes dans cette région fut la disparition — momentanée — de mon cheval Vic.

Les magnifiques chevaux du Kentucky, fierté de cet Etat, étaient mon unique divertissement, et je me constituai bien vite une écurie, dont Vic était l'échantillon le plus représentatif.

Un après-midi, en rentrant d'une promenade et après une brève inspection des écuries, je m'aperçus que Vic n'était pas là. Les hommes le cherchèrent toute la nuit, mais rentrèrent sans avoir trouvé la moindre trace. Les recherches se poursuivirent le lendemain, avec le même résultat.

Rien ne m'émeut autant qu'un animal perdu, un ami fidèle qui devient soudain la proie de toutes les vicissitudes d'un monde cruel tandis que son maître se morfond, impuissant. Torturé par les visions de ce qui avait pu advenir à Vic, je retournai dans l'écurie le surlendemain, après le repas de midi, dans l'espoir d'y découvrir un indice qui serait passé inaperçu.

J'inspectai soigneusement sa stalle, puis sortis dans l'allée, scrutai chaque direction, essayant, sans succès, de déterminer quel côté le cheval avait bien pu emprunter. Le devant de l'écurie ouvrait sur une route qui, moins de quatre cents mètres plus loin, se divisait en plusieurs chemins qui partaient dans toutes les directions. L'arrière de l'écurie donnait sur une légère colline boisée. Avant le début de la pente se trouvait l'ouverture d'un de nos puits, qui avait subi récemment quelques réparations. Je m'y dirigeai en me disant : « Non, il n'a pas pu tomber dedans. »

Je jetai un coup d'œil par-dessus la margelle ; il était là, debout sur ses quatre pattes, de l'eau jusqu'au poitrail, sage comme une image. Comme s'il était confus, il regardait droit devant lui, les oreilles en arrière, signe de colère. Quand je l'appelai, il roula un œil vers moi, puis poussa un soupir accablé.

Avec une dizaine d'hommes et un solide palan, nous réussîmes à le hisser hors de son trou, heureusement peu profond. Il avait perdu quelques kilos mais ne souffrait d'aucune blessure. Comme était-il tombé dans le puits, cela demeure un mystère. Je persiste à croire qu'il n'avait pas henni parce qu'il était affreusement mortifié. C'est un véritable athlète, d'une fierté que j'ai rarement observée chez ses semblables.

20 juin 1876

Vic, cette pure merveille, est dehors dans le noir avec Dandy. Je ne peux les voir, mais je sais qu'ils broutent le long de la rivière ou qu'ils dorment debout, tête contre queue. Bien qu'il y ait toujours quelque autre danger dans ce pays, je suis rassuré qu'il n'y ait pas de puits.

Ils connaissent la région de la Yellowstone car ils étaient avec moi lors de l'expédition de 1873. Par bien des côtés, c'était une expédition estivale insouciante, égayée par des escarmouches occasionnelles avec des bandes de guerriers sioux qui nous harcelaient dès qu'ils pensaient posséder un avantage. Nous ne souffrîmes que de pertes légères et, bien que nos accrochages avec les Sioux se déroulassent avec de vraies balles, ils avaient un net parfum de jeux de gosses. Avec le recul, cela me rappelle davantage des parties de cache-cache ou de gendarmes et voleurs que des combats meurtriers.

Nous étions chargés de protéger des équipes d'arpenteurs qui planifiaient une voie ferrée qui devait desservir tout le nord du continent. Les Sioux leur donnaient parfois du fil à retordre, mais, l'un dans l'autre, notre expédition fut une partie de plaisir.

Mes seules difficultés de l'été, je les connus avec mon commandant, le général Stanley. C'était un adepte fervent de la bouteille et, après des désaccords répétés dus surtout à l'alcool, il dépassa les limites quand, en état d'ébriété, il me plaça aux arrêts de rigueur... J'avais encouru sa colère en virant du camp un marchand de whisky.

L'incarcération — dans mes quartiers — ne dura que vingt-quatre heures, le temps que le général retrouve ses esprits et me fasse libérer. L'ironie voulut que, durant cette brève période, je fisse l'une des plus heureuses retrouvailles de ma vie.

J'étais seul sous ma tente quand j'entendis une voix demander où se trouvait « le domicile du général Custer ».

Curieux, je pointai ma tête dehors. L'homme que je vis était l'arpenteur en chef de l'Union Pacific, mais je ne le connaissais pas sous cette identité. Je le connaissais sous le nom de Thomas Rosser, général de cavalerie des confédérés et auparavant cadet Thomas Rosser, ami cher et condisciple de West Point.

Je ne lui avais plus reparlé depuis les bancs de l'académie, mais je l'avais affronté à maintes reprises pendant la Grande Guerre, dont la plus mémorable — du moins pour moi — fut la bataille de Tom's Brook, le 9 octobre 1864.

Peu auparavant, j'avais été promu au rang de général de division, un avancement qui signifiait que je devais assumer le commandement de troupes plus importantes. Quittant mes Wolverines, je pris le commandement de la cavalerie de la 3e division, dans mon esprit la division montée s'étant le mieux comportée pendant la guerre. Elle avait pris toutes les pièces d'artillerie pointées sur elle, saisi nombre de drapeaux ennemis et obtenu victoire sur victoire sans jamais connaître la défaite.

Peu avant Tom's Brook, la division avait couvert la retraite de la Shenandoah de l'armée du général Sheridan. Pendant cette opération, nous avions été importunés par une division d'Invincibles qui, je devais bientôt le découvrir, comprenait une brigade commandée par mon vieil ami du Texas, le général Rosser.

Pendant que nous étions occupés ailleurs, le général Rosser avait astucieusement déployé ses troupes de l'autre côté du cours d'eau, disposant son artillerie sur une hauteur qui nous interdisait le passage.

Il avait en outre l'avantage du nombre, car nous ne pouvions opposer que deux mille cinq cents hommes à ses quatre mille soldats. Mais la 3e division avait souvent combattu en état d'infériorité numérique et, sachant que des renforts arriveraient bientôt, je déployai notre artillerie aux meilleurs endroits possibles et me préparai à combattre.

Pendant les derniers préparatifs avant « le début du spectacle », j'appris que les Invincibles étaient commandés par mon vieil ami.

C'était une journée très claire, on distinguait les moindres détails du champ de bataille. Les forces ennemies présentaient l'image de la perfection, tels des soldats de plomb alignés avec soin. La fureur des combats allait bientôt balayer cette vision idéale.

Je fus soudain submergé par le souvenir des visages sans vie tournés vers le ciel, des amis si jeunes tombés à mes côtés, je revis, l'espace d'un instant, le regard de ceux qui avaient survécu à des horreurs sans nom sur le champ de bataille.

Penser que tout cela était sur le point de se reproduire à cause d'un désaccord politique entre les deux commandants adverses, qui s'adoraient comme des frères, voilà qui était proprement incompréhensible.

Ce déploiement d'uniformes, ces couleurs, ces canons, c'était si beau ! Seul, je ne pouvais arrêter la marche inexorable de la guerre, mais je pouvais au moins faire un geste qui révélerait l'honneur, le respect et même l'amour que les deux camps se portaient l'un à l'autre.

Je montais un étalon noir du nom de Charbon et, sans savoir exactement ce que j'allais faire, je le guidai vers le no man's land qui séparait les deux armées. Nous parcourûmes en caracolant plusieurs centaines de mètres pour nous planter face à l'ennemi, à la vue de tous.

En haut d'un promontoire, près de l'artillerie, j'aperçus le drapeau du commandant. J'ôtai mon chapeau, je l'époussetai contre ma cuisse et m'inclinai en direction du général Rosser et de son état-major. Puis je lançai à pleins poumons : « Battons-nous loyalement... sans malice. »

Charbon me ramena au galop et en atteignant nos lignes j'ordonnai à nos batteries d'ouvrir le feu sur les hommes du général Rosser.

Ironiquement, ce fut la brigade du Michigan qui vint à notre secours ce jour-là, et non seulement nous gagnâmes la bataille, mais nous mîmes la cavalerie ennemie en déroute, nous la pourchassâmes sur trente kilomètres, et ce fait d'armes fut connu par la suite sous le nom de « Course de Woodstock ».

Les hommes du général Rosser combattirent avec acharnement, mais je doute qu'une seule armée sur terre eût été capable de nous arrêter ce jour-là. Nous capturâmes leurs drapeaux, presque toute leur artillerie et la plupart de leurs chariots, y compris celui qui abritait le quartier général de Rosser.

Je m'appropriai son long manteau et son chapeau et, ainsi vêtu, je fis le soir le tour du bivouac, à la plus grande joie de toute la division; plus tard, je rédigeai une lettre au général Rosser dans laquelle je le remerciais de ses cadeaux somptueux, mais lui recommandais de dire à son tailleur de raccourcir ses manteaux la prochaine fois.

Or voilà qu'après toutes ces années nous nous retrouvions en amis. Tout l'après-midi, sous ma tente, à plat ventre comme deux écoliers, nous passâmes des heures à évoquer Tom's Brook et bien d'autres épisodes qui avaient égayé notre vie.

Ayant vécu au milieu d'étrangers une grande partie de ma vie et ayant perdu tant d'amis de ma jeunesse, je savoure chaque rencontre avec ceux qui, comme Tom Rosser, sont encore de ce monde. Je reçois de temps en temps une lettre de lui, mais je ne l'ai pas revu depuis cet été de 1873 près de la Yellowstone.

Il me manque, comme tant d'autres que j'ai connus pendant la Grande Guerre. La guerre elle-même me manque. Car en dépit des carnages désolants, elle exigeait le meilleur de moi-même. Et j'ai toujours donné le meilleur, tout comme mes hommes.

Pour la 3e division, la guerre ne s'arrêta pas avant

la grande revue finale dans la capitale. Lorsque la parade fut terminée, nous nous réunîmes pour la dernière fois dans un champ en friche, non loin du cœur de la ville.

J'avais songé à prononcer un discours d'adieu, mais, en contemplant les rangs des survivants qui s'étaient si vaillamment battus et avaient enduré toutes les épreuves imaginables dans leur chair et dans leur cœur, la voix me manqua. Seules les larmes me vinrent.

Monté sur Don Juan, je parcourus tous les rangs des cavaliers. Les larmes brillaient dans les yeux de chacun et roulaient sur toutes les joues pendant la dernière inspection de mes vaillants soldats. Je gardai comme eux la tête bien droite, mais je ne vis pas un seul visage sec. Nous savions tous que la Grande Guerre venait de s'achever, nous savions tous que nous ne nous reverrions plus. Deux mille hommes en larmes.

Je ne peux pas dormir, ce soir. Trop de détails, trop de préparatifs m'obsèdent. Je peux seulement sommeiller, mais cela suffira. Pendant une marche, dix minutes dans quelque fossé boueux ou sur quelque chemin raboteux, et je suis revigoré, prêt à chevaucher toute la journée ou toute la nuit.

Nous tomberons bientôt sur les Sioux. Comment nous les combattrons, c'est ce qui sera décidé à la réunion de demain soir sur le *Far West.* Alors, le général Terry révélera ses plans. L'attente est toujours pénible, c'est sans doute pourquoi j'ai du mal à trouver le sommeil.

Libbie et moi, nous sommes arrivés au Dakota début 1873, quand l'armée regroupa le 7e de cavalerie, dont les éléments étaient éparpillés dans le Sud profond, et en refit une seule et même unité qu'elle envoya à Fort Abraham Lincoln. La nouvelle caserne était située dans la région la plus désolée, la plus inhabitée qu'il m'ait été donné de voir, et elle n'a pas beaucoup changé depuis, malgré la construction d'un certain nombre de villes alentour.

Nous eûmes une vie merveilleuse à Fort Lincoln. C'était comme si nous avions fondé une société à nous, un monde à part. Ce fut particulièrement vrai pendant l'hiver, glacial, quand l'univers entier parut gelé.

Des invités traversaient le paysage de glace dans un sens ou dans l'autre, et nos journées étaient toujours remplies par quelque distraction : théâtre amateur, récitals de salon, charades interminables, promenades en traîneaux, longs et joyeux dîners.

Eliza s'était trouvé un époux, et Mary, qui cuisine aussi bien et n'a pas peur elle non plus d'exprimer ses opinions, faisait désormais partie de la famille.

D'autres membres de ma famille entrèrent dans notre univers. Ma sœur Maggie resta un an à Fort Lincoln. Mes frères Boston et Nevin ainsi que mon neveu Autie passèrent nous voir, de même que bon nombre d'amies de Libbie de Monroe.

Tom était là depuis le début. Je l'adore et je sais que cette affection est réciproque, mais je me demande parfois ce que va devenir mon plus cher et plus proche frère. Il est capable d'avoir des périodes de sobriété, mais on dirait qu'il se relâche toujours aux pires moments. Il devrait être déjà marié, mais il semble incapable de faire preuve du moindre charme quand il rencontre une personne du sexe opposé. Il a une bien-aimée, l'amie d'une amie d'une amie de Monroe. Elle porte ses médailles toute la sainte journée, mais en tant que couple, ils paraissent étrangement manquer de chaleur, et je ne pense pas que quoi que ce soit sortira de leur idylle.

Il n'a pas eu de promotion depuis la fin de la guerre, et je doute qu'il en ait avant longtemps... d'ailleurs, je doute d'en avoir moi-même.

En février 1874, notre grande maison de Fort Lincoln brûla complètement, il n'en resta rien. Une vie entière de souvenirs partit en fumée. Perdre tout ce que nous possédions fut une épreuve bouleversante. Nous étions au bord de l'effondrement mais, tel un fils adoptif, Tom vint à notre secours et nous nous en remîmes à lui. Puis, Libbie et moi, nous nous soutînmes l'un l'autre.

Aussi étrange que cela puisse paraître, l'incendie de notre foyer eut un effet purificateur sur nos vies. Le passé disparut dans les flammes, ne nous laissant d'autre choix que de repartir sur des bases nouvelles, reconstruire notre foyer et régénérer nos esprits. Après l'incendie, il ne nous restait plus que nous. Nous seuls étions la source du renouveau, et nous nous renforçâmes par nécessité, retrouvant ainsi un peu du lustre qui s'était effacé de notre union dans les années qui avaient immédiatement précédé cette terrible perte. Aujourd'hui, je remercie Dieu pour cet incendie, car il m'a rendu Libbie, et ce de multiples façons.

Tandis qu'une nouvelle maison s'élevait sur les cendres de l'ancienne, j'étais préoccupé par l'organisation d'une autre expédition qui devait passer l'été 1874 à explorer une région mystérieuse et enchanteresse, connue sous le nom de Black Hills.

Les Sioux avaient toujours prétendu que cette région leur appartenait. C'était pour eux un lieu sacré et, avec d'autres tribus, ils le défendaient farouchement, punissant de mort ceux qui s'y aventuraient.

Mais, à cette époque, une expédition dans les Black Hills était indispensable pour plusieurs raisons. Selon des rumeurs persistantes, il y avait de l'or en grande quantité dans les montagnes, et si c'était vrai cela donnerait un coup de fouet à l'économie de l'Amérique qui se relevait à peine de la banqueroute causée par la panique de 1873.

Il n'existait pas de cartes de la région et, en 1874, c'était encore un territoire vierge en plein cœur de la civilisation. Dans l'esprit de tous, c'était un endroit à explorer.

Mais la meilleure raison d'aller dans les Black Hills était sans doute celle que personne ne formulait. La machinerie et les mécanismes du système des réserves étaient en place depuis quelque temps, mais n'avaient eu que peu d'effets sur les nomades. Les Indiens qui vivaient librement étaient un exemple tentant pour ceux qui se conformaient aux lois de l'homme blanc, et je crois que le but escompté de l'expédition des Black Hills était de démontrer aux nomades le pouvoir suprême de notre gouvernement. Je crois que le gouvernement voulait prouver qu'il pouvait pénétrer dans n'importe quelle région, aussi sauvage et inviolée fût-elle, qu'il n'y avait nulle part où se cacher, aucun endroit ne nous étant interdit.

L'expédition connut un succès merveilleux. On découvrit de l'or, les topographes établirent des cartes de toute la région et, bien qu'ils nous surveillassent constamment, les nomades ne nous défièrent jamais.

Nos seuls problèmes avec les Indiens furent d'empêcher Couteau-Sanglant et les éclaireurs rees d'assassiner et de scalper une petite bande de Sioux pitoyables.

Pour moi, ce fut un grand privilège de conduire une expédition de cette importance. Avec nous voyageait une armée de biologistes, de géologues, de botanistes, d'écrivains, de géographes. Explorer pendant tout un été, avec des personnages aussi distingués, une contrée où seule une poignée de Blancs avait mis le pied fut la plus grande expérience de ma vie.

Il y avait du gibier partout. De l'eau de source, claire, fraîche, coulait en abondance. Chaque vallée était une prairie sans fin, parsemée de fleurs de toutes les couleurs qui ravissaient l'appétit des chevaux et poussaient les hommes à cueillir des bouquets. Aucune armée en campagne n'eut de mission plus agréable. L'été se résuma à un long et joyeux pique-nique.

La démonstration de notre pouvoir suprême n'eut pas l'effet escompté sur les nomades. L'expédition des Black Hills mit le feu aux poudres. Au lieu d'inciter les nomades à composer, elle ne fit qu'accroître leur méfiance. C'est pourquoi nous les pourchassons aujourd'hui.

Il est inévitable que leur liberté cesse un jour, mais seule la défaite leur fera pleinement comprendre cette dure réalité. Plus vite ils seront débusqués et vaincus, plus nombreuses seront les vies que nous pourrons sauver, les dépenses que nous pourrons éviter.

Je me dis souvent que si j'étais l'un des leurs, moi aussi je me méfierais. Moi aussi, je me battrais pour ma liberté. Comme eux, je suis un guerrier jusqu'au bout des ongles. La seule différence, c'est que je combats dans l'autre camp.

21 juin 1876

C'est étrange comme je suis inquiet. J'ai l'impression qu'on me secoue dans tous les sens. Mes nerfs sont à fleur de peau. C'est peut-être le manque de sommeil, pourtant je ne me sens pas fatigué, bien que je passe les nuits à m'agiter comme une toupie.

Même la promenade à cheval de ce matin avec Tom n'a pas calmé mon trouble. Cela nous a néanmoins procuré une amusante distraction.

Comme nous regagnions le camp, nous approchâmes d'une crête boisée qui dominait une profonde ravine de broussailles et, en regardant en contrebas, nous surprîmes une scène qui se prêtait à une joyeuse farce.

Notre jeune frère Boston, qui était apparemment parti faire une balade à cheval en solitaire, s'était arrêté pour satisfaire un besoin naturel. Accroupi par terre, le pantalon sur les chevilles, il était en train de se vider les intestins.

Tom dégaina son pistolet et me souffla à l'oreille :

— On ne devrait pas faire ça en territoire indien, hein, Autie ?

— Certainement pas, répondis-je.

Déchirant l'air avec notre meilleure imitation du cri de guerre des Indiens, nous tirâmes plusieurs coups de feu au-dessus de la tête de Boston.

Le pauvre fit un bond, retomba sur le ventre, se remit sur ses pieds tant bien que mal et, le pantalon autour des genoux, réussit à empoigner la bride de son cheval et à enfourcher sa monture.

Nous étions pliés en deux sur nos selles en voyant Boston s'enfuir au triple galop. Riant encore aux éclats, nous nous aperçûmes qu'il fallait rattraper notre frère si nous voulions éviter qu'il ne donne l'alerte à un millier de soldats.

Nous réussîmes à le rejoindre avant qu'il atteigne le camp; quand nous lui racontâmes la supercherie, il en fut gravement mortifié. Il ne nous parle plus pour l'instant, mais, le connaissant, je suis sûr qu'il nous pardonnera avant un ou deux jours.

Le repas de midi est terminé, je suis seul sous ma tente, la plume suspendue, prêt à coucher par écrit la partie la plus difficile de cette narration, car cela répandra du sel sur des blessures récentes, des blessures qui ne sont pas encore cicatrisées, et ne le seront peut-être jamais.

Je sais que mon angoisse se compose de plusieurs éléments qui remontent loin dans mon passé. Pour l'instant, j'ignore quel rôle le 7e de cavalerie et moi nous jouerons dans cette campagne. Malgré ma confiance, il n'est pas sûr que nous chevaucherons en tête, là où est notre place, peut-être serons-nous relégués sur les flancs, où nos qualités seront gâchées.

Cela dépend du général Terry ou, plus précisément, des caprices de ses maîtres. Osera-t-il m'envoyer à la tête de l'unité d'élite de l'armée? Je me sens aujourd'hui comme lorsque j'attendais le verdict de la cour martiale. Je devine le dénouement, mais je ne peux en être sûr à cent pour cent. Il ne me reste plus qu'à attendre.

Que je mène ou non le 7e de cavalerie vers une autre victoire aura sans doute peu d'effet sur ma carrière militaire, qui, s'il faut dire la vérité sans fard, est à présent terminée. Je suis entré à West Point à dix-sept ans et, comme j'en aurai trente-sept en décembre, mes années de service seront au nombre de vingt... vingt ans au service de mon pays.

Mais bien que j'aie toujours envisagé la vie avec optimisme, je sais que ma carrière est terminée. Je n'ai pas reçu de promotion dans l'armée régulière depuis neuf ans, mais cela n'est que le sommet de l'iceberg comparé aux événements des six derniers mois.

Je l'ignorais à l'époque, mais le soleil commença à se coucher sur la carrière militaire de George Armstrong Custer lorsque le secrétaire à la Guerre Belknap visita Fort Lincoln en septembre dernier, déclenchant une longue série d'événements funestes.

Pendant toute l'année 1875, les missions de combat revinrent aux autres ; pratiquement désœuvré, je me tournai vers l'écriture. *Ma vie dans les plaines* fut publiée, et, à la grande joie du néophyte que j'étais, le livre fut bien accueilli par les lecteurs comme par les critiques. Le reste de l'année, je passai mes moments perdus à écrire des articles pour les magazines et les journaux en vue, qui voulaient tous plus que je ne pouvais produire.

Sous couvert d'un nom de plume, je critiquai la façon cruelle dont notre gouvernement traitait le Sud défait, et éreintai fréquemment l'administration du président Grant. Libbie me mettait souvent en garde contre mon implication dans la politique, mais mon courroux était tel que je ne pouvais résister.

Dans l'armée, tout le monde savait, sans le dire, que la cupidité et la corruption de l'administration Grant, déjà impliquée dans de nombreuses escroqueries, avaient constamment compromis la capacité de l'armée à remplir sa mission. Les postes et les commerces des réserves s'achetaient et se vendaient comme des franchises. Les commissaires aux affaires indiennes volaient tout ce qui pouvait l'être. Bref, l'escroquerie était partout monnaie courante.

J'avais voué une partie du printemps 1875 à résoudre une longue série de vols de blé. Les pillages étaient si étendus que j'avais dû prendre le contrôle de la ville de Bismarck afin d'appréhender les conspirateurs, dont le maire faisait partie.

Le secrétaire Belknap était le grand architecte de ce gouvernement du crime et, quand il visita Fort Lincoln, je l'évitai ostensiblement. Seul le charme et la bonne volonté de Libbie l'empêchèrent de se rendre compte à quel point il avait été insulté.

Deux semaines plus tard, le pouvoir décida de régler la question sioux. On envoya des messagers dans les villages des nomades pour les informer que le gouvernement souhaitait qu'ils se présentent avant la mi-janvier dans des réserves préalablement assignées.

Les Indiens durent rire de bon cœur de cette initiative car ils se jugeaient maîtres de leurs allées et venues. S'ils devaient aller quelque part, ce serait de leur plein gré et certainement pas en hiver alors que le déplacement de tribus entières était impossible.

Une campagne allait être montée contre eux, c'était couru d'avance, et le général Terry m'avisa qu'il avait l'intention d'établir son camp de base dès février sur la Yellowstone. De là, il marcherait contre les tribus hostiles et attaquerait leur camp d'hiver.

Mais cela n'advint jamais. L'hiver était trop rude. La circulation fluviale et ferroviaire dépendait de la fonte des neiges, qui tardait à venir.

Je rendis visite au général Terry à son quartier général de Saint Paul, dans le Minnesota, et m'aperçus qu'aucune préparation n'avait été organisée pour la prétendue campagne hivernale. Mon cœur flancha. Tout serait repoussé au mieux jusqu'au printemps, ce qui rendrait l'ennemi d'autant plus difficile à attraper. Finalement, la date du 6 avril 1876 fut choisie pour le début de la campagne.

L'administration Grant était la principale responsable de ce chaos. Les démocrates, qui avaient le contrôle du Congrès, avaient réussi à mettre au jour les fissures du régime Grant, fissures qui risquaient de faire tomber le président lui-même.

A mon insu, un comité démocrate avait ouvert une enquête sur le ministère de la Guerre et la pression se révéla trop forte pour Belknap, qui démissionna le 2 mars. Le comité poursuivit son enquête et, à ma surprise, je reçus une convocation le 15 mars, m'ordonnant de me rendre à Washington afin d'y témoigner devant le Congrès.

Je fus peut-être l'artisan de ma chute, car j'étais naïf, incroyablement naïf. La noirceur de l'esprit humain m'a toujours abusé et, dans le monde des intrigues politiques, je me suis conduit comme un agneau insouciant parmi les loups... un agneau prêt pour l'abattoir.

Je sais aujourd'hui que je n'aurais jamais dû aller à Washington, mais à l'époque je ne pensais qu'à porter un coup décisif à la corruption qui me faisait enrager depuis tant d'années.

Les démocrates m'accueillirent en héros. Je leur dis ce que je savais le 29 mars, puis de nouveau le 4 avril, à mille lieues d'imaginer que mon témoignage atteindrait les républicains, déjà largement blessés. On me demanda de rester à Washington pour le cas où une procédure de mise en accusation serait entamée contre Belknap, ce qui nécessiterait un nouveau témoignage de ma part. Je restai à contrecœur et rongeai mon frein pendant plusieurs semaines avant de recevoir une autre convocation.

Pendant ce temps-là, j'étais critiqué de toutes parts. Pour se venger, les républicains m'avaient choisi comme cible et leurs journaux multiplièrent les attaques contre mon rang militaire, mes capacités, et ma personnalité. Comme si cela ne suffisait pas, l'armée prit désormais parti et d'anciens partisans, parmi lesquels certains de mes plus vieux amis, penchaient du côté de Belknap et de Grant.

Je suppliai le président du comité, un démocrate, de me laisser regagner mon régiment, mais au moment où j'obtins la permission de rejoindre Fort Lincoln, on m'informa que le président Grant m'avait relevé de mon commandement et avait désigné le général Terry pour prendre la tête de la campagne contre les Sioux.

En outre, on m'informa que mon témoignage devant le Congrès avait été jugé fondé sur des rumeurs et déclaré irrecevable, rebondissement que certains journaux utilisèrent pour intensifier leurs attaques contre moi.

Comment décrire ce que je ressentis, sinon en disant que l'accumulation de ces événements eut un effet explosif : c'était comme si une bombe m'avait éclaté au visage.

Le matin où je reçus l'ordre du président, je restai prostré dans ma chambre d'hôtel, incapable de croire que la politique interférait avec une action militaire majeure sur les plaines du Nord, la faisant peut-être échouer. Et cependant, c'était bien ce qui se passait.

Lorsque j'eus suffisamment recouvré mes esprits, j'allai directement demander conseil au général Sherman, sachant pourtant que Sherman était soudain devenu un imperturbable défenseur du président et de son secrétaire à la Guerre disgracié.

Pendant mon séjour dans la capitale, j'avais à deux reprises essayé de voir le président, dans l'espoir de lui faire comprendre que mon témoignage ne signifiait nullement mon refus de le servir, ni le désir de lui nuire personnellement. Les deux fois, il avait refusé de me recevoir.

Dans le bureau du commandant en chef de l'armée, je m'entendis dire par Sherman en personne que je devrais essayer de nouveau de voir le président, que je devrais rester le week-end et me présenter à la Maison-Blanche le lundi matin à la première heure.

Je suivis ses conseils, arrivai à la minute même où les portes s'ouvraient et m'installai dans le vestibule tandis qu'on portait ma carte à l'intérieur. Après une heure d'attente, on me dit de revenir à treize heures. Je revins donc à treize heures et attendis près de trois heures avant qu'on me demande de revenir à dix-sept heures, ce que je fis. A dix-huit heures trente, on m'apprit que le président Grant avait quitté la Maison-Blanche et qu'il ne reviendrait pas ce jour-là.

Je retournai aussitôt au bureau de Sherman, pour découvrir qu'il était parti pour New York et qu'on ne l'attendait pas avant plusieurs jours.

Le soir, je pris le train pour l'Ouest. Je télégraphiai à Sheridan à son quartier général de Chicago pour lui faire part de mon désir de le rencontrer dès mon arrivée au sujet d'une affaire pressante.

A Chicago, avant que j'aie eu le temps de descendre du train, un auxiliaire du général Sheridan monta à bord et me tendit un télégramme que le général Sherman venait d'envoyer à Sheridan. La dépêche disait que je devais être détenu et que la campagne contre les Sioux se déroulerait sans moi. Je devais rester là où j'étais et attendre de nouvelles instructions.

Je demandai à l'auxiliaire qui avait apporté le télégramme si j'étais en état d'arrestation. Il me dit que non.

— Dans ce cas, conduisez-moi auprès du général Sheridan, ordonnai-je.

Une heure passa avant que je puisse voir Sheridan et, quand on me fit enfin entrer dans son bureau, il ne se leva pas pour m'accueillir.

— Asseyez-vous, Custer, dit-il platement.

— Mon général, bégayai-je, mon général, je ne sais par où commencer. Je ne sais pas ce qui m'est arrivé.

— Ce qui est arrivé, dit le général d'un ton froid, c'est que vous avez ouvert votre grande gueule contre le président, ses amis et sa famille. Vous vous êtes mis dans un tel pétrin que même moi, je ne peux rien pour vous.

Abasourdi, j'enfouis la tête dans mes mains.

— Vous ne comprenez donc pas que vous vous êtes fait piéger? On vous a utilisé pendant tout votre séjour à Washington.

Je l'écoutai, bouche bée.

— Maintenant, ils sont comme des ours blessés, reprit-il. Ils voulaient déjà se venger avant votre intervention. En venant à Washington, vous êtes devenus la cible idéale pour tous ceux qui cherchaient un bouc émissaire. Vous n'aviez pas compris ça?

— Non, fis-je, incrédule.

— Eh bien, c'est que vous êtes un imbécile. Nous aimerions vous avoir sur le terrain, mais vous avez perdu tous vos amis haut placés. Qu'allons-nous faire de vous, Custer?

Entendre cela de la bouche d'un ami de si longue date, un homme avec qui j'avais combattu, avec qui j'avais souffert, avec qui je m'étais réjoui, un homme que j'aimais... entendre ces mots: « Qu'allons-nous faire de vous, Custer? » — j'en eus la tête qui tournait au point de ne plus distinguer le vrai du faux. Je souffrais le martyre.

Je ne pus que songer à en appeler directement au président et, quand le général Sheridan me déclara qu'il ne s'y opposerait pas, je rédigeai un bref télégramme, dont la teneur était : « C'est en tant que soldat que je vous supplie de m'épargner l'humiliation de voir mon régiment marcher à la rencontre de l'ennemi sans que je puisse en partager les dangers. »

Trop déprimé et trop embarrassé pour rester au quartier général de Sheridan, je lui demandai la permission de me rendre dans le Nord, au QG du général Terry, afin d'y attendre la réponse du président Grant.

Pour la première fois de ma vie, j'aurais voulu être invisible. J'étais sûr que tout le monde pouvait lire la disgrâce sur mon visage. J'endurai le voyage en train, non comme le commandant du 7e de cavalerie, une unité d'élite, mais comme un paria honteux qui ne pense qu'à fuir.

J'étais sur des charbons ardents quand on me fit entrer dans le bureau du général Terry et, en voyant le visage honnête et aimable de cet officier, je me mis à pleurer. Je n'avais pas pleuré avec un tel abandon depuis mon enfance, mais j'étais trop secoué pour m'en préoccuper.

A travers mes larmes, je suppliai le général Terry de faire tout ce qui était en son pouvoir pour obtenir ma réintégration. Il me fit asseoir, me donna une tasse de café pour que je me reprenne et m'assura qu'il ferait son possible.

Il sortit et je restai seul, essayant de sécher mes larmes et de retrouver une allure à peu près normale. Libbie ne savait rien de tout cela, pas plus que Tom ni mes loyaux officiers. Je m'aperçus que je pouvais compter sur leur sympathie et qu'ils me soutiendraient, dussé-je tomber au plus bas. Ce que je ne pouvais supporter, c'était d'être tenu à l'écart de la campagne. N'importe quelle punition eût été préférable. Je ne pouvais tout simplement pas rester à l'écart.

Le général Terry revint me dire qu'il avait télégraphié au président pour lui demander que je sois autorisé à reprendre mes fonctions car j'étais indispensable à la campagne. Il me dit que le général Sheridan avait envoyé un télégramme analogue.

Dieu merci, l'attente de la réponse fut de courte durée. Le président revint sur sa décision et m'autorisa à assumer le commandement du régiment, mais il insista pour que je prenne mes ordres du général Terry, lequel restait le commandant en chef de la campagne. Presque au même moment arriva un télégramme du général Sherman enjoignant au général Terry de s'assurer de ma personne et de ne pas permettre que des journalistes m'accompagnent.

Je montai avec le général Terry dans le train pour Fort Lincoln comme un condamné à mort gracié à la dernière minute. Il n'existe pas de joie plus immense.

Dix jours plus tard, nous commençâmes notre marche, et j'attends maintenant l'avant-dernière réunion du général Terry sur le *Far West*, réunion qui décidera enfin de mon rôle dans cette campagne. Resterai-je à l'arrière, puni comme un enfant désobéissant? Ou serai-je libre de courir sus à l'ennemi?

J'ai fait tout ce que j'ai pu imaginer, j'ai même été jusqu'à demander à John Burkman de me couper une dernière fois les cheveux cet après-midi. Libbie fit ce printemps un rêve récurrent dans lequel elle me voyait scalpé, et le seul moyen d'apaiser ses craintes fut de lui promettre de me faire couper les cheveux. Elle avait si peur qu'elle m'obligea à jurer que Burkman me les couperait sur le champ de bataille. Personne ne peut dire que je ne tiens pas mes promesses.

La réunion s'est terminée et les résultats sont les meilleurs que je pouvais espérer. Fini le temps où je croupissais dans le vestibule d'un politicien, fini le temps où mes phrases avaient un autre sens que l'ordre qu'elles convoyaient. Désormais il s'agit de courir sus à l'ennemi... de le rattraper, de le combattre, de l'écraser. Les relations publiques ou privées n'ont plus cours. Place à l'action.

Une des ironies de la vie veut que l'on s'inquiète pour des choses qui n'en valent pas la peine. Qui croyais-je qu'on choisirait pour courir après les tribus hostiles? Le général Terry est le commandant en chef de la campagne, mais il n'a aucune expérience de la guerre contre les Indiens. Le colonel Gibbon est si décrépit qu'il ne serait même pas de la partie sans l'incapacité de son commandant en second, le major Brisbin. Crook a disparu. Qui donc le président Grant et les généraux Sheridan et Sherman auraient-ils choisi? Le major Reno, qui n'est pas fichu de suivre les instructions les plus simples? Le capitaine Benteen, ce grincheux?

Non, il n'y a que le 7e de cavalerie et son commandant légitime. Nous suivrons la piste des Indiens, et s'il est une cavalerie sur terre qui peut les rattraper, c'est la nôtre.

Reno pense qu'ils peuvent être huit cents. Quant au général Terry, il estime que leur nombre peut aller jusqu'à quinze cents, si l'on se fie aux rapports des commissaires aux affaires indiennes. Mais même s'ils sont quatre à cinq fois plus nombreux que nous, ce n'est pas pour me faire peur. Les chiffres ne veulent rien dire. Ce qui compte, c'est la préparation et la volonté de combattre; or, de cela, le 7e de cavalerie a à revendre.

Gibbon m'a proposé ses canons Gatling, que j'ai refusés. Mieux vaut ne pas s'encombrer de canons sur un terrain accidenté, dans une région inconnue. Il m'a aussi proposé des éclaireurs crows. Je les ai acceptés.

Les Crows connaissent chaque pouce du pays dans lequel nous allons pénétrer. Ils sont d'une beauté merveilleuse et, à côté des Rees, on dirait des rois. Ils représenteront un atout capital pour retrouver les Sioux, les punir et les mettre en déroute.

Le plan du général Terry est simple — à mon avis le meilleur, vu l'impossibilité des communications et le peu que nous sachions des récents mouvements de l'ennemi.

Je mènerai le 7e de cavalerie le long de la Rosebud, remontant la rivière vers le sud-ouest. Lorsque nous atteindrons la piste que le major Reno a découverte, nous la suivrons prestement.

Le général Terry et le colonel Gibbon marcheront vers l'ouest le long de la Yellowstone, puis vireront vers le sud en atteignant Little Bighorn, où il semble plus que probable que les sauvages se cachent.

Si la piste oblique vers l'ouest, je continuerai, en prenant garde que l'ennemi ne s'enfuie ni vers le sud ni vers l'est.

Nous le pousserons vers le nord et nous lui porterons un coup décisif. Il est à parier qu'il s'enfuira vers le nord, où il se trouvera arrêté par la colonne Terry-Gibbon. S'il s'enfuit vers l'ouest, nous lui donnerons la chasse.

Je viens juste de recevoir mes instructions écrites du général Terry et, après les avoir lues, je n'ai pu résister à l'envie d'écrire une brève lettre à Libbie, que les événements de ces derniers mois ont gravement déprimée. Je lui ai rapporté les instructions suivantes du général Terry : « Il est bien sûr impossible de vous donner des instructions définies s'agissant de vos mouvements ; quand bien même cela serait possible, le commandant en chef a trop confiance dans votre zèle, votre énergie et vos capacités pour imaginer vous imposer des ordres précis qui risqueraient de vous entraver lorsque vous affronterez l'ennemi. »

Oh, mais c'est Noël en juin pour Custer ! J'ai l'occasion de remporter une grande victoire, qui fera des merveilles pour restaurer mon rang. Le public l'exigera. Les chefs du gouvernement et de l'armée n'auront d'autre recours que de s'incliner devant la force de l'opinion publique si je gagne. Or, la victoire est la seule chose à laquelle je pense.

Oui, c'est Noël en juin pour le général Custer !

22 juin 1876

Aujourd'hui, nous n'avons fait à dessein que vingt kilomètres et nous avons dressé le camp longtemps avant le coucher du soleil. Je suis heureux. Je vais participer à l'action. Tant d'officiers restés à l'arrière m'ont demandé, sur le ton de la plaisanterie, de leur laisser leur part des combats. Je compatis avec eux, mais je doute que leur vœu se réalise.

Je me félicite toujours de la décision du général Terry, mais des pensées moroses m'ont préoccupé toute la journée. J'ai parfois l'impression d'être le pestiféré à qui on ne fait appel que lorsque l'exploitation de ses capacités cadre avec le but de certains.

J'ai toujours retenu ma langue quand il s'agissait de médire d'autrui, j'ai toujours préféré la charité à la cruauté, j'ai même été jusqu'à penser du bien de mes ennemis. Je me suis contenté de m'occuper de mes affaires, et qu'est-ce que cela m'a rapporté?

Pratiquement rien.

En 1867, l'armée régulière a approuvé ma promotion au grade de lieutenant-colonel, une promotion dont je ne peux que conclure qu'elle provenait du désir de me donner le commandement de ce qui n'était alors qu'un nouveau régiment de cavalerie, le 7e. Depuis, j'ai consacré neuf ans de ma vie à de bons et loyaux services, et qu'ai-je reçu en retour? Quand tout le pays m'acclame comme général, l'armée continue de me régler une solde de lieutenant-colonel. Neuf ans sans promotion ! Pour l'officier le plus célèbre ?

Peut-être ne veulent-ils pas donner de pouvoir aux vrais combattants. Peut-être ont-ils peur que les tigres qu'ils créent aujourd'hui ne reviennent les dévorer demain.

Peut-être est-ce parce que j'ai toujours été un type bizarre, un type à la voix haut perchée, encombré d'un bégaiement, et qui préfère rester dans son coin.

Peut-être ai-je trop adulé mes supérieurs sans penser assez à moi. Libbie prétend que j'ai toujours été trop prompt à faire passer les désirs des autres avant les miens.

Je ne sais rien de tout cela. Je crois que je comprends mieux avec l'âge, mais je n'en suis que plus dérouté. D'ailleurs, que puis-je y faire ? Et est-ce si important ? Je n'ai jamais été un penseur ni un intrigant. Un homme d'action, voilà ce que je suis. Le monde est dirigé par les penseurs et les intrigants, pas par les hommes d'action.

J'ai toujours agi pour mes maîtres sans me plaindre — McClellan, Pleasanton, Sherman, Sheridan, et même Grant — et, en fin de compte, qu'ai-je obtenu en retour ? Une caresse sur la tête pour les avoir servis comme un bon garçon. Oui, c'est peut-être ce que je suis. Non pas un homme, mais un enfant. Est-ce ma faute, ou m'a-t-on choisi pour jouer ce rôle ? Est-ce moi qui n'ai pas voulu occuper ma place d'homme dans un monde d'hommes ? Je suis peut-être un éternel enfant ? J'ai adoré être un enfant.

J'aime les camps de cavalerie. J'aime la simple vue d'un camp, ses bruits, ses odeurs.

Les hommes qui soignent leurs amis les chevaux, leurs frères de combat. Les sentinelles la nuit. L'appel des officiers et une ou deux parties de cartes. J'adore cela.

La vallée de la Rosebud est une étrange contrée. Déserte. Silencieuse. Depuis longtemps le domaine exclusif des hommes de l'âge de pierre. Depuis des siècles.

J'ai délégué à chaque officier la responsabilité de chacune des douze compagnies. Un combat nous attend et je veux que les commandants agissent en toute indépendance, si besoin est. Je décide quand avancer et quand s'arrêter, mais c'est tout pour l'instant.

Le combat approche. A moins que les Indiens n'arrivent à s'enfuir. Mais je ne crois pas qu'ils y réussiront.

Pourquoi donner tant de liberté aux officiers ? Est-ce parce que je ne serai plus là pour commander ? Je me sens bizarre ; calme, serein, et légèrement craintif. J'ai l'impression de ne pas pouvoir élever la voix.

Est-ce parce que mon heure est venue ? Dieu en a peut-être terminé avec moi. En réfléchissant, la seule chose qu'il me reste à vivre, c'est la vieillesse.

Les Crows sont magnifiques, infatigables, alertes et pressés de débusquer les Sioux.

Comme nous tous.

23 juin 1876

Aujourd'hui, nous avons parcouru cinquante kilomètres. Nous avons retrouvé les traces à l'endroit indiqué par Reno, une large piste qui se dirige vers le sud-ouest.

Pourquoi ai-je l'impression que je vais mourir? J'ai la tête claire, les pensées lucides, un corps exercé et solide qui ne se plaint de rien.

Mais j'ai cette intuition, une intuition qui échappe à toute définition... qui prend sa source au-delà des frontières mortelles. C'est une intuition exaspérante, aussi fugace que distincte.

Au-dessus de ma tête planent des filets de fumée qui renferment toutes les réponses; pourtant, chaque fois que je veux en saisir un, ma main le traverse. On dirait que je suis en train de mourir, et cependant je ne sens rien. Je n'ai jamais éprouvé cette sensation singulière. Je m'observe de l'extérieur avec un calme olympien.

Je ressens peut-être ce qu'on appelle la prémonition de la mort. Mon heure est peut-être venue, et, je ne sais comment, j'en ai conscience.

A la halte de midi, le capitaine Keough m'a glissé négligemment que certains de ses hommes commençaient à s'agiter, et il a entendu l'un d'eux se demander à haute voix si nous ne marchions pas « vers le Paradis des héros ».

J'ai fait remarquer au capitaine Keough que par ce commentaire nous étions au moins sûrs que nos hommes ne s'endormaient pas, mais j'y ai repensé tout l'après-midi et une partie de la soirée parce que je crois que le Paradis des héros est la seule chose que j'aie jamais réellement souhaitée dans ma vie.

Quand j'avais cinq ou six ans, j'accompagnais mon père aux réunions de la milice rurale de New Rumbley, dans l'Ohio. J'insistais tellement pour assister à ces assemblées du samedi que ma mère m'avait confectionné un petit uniforme.

Je m'entraînais avec les adultes qui avaient fait de moi leur mascotte. Les discussions tournaient toujours autour de conflits armés, et ce fut pendant un temps mort ou à la fin d'une de ces réunions que j'appris l'existence de ce Paradis des héros... Walhalla.

Quel endroit merveilleux ! Ah, être emporté là-bas par de ravissantes Walkyries ; être conduit dans un royaume céleste où la nourriture et la boisson sont abondantes, où la joie est permanente ! Ah, y errer éternellement dans une satisfaction béate !

Walhalla a toujours été pour moi le seul paradis désirable... mon paradis... mon désir le plus cher, mon vœu éternel.

Au début de notre mariage, je parlai de Walhalla à Libbie, mais, étant protestante pratiquante, elle jugea le concept trop païen pour y adhérer. Comme l'idée même lui déplaisait, je n'insistai pas.

Mais je fis un pacte avec ma femme dans le premier camp où elle passa la nuit avec moi pendant la Grande Guerre. Je lui fis promettre que si je devais trouver la mort sur un champ de bataille, dès qu'elle l'apprendrait, elle prierait pour que je sois conduit au seuil de Walhalla. Nous n'en avons plus reparlé depuis douze ans, mais je suis sûr qu'elle tiendra sa promesse.

Et je sais que j'irai là-bas. Si j'ai gagné quoi que ce soit dans ma vie, c'est bien une place dans le paradis des héros. J'ai toujours affronté l'ennemi, je n'ai jamais fui le champ de bataille. Je n'ai jamais commandé depuis l'arrière — comme cela se pratique de nos jours — mais toujours en première ligne ; je n'ai jamais mené mes hommes là où je ne serais allé le premier. Je n'ai jamais craint la mort, pas une fois.

Je dresse mentalement une liste de ce que je regretterais si je devais quitter ce monde : Libbie, Tom, toute notre famille ; mes livres, ma plume, et la précieuse camaraderie des hommes d'armes. Comme il y a forcément des chevaux à Walhalla, je ne les inclus pas dans ma liste.

24 juin 1876

Nous avons dépassé ce matin le point où le major Reno avait fait demi-tour et, peu après, nous avons découvert les restes d'un camp indien étonnamment vaste. La vallée est parsemée de signes — il y a tant de griffures de travois, tant de crottins de poneys qu'il est impossible de calculer le nombre de Peaux-Rouges qui ont séjourné ici. Certains crottins ne sont pas vieux de plus de deux jours, ce qui signifie que l'ennemi n'a pas dû parcourir plus de cinquante kilomètres.

C'était une scène étrange. Apparemment, une danse du soleil d'une certaine durée a été exécutée dans cet endroit.

A l'intérieur d'un abri délabré, nous avons trouvé le scalp d'un Blanc.

Les Crows sont surexcités, ils disent que les Sioux ont utilisé une puissante sorcellerie. Je leur ai conseillé de regarder la sorcellerie que vont accomplir les six cents soldats du 7e de cavalerie.

Il est maintenant neuf heures du soir et, comme il fallait s'y attendre, les Crows ont découvert que les traces hostiles bifurquent nettement vers l'ouest, vers la vallée de la Little Bighorn.

Je viens de convoquer les officiers pour les informer d'une modification de notre plan. D'ici une heure, nous franchirons de nuit la ligne de partage des eaux, afin de trouver un endroit où nous pourrons rester tapis pendant la journée pour attaquer au matin du 26.

25 juin 1876

Nous avons installé le camp à quatorze heures et, à cru sur Dandy, je viens juste de faire le tour du bivouac. Les hommes sont las, mais ils ont hâte de se battre. Couteau-Sanglant me dit qu'il y a assez de guerriers en face pour que le combat dure deux ou trois jours. Un seul devrait suffire.

A huit heures du matin, les Crows annoncent qu'ils ont découvert notre objectif. Je suis parti à cheval et j'ai escaladé un endroit appelé le Nid du Corbeau, d'où je n'ai rien vu, bien qu'on m'eût assuré qu'un vaste village se trouvait à vingt-cinq kilomètres.

Les éclaireurs sont certains que nous avons été découverts, et je viens juste de donner l'ordre... nous ne pouvons pas attendre demain... nous attaquons immédiatement.

J'ai envoyé John Burkman sur Dandy à l'arrière, avec le convoi de chariots. Bientôt, je chevaucherai Vic, et nous remonterons la vallée pour combattre les Indiens là où nous les trouverons.

Je serai en tête, le clairon d'un côté, l'étendard de l'autre, face à l'ennemi.

Epilogue

George Armstrong Custer, trente-six ans, et deux cent dix de ses hommes périrent durant l'après-midi du 25 juin 1876, sur les hauteurs qui dominent la rivière Little Bighorn. Avec lui moururent ses frères Tom et Boston, son neveu Autie Reed et son beau-frère James Calhoun.

Après le désastre, sa veuve, Elizabeth, déménagea à New York où elle vécut chichement jusqu'à sa mort, en 1933, après avoir survécu à son mari pendant cinquante-trois ans. Elle ne se remaria jamais.

Le couple est enterré dans un petit cimetière, à West Point.